NUESTRA GUERRA AJENA

Germán
Castro
Caycedo

NUESTRA GUERRA AJENA

Calle 73 n.º 7-60, Bogotá

Diseño de cubierta: Departamento Creativo Planeta
Primera edición: septiembre de 2014

ISBN 13: 978-958-42-4178-8
ISBN 10: 958-42-4178-8

Impreso por: Printer Colombiana S. A.

A Renaud Blanchet,
mi entrañable yerno

Presentación

Anteriormente, la Editorial Planeta se negó a publicar este libro y, existiendo un contrato vigente, me devolvió el manuscrito original, por su contenido en cuanto a la posición del Estado frente al conflicto interno (2002-2010).

Hasta ese momento, Editorial Planeta había publicado quince libros escritos por mí.

Hoy, bajo una nueva dirección, Planeta ha tomado la decisión de publicarlo.

EL AUTOR

Amazonia colombiana. *El Sar* es un helicóptero del gobierno de los Estados Unidos que vuela más alto que los demás porque protege toda una operación militar extranjera autorizada por nuestros gobiernos en nuestro propio territorio.

En *El Sar* se acomoda un equipo estadounidense de búsqueda y rescate en caso de que se presente un siniestro: que las balas de los narcotraficantes lleguen a cobrar un blanco en alguna de las aeronaves que fumigan con herbicidas —selvas, ríos, cultivos de alimentos, poblaciones con seres inocentes y, desde luego, plantaciones de coca—, o que un motor comience a estornudar y luego se calle, o que termine por vomitar fuego, cosa que generalmente nunca ocurre.

El Sar es una nave de asalto, pero a la vez una ambulancia.

A menor altura y escoltando a los aviones que fumigan veneno, flotan helicópteros también artillados, ocupados por *Los Cuervos,* mercenarios contratados por el Departamento de Estado de Estados Unidos a través de la compañía DynCorp de la Base Patrick de la Fuerza Aérea (USAF), en la Florida y *Las Águilas* que son policías colombianos.

En esta guerra, los helicópteros que vuelan en la cima de las montañas o sobre la selva llevan matrículas de la Policía de Colombia PNC, pero no son ni de la Policía de Colombia, ni del gobierno colombiano, ni de la nación colombiana. No. Su dueño es el Departamento de Estado.

Los aviones tampoco son de Colombia. Su dueño también es el Departamento de Estado, y sus pilotos son igualmente mercenarios estadounidenses o personas nacionalizadas en aquel país, contratadas a través de la compañía East Inc. de Massachusetts que también se presenta como Eagle Aviations Services and Technology del Columbia Metro Airport.

La East Inc. —subcontratista en Colombia de la DynCorp— participó en la operación Irán-Contras, en la cual la CIA traficó con cocaína del cartel de Medellín para adquirir armamento con destino a los Contras de Nicaragua, enemigos del gobierno sandinista.

En estos valles lo puramente colombiano son la coca y la selva arrasada por las hachas y las fumigaciones, porque quien estimula las siembras y la transformación de coca en cocaína, y el tráfico, y las inverosímiles ganancias en el mercado norteamericano —pero también los torrentes de dinero que cobra la casa Monsanto de Saint Louis Missouri por las sustancias con que se ha arrasado el país desde el aire durante algo más de cuatro décadas sin pausa—, quien lo estimula, digo, son los mismos Estados Unidos, el mayor consumidor de narcóticos de la humanidad.

Nuestra guerra es una guerra ajena en la cual los intereses y la geopolítica que la determinan tampoco son los nuestros.

Sin embargo, en esta guerra —privatizada al ritmo de la economía neoliberal igual que la de Iraq—, lo que llaman en Colombia la *ayuda* de Washington es menos del once por ciento del costo total de la contienda, la mayoría invertida en el pago de herbicidas y mercenarios estadounidenses —ahora les dicen *contratistas*— a través de compañías estadounidenses.

(Mercenario - *Soldado que a cambio de dinero sirve en la guerra a un poder extranjero: Real Academia de la Lengua Española*).

En el año 2006, después de Iraq, Colombia era el lugar del mundo donde se movía un mayor número de mercenarios a sueldo del Pentágono y del Departamento de Estado. (Frederick Forsyth los llama «los perros de la guerra»).

En la Aeronáutica Civil de Colombia, no fue posible confirmar que los mercenarios involucrados en labores de fumigación de cultivos posean licencia de esa agencia, tal como lo ordenan las leyes de este país.

Según voceros del Ministerio de Relaciones Exteriores que temen que sus nombres sean revelados, «la idea es que todos los *contratistas americanos* carecen de visas de trabajo [...] Muchos de ellos, inclusive, ingresan a este país sin visas y hasta sin pasaportes, encubiertos directamente por la Policía Nacional».

El 24 de octubre del año 2010 la Agencia Española de Noticias, EFE, dio a conocer un cable que fue reproducido por medios colombianos de prensa, según el cual, «en la 117 Conferencia Anual de la Asociación Internacional de Jefes Policiales (IACP), celebrada en Orlando, Florida, el general Óscar Naranjo, director de la Policía de Colombia, fue nombrado agente especial de la agencia de la lucha contra las drogas (DEA) de los Estados Unidos».

Un poco antes, en aquel país lo habían rotulado con el titular de, «El mejor policía del mundo».

Años atrás, los estadounidenses se habían cuidado de darle el mismo tratamiento a su antecesor, el general Rosso José Serrano.

Según acuerdos mundiales, en la aviación militar, la aviación civil no tiene ningún tipo de regulación ni influencia, de manera que cuando llegan los pilotos mercenarios estadounidenses a Colombia y se encuentran con esa maravilla, alegan que ellos no son civiles.

Entonces, ante la Aeronáutica Civil son pilotos militares de Colombia; ni siquiera militares extranjeros. Y a las aeronaves estadounidenses las presentan como aeronaves militares de Colombia. Por ese motivo fue que a todos los aviones de fumigación y a todos los helicópteros del Departamento de Estado y del Departamento de Defensa que se elevan en el país les pintaron matrículas de la Policía y del Ejército.

Según funcionarios de la Aeronáutica Civil de Colombia, «cuando los mercenarios van a llenar un plan de vuelo escriben *oficial del Ejército,* o *de la Policía* y bajo esa figura cometen todo tipo de violaciones.

»Ellos no tienen una licencia convalidada por la Aeronáutica Civil como debe hacerlo cualquier piloto extranjero que quiera volar en el país. Por el contrario, éstos deberían cumplir con trámites en la Aeronáutica Civil, homologar sus licencias, homologar sus certificados médicos.

»La Aeronáutica Civil de Colombia no tiene ni idea de si ellos están sanos, si están enfermos, si tienen sus chequeos al día... Si son consumidores de cocaína y heroína, o de marihuana. No hay posibilidad de que el Estado bajo esa normatividad civil pueda meter las narices en la aviación de mercenarios. A ellos no hay absolutamente nada que los regule. Inclusive, los mismos policías y los militares desconocen quiénes son aquellos caballeros.

»Y aquí viene otra cara de la moneda: cuando la aviación del Estado que no es regulada por la aviación civil se autorregula. En esa autorregulación los militares lo tienen todo vigilado, la salud, el entrenamiento, las operaciones, los tiempos de descanso bajo una norma interna».

Pero de los mercenarios nadie sabe nada. Ellos son terreno prohibido porque los protege un acuerdo con el Departamento de Estado: su imagen es casi diplomática en el sentido de su inmunidad. Nadie sabe en este país si esos señores están vigentes desde el punto de vista legal. Eso es un secreto.

Todo esto quiere decir que gracias a esta figura, el gobierno de los Estados Unidos interviene directamente en nuestro país, pero a la vez no interviene porque los mercenarios no dependen directamente de él.

Por este motivo, «nadie en Colombia sabe cuándo llegan, quiénes llegan, cuándo los relevan, cuándo los trasladan a otro país. Los mercenarios *americanos* de alguna manera son infranqueables», dice un funcionario colombiano del Ministerio de Defensa Nacional que también pide que oculten su nombre.

(Americano*: natural de alguno de los 47 países que conforman el continente, desde Alaska hasta la Tierra del Fuego en Argentina, incluyendo las islas del Caribe. Su nombre es una alusión al de Américo Vespucio, navegante y cartógrafo italiano que, entre otros, surcó los litorales de Argentina, Venezuela y Colombia).*

Desde luego, en Colombia —cuyo Estado no ha sido históricamente el más digno— esto es apenas lógico. Una muestra reciente es Álvaro Uribe Vélez, que desde cuando llegó a la Presidencia de la República se transformó en un ser incondicional del mandatario de los Estados Unidos (Bush le concedió ocho audiencias en los primeros cuatro años del gobierno Uribe).

La parodia es elocuente: como lo hace el estadounidense, Uribe Vélez resolvió también llevarse la mano al pecho cuando escucha el himno nacional de su país... o *Antioqueñita,* una canción popular de su tierra. Pero también dejó de utilizar la palabra «subversivos», como hasta ese momento habían sido calificados los guerrilleros en Colombia, y ahora les decía *terroristas* como lo acostumbraba Bush.

Pero, además, aquellos guerrilleros acaso se habían transformado en una especie de santos... ¿En beatos? Es que, según Uribe, ahora no acampaban o se escondían en madrigueras, cuevas, o ratoneras. No. Ellos ahora tenían sus *santuarios* como los catalogaba Bush.

Pero regresando al tema, el mundo de los mercenarios es el del silencio que obviamente ellos llaman *low profile* —bajo perfil—, o sea el del misterio, el de no insinuar siquiera con la mirada, el de la desconfianza frente a los militares colombianos y desde luego, ante los civiles: todos pueden ser sus enemigos potenciales.

Mercenarios colombianos enviados a Iraq por compañías estadounidenses dicen que han entrado a un régimen tan severo como la misma ley del silencio de los bandidos en las cárceles, y hacen alusión desde el peligro que corren sus familias hasta el castigo a trabajos forzados si llegan a revelar cosas de su mundo.

Para sustentar parte de este libro fue necesario intentar diálogos con mercenarios colombianos y estadounidenses, y luego de fracasar con la mayoría quedaba en el ambiente la sensación de que, hasta cierto punto, rechazan ser vistos como mercenarios, es decir, seres que participan en guerras ajenas a cambio de una paga. Y cuando resuelven responder algo, generalmente se presentan como luchadores de la libertad y del patriotismo desde su punto de vista de extranjeros asalariados en un país que en la mayoría de los casos no conocen, y con el cual no tienen ningún vínculo.

Pero, a pesar de tratarse de exmilitares, excombatientes en guerras de diferentes partes del mundo, invariablemente uno los encuentra temerosos frente a las represalias que tomen las compañías que los han contratado si llegan a abrir la boca.

Observadores militares calculan que en los últimos años del gobierno de Uribe Vélez en este país había entre tres mil quinientos y cuatro mil mercenarios extranjeros involucrados en la guerra contra los narcóticos y la subversión, o dependiendo de las grandes compañías multinacionales que operan en el país.

Sin embargo, la guerra no es la única actividad de los mercenarios extranjeros en Colombia. En el 2005, en una localidad llamada Melgar dentro de una base importante del ejército colombiano, fue descubierta una organización de estadounidenses que utilizaba niñas para producir videos pornográficos, los cuales llegaron a las manos de alguien que los denunció públicamente.

En 1999, también mercenarios de la compañía DynCorp fueron sorprendidos en Bosnia traficando con niñas lanzadas a la prostitución.

En el 2001, en Kosovo se les demostró que estaban involucrados en el negocio de trata de mujeres con el mismo fin.

En Colombia, también han estado ligados al tráfico de cocaína y heroína hacia su propio país.

Se cree que para tratar de atenuar esta imagen, ellos mismos han acordado guardar silencio en todo el mundo —el *low profile*—, aunque no se sabe que hayan respondido por sus delitos ante las autoridades penales ni en Bosnia, ni en Servia, ni mucho menos en Colombia, donde gozan de inmunidad.

En el año 2010, por fin conocí a uno de ellos que finalmente aceptó hablar «siempre y cuando no mencione mi nombre ni el de la empresa para la que trabajo», según dijo en un inglés pausado. No sabía con precisión en qué punto cardinal del país estaban las bases de Marandúa o de Tumaco. No sabía cómo se llamaba el que mandaba en las Fuerzas Militares de nuestro país. No sabía, ni le importaba, que Colombia fuera un país con presidente de la República. No sabía que en Colombia había universidades.

La impresión es que tanto él como otros que aceptaron hablar —aunque en diálogos informales— son pilotos acostumbrados a la vida y a la forma de trabajo del mercenario: el riesgo parece que ya no les afectara.

Por otra parte, su oficio es el de, tal vez, sentirse útiles pero en un medio de total peligro al que se acostumbraron, de estar en Iraq, en Afganistán y en Colombia. Para ellos Afganistán, Iraq y Colombia son lo mismo.

Según ellos mismos, muchos de sus camaradas rechazan la heroína, pero son consumidores de marihuana y cocaína. Inclusive hay quienes vuelan drogados. «Desde luego, hay alguna gente sana», dice uno de ellos.

Como era de esperar, la entrevista con el que la aceptó estuvo plantada sobre el secreto, con base en silencios, en pausas largas y, ante todo, en una buena dosis de cinismo.

—¿Conoce este país?

—No, ni me interesa mucho. Conozco las bases donde trabajo. Nada más. Allí estoy cerca de las selvas... Bueno, estoy quince días de cada mes, porque trabajo quince, y quince me voy a *América* a descansar. Lo demás no me preocupa. ¿Para qué necesito conocerlo si sé que es un país de terroristas y de traficantes de drogas? Un país con muchos asesinos.

—Entonces, ¿por qué viene?

—Primero, porque me pagan bien; primero por eso. Y segundo, porque pienso en la justicia.

—No me parece que esta sea nuestra guerra sino la suya —le digo—. Esta es una guerra de ustedes.

—¿Por qué? (sonríe en tono de burla).

—Porque ustedes son los mayores consumidores de drogas del mundo.

—Sí, porque los colombianos enviciaron a *América.*

—No. Yo creo que *América* siempre ha sido viciosa y se acabó de envenenar en Vietnam…

—Ese no es mi problema… Pero el punto era que no sé dónde queda Colombia porque no me importa. Lo que me importa es esta guerra. Para eso me pagan.

—¿Qué piensa cuando le dicen mercenario?

—Yo no soy mercenario. Mercenarios nos dicen los terroristas. Si lo quiere, yo soy un piloto que trabaja por un sueldo. Punto.

—¿Piloto?

—Sí, fui oficial militar: un piloto.

—Pero alguna vez antes de venir a Colombia ¿fue fumigador con alguna experiencia en Estados Unidos?

—No. Simplemente hice un curso.

—¿Cuántos pilotos estadounidenses son realmente fumigadores?

—¿Usted me habla de nosotros los *americanos*? Creo que la minoría: unos trabajaron en compañías comerciales, otros fueron oficiales militares. Algunos pocos son fumigadores con experiencia.

Según el exministro de Defensa Rafael Pardo Rueda, al analizar el fracaso del *Plan Colombia* (fase uno) frente a la cocaína, «mientras en el año 2000 había que fumigar tres hectáreas para erradicar una, en el 2005 hubo que fumigar 22. La fumigación había llegado a su nivel de ineficacia».

Se lo cuento a mi personaje y luego de mirar al techo unos segundos, irrumpe:

—No. Aquí no hay ineficiencia. El ministro puede decir lo que le venga en gana porque no sabe que uno trabaja una zona, sabe a conciencia que quedó bien fumigada, y luego se va a otra, y luego a otra y a otra, y cuando vuelve a la primera ha pasado casi un año y la encuentra nuevamente toda sembrada. Después de cada fumigación los terroristas vuelven a plantar la coca...

—Ahora: yo le repito que éste es un país de narcos y de terroristas y nadie me puede decir que no. Mire: la semana pasada vi a un hombre en el aeropuerto de un pueblo de la selva. Estaba ahí, sentado en el piso, y a su lado había tres colchones doblados y unas cajas de cartón. Le dijo a los policías que estaba arruinado y en problemas: los terroristas le prestaron el dinero para sembrar, pero lo habíamos fumigado. ¿Cómo les pagaba ahora a los terroristas de las FARC? Aquí quien le presta dinero a la gente para que siembre coca son las FARC. Por eso ellos cuidan los cultivos a balazos.

—Su contrato con el Departamento de Estado...

—No. Mi acuerdo es con una compañía contratada por el Departamento de Estado. Ahora yo no soy oficial militar...

—¿Eso quiere decir que el Departamento de Estado interviene directamente en nuestra guerra, pero a la vez no interviene directamente en ella?

—Eso es política. Yo sé de otras cosas. Yo me subo a un avión, llámese como se llame. Un avión...

—Lo que uno sabe es que su trabajo destruye nuestra naturaleza. Al fin y al cabo este no es su país y tampoco su naturaleza.

—¿Cómo? ¿Con qué?

—Con *Glifosato*.

—Eso no es así. El *Glifosato* es mucho menos nocivo y mucho menos letal que la sal de cocina. Si repite eso de contaminar le voy a decir que usted es un terrorista.

A estos pilotos les han dicho que inicialmente el *Glifosato* no es herbicida: «Se trata de un producto para emparejar la maduración de cultivos. Luego de usarlo sí se le ve su capacidad como herbicida».

Es que al cubrir la coca con *Glifosato*, éste acelera su muerte. Si usted ve la planta a los quince, a los dieciocho días de la fumigación, nota que murió. A los cuatro o cinco días todavía la ve viva, pero si «raspa» la hoja a las pocas horas de haber sido fumigada, usted la lleva a macerarla para producir base de coca y ya no le produce: el alcaloide ha acabado con la acción del veneno.

Pero, por otra parte, según cualquier experto, una cosa es fumigar las selvas más ricas de la tierra formadas por millones de especies vegetales diferentes, con vientos cambiantes en forma permanente, y otra muy diferente hacerlo en agricultura sobre campos perfectamente determinados, sin obstáculos, con pleno control. Se lo digo y la respuesta es simple:

—Para uno, todo es igual.

Desde luego no acepta que en esas condiciones, jamás permiten fumigar en los Estados Unidos: todo lo contrario que en Colombia.

—¿Por qué *El Sar* está siempre tripulado por estadounidenses?

—Porque estamos entrenados en búsqueda y rescate y, si es necesario, tenemos que enfrentarnos a los terroristas para auxiliar a alguna tripulación que haya caído... Pero ¿sabe por qué más? Porque somos los mejores.

—¿Alguno de sus compañeros habla castellano?

—No. Ninguno. ¿Para qué?

—¿Hay algo que les guste de Colombia?

—Nada. A mí no me gusta nada más allá de las mujeres. No son feas y se acuestan con facilidad, pero algunas son peligrosas. Con las colombianas hay que abrir los ojos porque te pueden robar. Y todas quieren casarse a la hora de conocerlas para que uno se las lleve a vivir a *América.*

—¿Cómo consiguen las mujeres que conocen? ¿Dónde?

—Pues en los bares donde trabajan.

—Los demás, ¿qué otra cosa saben de Colombia?

—Lo mismo que yo: que hay muchos terroristas... Pero, mire: yo no sé de Colombia más allá de lo que tengo que saber. Para mí Colombia es un *Plot* y en ese *Plot* unas líneas por sobre las que tengo que volar sin distraerme. Eso es lo que debo saber.

El *Plot* es un sistema que registra los movimientos de estos aviones durante las fumigaciones y a la vez les sirve de guía para su labor, «solamente fumigando campos de coca», dice él.

No obstante, en las capitales fuera de Bogotá, las autoridades locales son conscientes de que la rutina es que la mayoría de los mercenarios fumiga los cultivos de coca, es cierto, pero como no les importa si gastan o no gastan *Glifosato*, fumigan también la selva y fumigan los ríos y fumigan los poblados... Claro, con escuelas y con niños y calles y con lo que sea. Lo fumigan todo. Lo que indique el *Plot* parecería no importarles...

En un segundo acto sobre la dignidad del Estado colombiano, el actor es un piloto conocido en las bases militares locales como *Míster Ron*.

Los pilotos de las naves colombianas de carga que les llevan el *Glifosato* y el combustible para los aviones y los helicópteros estadounidenses, se acuerdan de él. ¿Cómo no se van a acordar si el tipo llevaba cinco, seis mujeres y las tenía varios días en la base de Marandúa o en la de Tres Esquinas, o en la de San José, desde luego en las narices de los militares colombianos?

Después de una bacanal de tres o cuatro días, él pedía un avión por cuenta del *Plan Colombia* a través de la Embajada de los Estados Unidos, para que las regresaran a Neiva, a Bogotá o a Villavicencio.

La historia que cuentan aquellos es muy sencilla:

«—Pues este tal *Míster Ron* tiene muchas historias en *nuestras* bases: es un gringo alto y rubio, como todos. Unos cincuenta años, simpático, pero le gustan la droga y las putas. El tipo se subía a mi avión y decía que la vida eran *perica* —cocaína— heroína y Viagra.

»Ahí están en los prostíbulos de Neiva y de Villavicencio, y de aquí, y de allá, las mujercitas que cuentan estas historias, porque el resto de los mercenarios también llevan viejas a las bases militares colombianas donde ellos son los reyes, sólo que sin el desorden de *Míster Ron*.

»Una vez» —cuenta luego— «hice un vuelo Bogotá-San José para recoger unas camionetas de los gringos, luego hice San José-Yopal, tomamos combustible en Yopal y llegamos a la base militar de Marandúa cerca de las seis de la tarde.

»En Marandúa se trepó *Míster Ron* con seis prostitutas que tenía allá desde hacía varios días. Las habían llevado en otro avión por cuenta del *Plan Colombia*...

»En las bases ellos viven alejados, se alojan en unas cajas grandes como contenedores, con aire acondicionado y todas, pero todas las comodidades. En su zona hay restaurante, bar, y parece que allá no arrima ni el comandante de la base militar colombiana...

»Pues, bueno, aquel día las mujeres y el gringo se subieron al avión y a los pocos minutos de vuelo *Míster Ron* dijo que pusiéramos la luz de la cabina de carga. La pusimos: él y las viejas estaban fumando marihuana, y él empezó a desnudarlas y a empelotarse él, y nos llamaba para que los viéramos... Era un vuelo contratado por la embajada de los Estados Unidos y hacíamos lo que nos pidieran.

»Aquí en Bogotá aterrizamos esa noche y llegaron camionetas de la embajada con sus vidrios polarizados y sus placas diplomáticas a recogerlos a él y a sus muñecas.

»Hoy los mercenarios siguen llevando viejas a las bases militares colombianas. Que lo nieguen los comandantes será otra cosa. Pero los mercenarios las llevan.

»Cuando se trasladan de base, las empresas les transportamos todos sus enseres. Algo curioso: por ejemplo, usted los va a llevar de Tumaco a Larandia y cualquiera piensa que primero cargarán el equipo de *Glifosato*, pero no. Lo primero que sacan es el asador a gas y todas sus comodidades.

»Actualmente tienen un *chef* y dos o tres cocineros que relevan cada quince días. Cada *chef* llega con mercado. Usted viera ese mercado: algo impresionante porque ellos comen a la carta y fuman marihuana y meten cocaína o algunos se pinchan con heroína, como se dice, a la orden del día.

»Ahora, pueda que hoy no haya el desorden de *Míster Ron*. Esa es otra cosa. Y que los vagos no sean todos los mercenarios, también es otra cosa, porque, los pilotos especialmente, se cuidan más y hay dos o tres muy juiciosos. Dos o tres, pero la mayoría lleva sus dos, sus tres prostitutas y su buena provisión de droga...

»*Míster Ron*: El hombre tenía mucho, mucho poder. No supe nunca qué ficha movía, pero tenía poder.

»Una vez en la plataforma de la pista de Tres Esquinas el hombre estaba esperando un vuelo que llegaba a recoger a unas viejas que él tenía allí. En esa época estaban construyendo otra plataforma y nos tocaba apretujarnos a todos en un solo sitio.

»En ese momento apareció una escuadrilla de helicópteros de la Fuerza Aérea Colombiana haciendo su aproximación, y el *man* les ordenó a las viejas que se bajaran los calzones, se levantaran las faldas y les mostraran la cuca a los pilotos de los helicópteros, y nos llamó para que observáramos: "Miren, miren lo que va a pasar".

»Pues claro: los pilotos que venían en posición de tiro y las viejas mostrándoles aquello, empezaron a romper la formación y se armó un despelote... Pero un verdadero despelote, por Dios...

EL MERCENARIO:

—Pero en sí, ¿usted sabe algo más del país? —le pregunto.

«—No es un país que llame la atención, que le diga a uno "venga". Lo que se ve aquí es miseria como en Ndola, en Zangaro: el África. Antes yo salía algunas veces a los pueblos cercanos a cada una de las bases donde trabajamos y creía que estaba en África. Ya le dije: además de la miseria y de la droga, me parece un país peligroso.

Desde luego, hoy, nuestra guerra de cada década es otra. Desde el año 2000 la guerra colombiana tiene una fisonomía distinta a cuantas han enmarcado la historia del país desde la invasión de América por los españoles —le dicen La Conquista— luego en la época de la Colonia, más tarde en la Independencia. La de ahora es una guerra privatizada en un país que ha vivido eternamente en medio de la muerte.

Según Darcy Ribeiro citando a Diego Montaña Cuéllar, después de la Batalla de Boyacá —a raíz de la cual nació la República—, entre 1830 y 1903 ocurrieron en Colombia 29 alteraciones constitucionales, 9 grandes guerras civiles nacionales y 14 locales, 2 guerras con el Ecuador, 3 cuartelazos y una conspiración fracasada.

Luego hubo una pausa de 25 años y en 1928, el Ejército de Colombia al servicio de la United Fruit Company asesinó, según historiadores, a por lo menos dos millares de trabajadores del banano que pedían salarios justos.

Dos años después, en 1930 los liberales comenzaron a matar conservadores.

Y a partir de los años cincuenta los conservadores respondieron matando liberales. País sin memoria: a esta etapa la llaman *Época* de la Violencia.

Pero luego, en esta nación sin una identidad propia y como consecuencia siempre imitando al resto del mundo, en los años sesenta nació la guerrilla comunista FARC línea Moscú, luego el ELN línea Cuba, más tarde el EPL línea Pekín: la guerra no se ha detenido un solo día, pero ahora se trataba de una diferente, consecuencia de las anteriores. Es decir, fruto de la cultura de la violencia que engendró la matanza de más de cuatro siglos a partir de la invasión de América por los españoles.

En los años sesenta los estadounidenses que participaban en la guerra de invasión a Vietnam y habían regresado luego de ser relevados de los frentes de matanza, aparecieron enviciados en una búsqueda enloquecida de marihuana, y estimularon con sus dólares la producción en nuestro país.

El paso siguiente fue implantar en Colombia —directamente ellos— el tráfico de estupefacientes en su favor, y aquello dio lugar al comienzo de la ola de sangre y de muerte que hoy, más de cuatro décadas después, continúa azotándonos.

***

Colombia, una víctima directa de la invasión a Vietnam:

La historia que, desde luego los estadounidenses no recuerdan, y si se la tratan de recordar tampoco la aceptan, parece sencilla:

Golfo de Tonkin, Vietnam, 2 de agosto de 1964: el destructor estadounidense *USS Maddox* navegaba en misión de espionaje electrónico sobre las costas vietnamitas y según el gobierno de su país, «fue atacado por tres lanchas torpederas del Vietnam en forma aleve y sin que mediara agresión alguna por parte de la unidad *americana*».

Desde luego, «las naves vietnamitas no alcanzaron al destructor que en una acción valerosa hundió a una de aquellas», según dijeron voceros el gobierno de Lindon B. Johnson, el presidente de los Estados Unidos que en ese momento se hallaba en campaña política para buscar su reelección.

No obstante, años después, durante el gobierno de Clinton se hicieron públicos archivos secretos de aquella guerra y quedó absolutamente claro que el ataque al destructor había sido una farsa: «Aquel no existió nunca», concluyen los documentos.

No obstante, esta mentira fue el pretexto para justificar la invasión a Vietnam.

(En 1962 en el curso de un encuentro celebrado por la organización *Sigma Delta Chi*, Asociación de Periodistas Profesionales, en Nueva York, el subsecretario de Defensa de los Estados Unidos, Arthur Silvester, había confesado claramente los principios de la administración de Washington: «El gobierno de los Estados Unidos tiene derecho a mentir para salvarse». (*The Nation*, 6 de junio de 1966).

Pero lo que no se quiere recordar, o no ha sido divulgado en el mundo en forma abierta, es que la respuesta de los vietnamitas a la agresión estuvo basada en dos instancias diferentes: primera, una poderosa guerra de guerrillas que sumada a los enfrentamientos internos y a la desmoralización y al racismo de los mismos soldados estadounidenses, los hicieron añicos en el campo físico y en el de su propia moral.

Segunda, el alto consumo de marihuana que inicialmente les suministraron para enviciarlos y en esta forma *minar el futuro del Imperio.*

Vietnam del Norte está ubicado, justo en lo que se llamó *El Triángulo de Oro de la droga*, conformado también por Laos, Tailandia y Birmania (hoy Myanmar).

El primer parte de esta fase de la derrota de los Estados Unidos en Vietnam fue recibido por el mundo en 1969 —cinco años después del comienzo real de la invasión—, a través de un festival de *rock* en Woodstock. Allí el mundo presenció cómo cerca de medio millón de jóvenes estadounidenses se retorcían bajo los efectos de la marihuana y a la vez balbuceaban, «haga el amor y no la guerra».

El primer parte de esta derrota fue especialmente recogido en el famoso documental *Tres días de paz & Música* que le dio la vuelta al mundo, tras el cual la crítica estadounidense conceptuó que gracias a la descomunal *traba* de marihuana que duró tres días y el amanecer del cuarto —15, 16, 17 y 18 de agosto— «Woodstock ha sido uno de los mejores festivales de música y arte de la historia de los Estados Unidos».

Pero el parte definitivo de la derrota fue rubricado en Lima durante la Asamblea General de la Organización de Estados Americanos, OEA, el 3 de julio de 1997, cuando Thomas McLarthy, asesor del presidente Bill Clinton para América Latina, dijo públicamente:

«Con menos del cinco por ciento de la población del mundo, los estadounidenses consumen la mitad de toda la droga que produce el mundo».

Pienso que, como lo anotaba antes, esto significa que Colombia también es víctima directa de la derrota en Vietnam, porque a partir de allí, desgraciadamente ha estado bajo la influencia directa de la Nación con los índices más altos de vicio en Occidente.

El resto de la historia es que a su regreso de la guerra, los contingentes de soldados minados por el exceso buscaron la marihuana, primero en Jamaica, un país con orden, en el cual se respetaban y se hacían cumplir las leyes, pero cuando supieron que en Colombia crecía una yerba de gran calidad, se vinieron en su búsqueda, la ubicaron en el Caribe y allí fomentaron con su demanda extensas zonas de cultivo e impusieron el narcotráfico en este país.

Odio, miedo y marihuana

Dentro del cúmulo de crímenes que indiscutiblemente rayan en la depravación cometidos en Vietnam por «los héroes *americanos*» —como aún los cataloga parte de la opinión estadounidense—, el mundo pudo conocer más tarde uno de muchos genocidios, ocurrido el 16 de marzo de 1968 en una aldea llamada My Lai-4 en el pueblo Song May.

Allí, los soldados del Tío Sam bajo la influencia del odio, del miedo y de la marihuana, asesinaron a 504 seres inofensivos, representados por bebés, niños de dos, de tres, de cinco años, mujeres embarazadas, madres que trataban de proteger a sus bebés, ancianos indefensos, niñas violadas y mutiladas...

Inicialmente la prensa de los Estados Unidos presentó aquello ante el mundo como «una gran victoria militar sobre el Vietcong, la guerrilla comunista».

El filósofo inglés Bertrand Russel subraya en su ensayo sobre *aquella guerra de exterminio y atrocidad*:

«Estados Unidos ha tratado de difamar al movimiento de guerrillas llamándole *Vietcong*, que significa "comunistas vietnamitas".

»Ningún grupo de Vietnam se llama a sí mismo por tal abreviatura. Quienes escogieron ese nombre, desconocían que en Estados Unidos la palabra *comunista* basta para alarmar al público y difamar a cualquier movimiento, pero que en gran parte del mundo la palabra *comunista* lleva connotaciones favorables».

En los Estados Unidos, durante meses los medios de comunicación continuaban tomando distancia del asunto y complementaban el silencio cómplice del Ejército frente a aquella vergüenza, hasta cuando el excombatiente Paul Meadlo, de Terre Hante, Indiana, hizo en la televisión de ese país una confesión descarnada de los crímenes y las atrocidades cometidas en My Lai-4, nada diferentes a los de los peores días de Hitler y de Stalin.

Entonces el Ejército inició una investigación secreta de lo que ellos ya conocían, a raíz de la cual, Seymour M. Herst, autor del libro *My Lai-4* —en uno de los que me he basado para escribir este capítulo—, y quien fue distinguido con el Premio Pulitzer 1970, fue quien le dio a conocer al mundo el horror cometido por los héroes en aquel rincón de Indochina.

Anteriormente los investigadores John Takman y R.L.M. Synge, de Suecia, el filósofo inglés Bertrand Russell, Do Xuan Hop de Vietnam, J.B. Neilands y Phillis Patterson, de Estados Unidos, A.I. Poltorak de Rusia y otros habían abordado en sus escritos el tema de los ataques contra decenas de aldeas vietnamitas pobladas por seres inocentes que en aquel momento eran el blanco de la artillería de la Séptima Flota y de las nubes y nubes de llamas de las bombas con gelatina de napalm —la perversa arma incendiaria utilizada por los Estados Unidos sobre ciudades y aldeas—, y de las bombas también incendiarias de fósforo blanco, y de las de fragmentación, y de las bombas «*lazy dog*», y del gas venenoso *BZ*, y de otras armas terroristas que casi todos los estados del mundo —incluido ese país— se comprometieron luego a no emplear jamás.

Es que los Estados Unidos, además de sus *marines* y de sus *rangers* y de sus grupos élite y de sus soldados regulares estimulados todos ellos por la misma marihuana vietnamita que ahora los minaba hasta la médula, utilizaron también armas venenosas contra arrozales, palmares, animales domésticos y seres humanos en el sur de Vietnam, especialmente bebés, niños y mujeres, porque los hombres estaban luchando en la selva.

Produce profunda angustia ver películas hechas por los mismos estadounidenses, y fotografías que muestran los miembros lacerados, las llagas profundas en los cuerpecitos de pequeños niños y niñas, y sus gestos de tormento ante las quemaduras causadas por el napalm «mejorado» —como alardeaban los generales del Pentágono— a base de poliestireno que actúa como adhesivo y hace que resulte imposible quitar del cuerpo el aceite ardiendo.

Según el premio nobel y filósofo británico Bertrand Russell, tanto en su libro *Crímenes de guerra en Vietnam* como en su ensayo *Guerra y atrocidades en Viet Nam*, «se trata de un arma de tortura que, salvo por Estados Unidos e Israel, no ha sido utilizada por ninguna otra nación del mundo y sus únicas víctimas han caído en África y el Asia en sus luchas de resistencia a los ataques de Occidente.

»El napalm arde sin cesar y no se puede extinguir fácilmente ni con tierra ni con agua; sus víctimas se consumen en medio del pavor de los observadores.

»Este combustible gelatinoso tiene un doble propósito: con él se pretende que a la vez que se atormenta a la víctima, se quebrante también la voluntad de resistencia de los supervivientes».

En Vietnam fueron calcinados con napalm, hospitales, escuelas, sanatorios y clínicas.

El médico sueco John Takman sostiene en el libro *Napalm:* «Parece que la mayoría de los estadounidenses llegó a ser consciente y a aceptar que los vietnamitas fueran aniquilados con gases y venenos».

Un informe posterior de cuatro entregas en el periódico *Toledo Blade*, llegó al fondo del odio que rodeó los crímenes cometidos por los estadounidenses en Vietnam, estimulados por la marihuana.

Se trata de la historia de dieciocho soldados de un pelotón de élite llamado *Tiger Force* que durante siete meses ejecutó una cadena de crímenes y depravación similares a los ocurridos en muchos rincones de Vietnam.

Según la revelación del periódico, en las tierras altas de Vietnam del Sur, los militares torturaron y mutilaron los cuerpos de bebés, niños y mujeres, y luego los remataron a bala y a cuchilladas con sus bayonetas.

El informe fue inusual, no solo por la denuncia de las atrocidades cometidas por soldados estadounidenses, conocidos y encubiertos por los mandos superiores del Ejército, sino por la vinculación de las muertes a la política oficial militar de Estados Unidos en Vietnam que gran parte del país aceptó como «un juego libre en zonas en las que los soldados estaban autorizados para matar a cualquier cosa que se moviera».

La serie del *Blade* fue doblemente importante puesto que se publicó durante la ocupación de Estados Unidos a Irak, cuando nuevas atrocidades se habían cometido contra civiles inocentes.

Como en el caso de My Lai-4, pese a haber sido comprobada la cadena de crímenes cometidos por la *Tiger Force*, jamás se presentaron cargos contra ninguno de aquellos militares, y los informes finales de la investigación fueron enterrados, pero descubiertos luego por este diario, que tituló su serie de denuncia como *Buried Secrets* —Verdades Brutales—, que también fue premiada con el prestigioso Premio Pulitzer de periodismo estadounidense.

Como en el caso de My Lai-4 y en el del libro del premio Pulitzer 1970, Seymour M. Hersh, el periódico partió de la documentación obtenida en los archivos del Comando de Investigación Criminal del Ejército de Estados Unidos.

Pero en esta historia de marihuana y perversión hay más: durante el año que siguió a la matanza de My Lai-4, un sector reducido de la opinión estadounidense tuvo referencias de tres nuevas denuncias sobre hechos de sangre y sevicia similares, que, desde luego fueron acalladas y desaparecidas por el entonces general Collin Pawell, que más tarde ocupó el cargo de secretario de Estado de los Estados Unidos —el mayor productor de marihuana del mundo a partir de 1987, según *High Times*, publicación especializada en cannabis, de libre circulación en ese país desde la década de los años setenta, y según informaciones del mismo Estado norteamericano.

Según Seymour M. Hersh en su libro *My Lai-4*, «La primera vez que siendo militar, el general Collin Pawel fue a Vietnam, se la pasó quemando pueblos, y la segunda fue a tapar las masacres hechas por soldados de los Estados Unidos».

Luego él fue quien recibió la denuncia formulada en una carta escrita por Tom Glen, un joven soldado que exponía atrocidades iguales a las de My Lai-4. En esa carta dice que vio balear campesinos vietnamitas por la espalda, que los soldados bajo los efectos de la marihuana por el simple placer tiraban balazos sobre madres con sus bebés, contra niños, contra ancianos, sin justificación ni provocación.

La carta de Glen agrega que «la tortura era utilizada para interrogar a sospechosos de pertenecer al ejército comunista».

Powel —otro héroe— hizo desaparecer éste y varios documentos similares.

Las siguientes líneas son un esbozo condensado del salvajismo cometido bajo los efectos del miedo, el odio y la marihuana por los «héroes *americanos*» de Vietnam.

El capítulo está basado en diferentes documentos públicos, pero como ya fue señalado, especialmente en el libro de Seymour M. Hersch, cuyo subtítulo traducido de la carátula es, «*La guerra del Vietnam y la conciencia norteamericana*».

***

Recién llegado a Vietnam y al ingresar a la compañía Charlye —autora del exterminio de 504 seres inocentes en una aldea llamada My Lai-4— el soldado Gregory Olsen, de Portland, Oregon, recordó que él y sus compañeros vieron un camión de transporte de tropas estadounidenses que circulaba por allí, «con, por lo menos veinte orejas humanas ensartadas en la antena de la radio».

Y tanto el capitán Low Ernest Medina, de Springer, Nuevo México, como el teniente William Laws Calley Junior, de Miami —los cabecillas que bajo las órdenes de oficiales superiores lideraron el asesinato indiscriminado de seres inocentes—, a partir de allí intentaron convencer a la compañía Charlye de que quienes aparecieran a su vista en la aldea de My Lai-4 eran sospechosos de pertenecer a la guerrilla comunista del Vietcong y tenían que ser eliminados.

El capitán Ernest Medina le repetía a su gente las palabras del general Curtis LeMay, de la Fuerza Aérea: «Hay que bombardear a estos hijos de puta hasta hacerlos regresar a la edad de piedra».

El soldado Olsen relató luego que «una vez, Grezesik» —uno de sus compañeros— «le dio algo de comer a un viejo que habían hecho prisionero y los demás reaccionaron como locos de rabia».

Por su parte, el soldado Danny Ziegler no entendió por qué el capitán Ernest Medina o el teniente William Laws Calley Junior tenían que torturar y cortarles los dedos, las orejas o los senos a los prisioneros para tratar de conseguir información en un idioma que de todos modos ellos no entendían.

La compañía Charlye consiguió su primera oreja humana cerca de Duc Pho:

«Un soldado que había visto a cuatro campesinos en el fondo de un valle, imaginó que podrían ser del Vietcong comunista y "*mi*" capitán Medina hizo entrar en acción a la artillería. Después del bombardeo envió a un pelotón para buscar los cadáveres, pero resultó que eran los de unos ancianos».

«El soldado Harvey H. Stanley vio regresar al pelotón con una oreja. Medina era feliz: se trataba de su primera pieza».

Antes de la matanza de My Lai-4, miembros de la compañía Charlye habían empezado a asaltar a las mujeres vietnamitas, a violarlas y a mutilarles los senos y los genitales con sus cuchillos, pero aunque sus superiores lo sabían, aquéllos no recibieron ningún castigo.

En una ocasión varios soldados se dirigieron a una mujer que trabajaba en el campo en una zona amistosa, y según Michael Bernhardt, le quitaron a su bebé y luego, uno a uno la violaron y después la mataron apuñalándola con sus bayonetas. Después ensartaron al bebé.

Paul Meadlo, mozo de granja en Indiana, dijo que antes de entrar en acción, la compañía Charlye encontró en su patrullaje una pequeña aldea: allí se robaron una radio, todo el mundo saqueó y se llevó cosas, confirmó Richard Prendelton.

En momentos de abandonar aquella aldea un soldado gritó: «¡Algo se mueve entre los matorrales!» y "*mi*" teniente Jeffrey Lacross de la tercera sección dijo que averiguaran qué era».

Alguien gritó: «Tiene un arma, tiene un arma» y el pelotón abrió fuego con sus fusiles M16.

El sospechoso cayó y el pelotón se aproximó corriendo. Inmediatamente el soldado Doherty vio lo que ocurrió a continuación:

«Me acerqué corriendo, fui el primero en llegar, le di una patada y entonces vi que era una mujer y paré. Pero otros continuaron pateándola».

«Michael Terry, de Orem, Utah, protestó a gritos porque cuando se acercó el grupo la mujer aún vivía. Alguien sugirió que llamaran a un helicóptero para evacuarla a un hospital... "Esta hija de puta no necesita ningún médico", exclamó de repente un soldado y le pegó un balazo en el pecho. Otro le robó el anillo».

Mucho más tarde el capitán Low Ernest Medina le dijo a un periodista que allá los comunistas habían hecho estallar una bomba a distancia y que su compañía había encontrado a una chica de unos quince años, escondida por los alrededores con la mano todavía en el detonador de la bomba. Entonces sus hombres le habían «dado de baja».

No habló de anillo ni de robo.

La víspera de entrar a My Lai-4 el señor capitán Ernest Medina y «*mi*» coronel Barker habían empezado a planear la misión por la mañana muy temprano y sobrevolaron My Lai-4 en un helicóptero.

El coronel Barker le dijo a Medina que en My Lai-4 estaba «parte del cuarenta y ochoavo batallón del Vietcong», —o como dice la gente educada, el Cuadragésimo Octavo Batallón— «una de las mejores unidades del enemigo, con una fuerza de unos 280 perros comunistas».

La misión de la compañía Charlye era la de destruir a ese batallón y a My Lai-4.

Medina recibió órdenes del señor coronel Barker de quemar las casas de la aldea, volar los refugios y los túneles de escape y matar el ganado.

Normalmente no se hacía esto, pero la idea era destruir el pueblo para que el batallón del Vietcong se viera obligado a marcharse.

«Parece que la lucha va a ser dura, dijo "*mi*" capitán Medina».

Bueno, después del funeral de un miembro de su grupo que había caído la víspera, Medina pronunció un discurso para encolerizar a los hombres de la compañía Charlye y así tenerlos dispuestos a ir a My Lai-4.

«No les di ninguna instrucción sobre lo que tenían que hacer con las mujeres y los niños en aquella aldea», dijo luego.

Otro soldado, llamado Charles West, recordó que le había oído decir a Medina que cuando la compañía abandonara My Lai-4, «No deberá quedar allí nada que camine, ni que crezca o que se arrastre».

La noche del funeral —Harry Stanley, un negro de Gulf Port, Misisipi, le dijo a los de la División Criminal del Ejército—, «antes de salir para My Lai-4 Medina nos ordenó que matáramos "a todo lo que se moviera en el pueblo" y todos estuvimos de acuerdo en aquello de que Medina quería que matáramos no solo a los hombres, sino a las mujeres y a los niños de la aldea».

La División de Investigación Criminal es la principal organización policiaca del ejército estadounidense.

Herbert Carter, de Huston, Texas, le dijo a la misma División que creía que Medina había sido explícito: «Bien, chicos, esta es nuestra oportunidad para vengarnos de esa gente. Cuando entremos a la aldea se levantará la veda y cuando nos vayamos no debe quedar nada. Todo debe desaparecer».

En un examen de testigos llevado a cabo por el ejército en diciembre de 1969, el sargento Cowen testificó que Medina «nos dijo que destruyéramos todo lo que estuviera vivo».

Cuando le preguntaron si creyó que aquello significaba que podía matar a los civiles, Cowen respondió:

«—Sí, señor».

A su vez, Charles Hall recordó que Medina había dicho: «No quiero ningún prisionero».

Robert Maples agregó que «Medina nos dijo que todo lo que había en el pueblo era enemigo... Por el modo en que yo creo que lo dijo y por la manera como lo tomamos, nos dio a entender que todo lo que había en el pueblo pertenecía al Vietcong».

Según Michael Bernhardt, Medina dijo: «Todos esos hijos de puta son vietcongs y ahora vamos por ellos. Tenemos una cuenta pendiente con ellos». Luego añadió: «No tenía que decir precisamente mujeres y niños».

Un soldado negro había anunciado que la compañía Charlye iba a eliminar a todo un poblado con sus habitantes al día siguiente. El oficial que lo escuchaba dijo que había creído que se trataba «de una fanfarronada de negro».

Un combatiente llamado Gregory Olsen, de Portland, Oregon, dijo que Medina definió entonces al enemigo que iban a encontrar en la aldea como Vietcong comunista. Y agregó: «A todo el que trate de escapar de nosotros o se esconda hay que dispararle a matar. Incluso, si corre una mujer, hay que dispararle. Hay que matarla».

Luego, Medina hizo una pausa para acabar de fumarse su *porro* de marihuana.

Michael Terry, de Orem, Utah, dijo: «Medina dio la impresión de que podíamos matar a la gente, que podíamos matar a todo el que viéramos».

En forma significativa el teniente William Calley Junior, otro tremendo consumidor de la yerba, según el testimonio de sus soldados, también lo creía así.

Lo de My Lai-4 no fue nada nuevo. Se trató del final de un círculo vicioso que había empezado meses antes según Ronald Grzesik, de Halyoke, Massachusets, y lo de aquella aldea fue el final de ese círculo de marihuana y sangre:

«Era como dar cada vez un paso más, un paso cada vez peor... Es que, primero detenías a la gente, la interrogabas y la dejabas marchar. Segundo: detenías a la gente, azotabas a un viejo y los dejabas marchar. Tercero: detenías a la gente, torturabas a un viejo y luego le disparabas. Cuarto: ibas y destruías un pueblo entero».

La mañana del 16 de marzo de aquel 1968, los miembros de la compañía Charlye subieron a los helicópteros en la zona de aterrizaje para ir a asaltar My Lai-4. Todos recuerdan que tenían la seguridad de que por primera vez iban a encontrarse cara a cara con los guerrilleros comunistas del Vietcong.

El teniente Calley y su sección fueron los primeros que subieron a los grandes helicópteros negros de asalto del ejército. Estaban armados hasta los dientes. Cada hombre llevaba el doble de la munición normal para fusil y ametralladora.

Adelante iba el teniente Calley que se había colgado del hombro una canana suplementaria con balas de fusil M16.

Primero despegaron nueve helicópteros en los que se transportaba a la primera sección con 25 hombres y el capitán Medina con su pequeño cuartel general formado por radiotelegrafistas, algunos oficiales de enlace y un médico. Todos blancos.

Cuando el primer helicóptero emprendió el vuelo hacia la aldea, ya había salido el sol y hacía calor: eran las siete y veintidós de la mañana.

La artillería había establecido una breve cortina protectora. La zona de My Lai-4 estaba siendo «preparada» con anticipación para la misión de búsqueda y destrucción de aquel día.

Cuando el teniente Calley y sus hombres aterrizaron en un arrozal encharcado a 150 metros al Noroeste de la aldea, unos cuantos helicópteros muy bien armados estaban cubriendo la zona con una tempestad de balas de pequeño calibre.

El arroz estaba a punto de ser recolectado y los campos verdes tenían una vegetación muy espesa.

Uno de los pilotos del helicóptero informó que la zona de aterrizaje en My Lai-4 estaba «caliente», es decir, poblada por guerrilleros del Vietcong esperándolos.

La primera acción salió de los helicópteros disparando. Sin embargo, al cabo de unos segundos, los hombres vieron que nadie respondía al fuego: «No sentí que ninguna bala zumbara cerca de mí —recordó Charles Hall, que aquel día estaba encargado de una de las ametralladoras de la nave—. Para considerar que un zona es "caliente", tienes que recibir algún disparo», dijo.

Para entonces los vietcong que tal vez había en la zona ya se habían escapado. También se fueron de allí algunos partidarios locales de los guerrilleros.

La compañía Charlye no era la única que participaba en el asalto. Las otras dos compañías del grupo operativo Barkie se instalaron en posición de bloqueo al norte y al sur. Estaban allí para impedir que escaparan las unidades del Vietcong que sus jefes imaginaban, estarían esperándolos.

Pero todas las órdenes no venían del capitán Low Ernest Medina ni del teniente Wilim Law Calley Junior. Por ejemplo, el general Samuel Koster, jefe de la división, daba vueltas en torno al objetivo a una altura de seiscientos metros, mientras a Oran K. Inderson, jefe de la «Once Brigada» se le asignó la máxima altura de setecientos cincuenta metros.

Los helicópteros tenían que dar giros sobre el campo de batalla en el sentido contrario al de las agujas del reloj.

A menor altitud, por debajo del nivel de los trescientos metros debían volar los helicópteros artillados que tenían la misión de disparar contra los efectivos del Vietcong que sus mentes estimuladas por la marihuana les decía que iban a tratar de huir.

Las dos primeras secciones de la compañía Charlye sin haber recibido aún una sola bala entraron en la aldea. Detrás de ellas, todavía en el arrozal, iban la tercera sección y el puesto de mando del capitán Medina, y Calley y alguno de sus hombres entraron en la plaza, que estaba en la parte sur de la aldea.

Ninguna de las personas que estaban allí escapó ni trató de escapar. Se imaginaban que los soldados estadounidenses supondrían que cualquiera que corriese era un vietcong y le iban a disparar a matar. No hubo ninguna sensación de pánico inmediata. Eran las ocho de la mañana.

Al entrar a la aldea la gente de Calley pensó que era la hora del desayuno: unas cuantas familias estaban agrupadas delante de sus casas cociendo arroz en un pequeño fuego, pero las matanzas empezaron en pocos segundos sin previo aviso.

La aldea estaba llena de gente pacífica, silenciosa, desarmada.

Harry Stanley le contó más tarde a la División de Investigación Criminal del ejército que un joven miembro de la sección de Calley «detuvo a un campesino y lo empujó hasta el sitio donde estábamos nosotros y luego le clavó la bayoneta en la espalda. El anciano cayó al suelo jadeando. Entonces el soldado lo remató de otro bayonetazo y luego le disparó con el fusil. Allí asesinaron a tanta gente que me resulta difícil recordar con exactitud cómo murieron algunos de ellos.

»A continuación el joven se volvió hacia donde había un grupo de soldados que tenían detenido a otro hombre mayor. Aquél lo cogió y lo tiró a un pozo, luego desaseguró una granada M26 y la lanzó a la cabeza del hombre».

Unos minutos más tarde Stanley vio a unas mujeres de edad y a unos niños —en conjunto unos 15 o 20— agrupados alrededor de un templo en el que quemaban incienso: se encontraban arrodillados rezando en voz alta y varios soldados pasaron junto a ellos y asesinaron a todas las mujeres y a los niños, disparándoles a las cabezas con los fusiles.

No hubo protestas por parte de la gente porque estaban horrorizados. Los soldados sacaron a unas 80 personas de sus casas y las reunieron en la plaza de la aldea. Unos cuantos gritaban «No Vietcong, no Vietcong», porque, claro, ellos no lo eran.

Sin embargo «*mi*» teniente Calley encomendó a Meadlo, a Boyce y a otros pocos la responsabilidad de vigilar al grupo: «Ya saben lo que quiero que hagan con ellos» le dijo a Meadlo. Diez minutos después —hacia las ocho y quince de la mañana—, volvió y preguntó:

«—¿Aún no se han liberado de esos hijos de puta? ¡Los quiero muertos!».

El radiotelegrafista Sledge que iba detrás de Calley oyó que el oficial le decía a Meadlo, «¡Destrúyalos!».

Meadlo obedeció la orden. «Estábamos a unos tres o cuatro metros de distancia del grupo y entonces Calley empezó a dispararles. Luego me dijo que empezara a disparar: empecé a hacerlo, así que avanzamos y los matamos a todos. Vacié el cargador más de una vez, digamos cuatro o cinco veces. En un cargador caben 17 balas M16».

Boyce se escabulló hacia el norte de la aldea, alegrándose de que no le hubieran hecho disparar, pero allí las mujeres se acurrucaban contra sus bebés y contra sus niños pequeños, intentando en vano protegerlos. Algunas continuaban con sus gritos de «No Vietcong». Otras decían sencillamente: «No, no, no».

A todos los asesinaron.

A esa hora, buena parte de los soldados ya se habían aco modado en la cabeza *porros* y *porros* de marihuana que, de todas maneras, estuvieran en acción o a la espera de entrar en *combate*, eran su estímulo permanente.

Nguyen Ba, un jefe vietcong de la aldea que fue asesinado más tarde, dijo que muchos de los que estaban desayunando en las puertas de sus casas saludaron sin temor a los soldados que iban entrando, pero que los soldados los agruparon y dispararon contra ellos.

A otros que estaban desayunando en el interior de las casas, entraron y los asesinaron allí mismo.

Los pocos vietcongs que habían estado cerca de la aldea se encontraban lejos de allí y muy bien escondidos.

Nguyen Ngo, antiguo jefe de la sección de guerrilleros que operaba en la zona de la aldea corrió a su escondite a unos trescientos metros de distancia cuando los soldados llegaron echando bala, y pudo darse cuenta de que disparaban contra todo lo que veían. Su madre y su hermana se escondieron en unas zanjas y pudieron sobrevivir gracias a que quedaron cubiertas por los cadáveres.

Pham Lai, un antiguo guardia de seguridad de la aldea se escondió en un refugio de techo de bambú y oyó los disparos, pero no vio nada. Su mujer, arropada por un cadáver, sobrevivió a la matanza.

Ahora los *americanos* disparaban hacia todos lados.

Dennys Conty, un soldado de Providence, Rhod Island, explicó más tarde a los hombres de la División de Investigación Criminal: «Todos teníamos una sicosis como consecuencia de la cual, nada más llegar allí empezamos a disparar, casi como una reacción en cadena:

»La mayoría de nosotros habíamos esperado encontrarnos con tropas del Vietcong, pero resultó que no fue así. Primero vimos a unos cuantos hombres que corrían, y lo siguiente que recuerdo es que estábamos disparando contra todo. Todo el mundo no hacía más que disparar.

»Después de entrar en la aldea creo que podría decirse que nuestros hombres habían perdido todo dominio de sí mismos».

Al norte, Brooks y sus hombres de la segunda sección habían empezado a saquear sistemáticamente la aldea, a robarse lo que encontraban, a matar a la gente y al ganado y a destruir las cosechas.

Los hombres disparaban sus fusiles y ametralladoras contra el interior de los bohíos sin importarles mucho quién había dentro.

Medina, tan *trabado* con marihuana como los demás, corría de un lado para otro dando órdenes de matar. No había allí ninguna organización, de manera que Gary hizo lo que hicieron la mayoría de los soldados: «Me fui por mi cuenta» y corrió hacia el sur. Otros se unieron a él.

Los habitantes del pueblo, aterrados, muchos llevando sus efectos personales en cestos de mimbre corrían por todas partes para escapar a la carnicería. Pero en la mayoría de los casos no les sirvió de nada. Los helicópteros armados que volaban por encima, perforaron a muchos. Otros fueron a parar a manos de la tercera sección.

Charles West vio a seis vietnamitas en un extremo de la aldea, algunos con cestos y les disparó:

«Aquella gente corría alejándose de nosotros y en todas direcciones. Era difícil distinguir a una abuela de un abuelo porque todos llevaban una especie de pijamas negras. En realidad se parecen como una hormiga a otra».

Herber Carter le dijo a la División de Investigación Criminal del ejército que el capitán Medina mató campesinos cuando entró a la aldea. Carter testificó que poco después de entrar la tercera sección, vieron a una mujer. Alguien la derribó y luego dijo:

«—Medina le disparó con su fusil M16. Yo estaba a unos quince metros de allí y lo vi. No había ningún motivo para matar a aquella joven.

»Nuestros hombres continuaron asegurándose de que nadie escapara. Llegamos a un sitio donde los soldados habían reunido a un grupo de quince o más vietnamitas mujeres, niños y ancianos. Medina dijo entonces:

»—¡Maten a todos estos hijos de puta! No dejen ni uno solo.

»Una ametralladora empezó a disparar contra el grupo. Poco después uno de los operadores de radio de Medina, lentamente pasó entre ellos y los remató».

Según Carter, «Medina no disparó personalmente contra ninguno de ellos, pero él fue quien dio las órdenes... Al cabo de muy poco tiempo detuvo a un chico de unos diecisiete años que llevaba un búfalo. Medina le dijo que se alejara del animal —explicó Carter a los investigadores—, trataba de hacer que corriera pero el chico no quería correr y entonces Medina le disparó desde una distancia de muy pocos metros con su fusil M16 y lo asesinó. Yo estaba cerca y lo vi claramente».

«Al llegar a este punto en el interrogatorio de Carter el oficial de la División de Investigación Criminal del mismo ejército, le advirtió:

»—¡Usted está haciendo unas acusaciones muy serias contra su oficial superior!» —Y Carter respondió:

«—¡Lo que digo es verdad. Estoy dispuesto a jurarlo ante el Tribunal y delante del mismo Medina!».

El oficial investigador no tomó nota de lo que había relatado Carter.

Medina había entrado primero por el lado norte de la aldea. Luego se dirigió hacia la plaza con el personal del puesto de mando, y llegó allí más o menos cuando Paul Meadlo, de Terre Hante, Indiana, y el teniente Calley asesinaban al primer grupo.

Meadlo todavía se pregunta: «¿Por qué Medina no detuvo la ejecución si era una equivocación?

»Aquella mañana Medina y Calley se cruzaron unas cuantas veces pero no se dijeron nada. No sé si el capitán dio la orden de matar o no, pero estaba allí cuando ocurrió aquello».

Jay Roberts, de Arlington, Virginia, y Ronald L. Haeberle, de Cleveland, Ohio, también entraron tras la tercera sección. Haeberle vio que un grupo de soldados, «unos diez, doce o más, disparaban metódicamente contra una vaca que se desplomó. Entonces una mujer sacó la cabeza de detrás de un matorral. Los soldados dejaron de dispararle a la vaca y empezaron a hacerlo contra la mujer y continuaron disparándole a ella... Se podían ver las astillas de sus huesos que saltaban por el aire. Nadie trató de interrogar luego a aquellos hombres...».

Entre serie y serie de matanzas buena parte de los soldados armaban y luego encendían nuevos *porros* de marihuana y se los sorbían con excitación. Con mucha ansiedad.

Ronald L. Haeberle, de Cleveland, Ohio, fotógrafo militar, hizo muchas más gráficas aquel día: él vio luego cómo unos treinta soldados asesinaban por lo menos a cien campesinos vietnamitas con sus mujeres y con sus hijas y con sus nietos recién nacidos.

Cuando él y Jay Roberts —el reportero que lo acompañaba— entraron a la aldea, vieron por todos lados regueros de personas muertas, animales muertos, cabañas ardiendo, y frente a ellos, soldados y más soldados fumando marihuana; algunos registraban las ropas de las víctimas para robarles las pocas piastras —monedas— que debían llevar. Unos les habían arrancado la ropa a tres muchachas y las estaban violando. Otro, con un cuchillo perseguía a un pato. Un grupo miraba cómo un soldado mataba a una vaca con la bayoneta...

Haeberle vio a un hombre y a dos niños pequeños que se dirigían a un grupo de soldados: «Seguían andando hacia nosotros. La niña, muy pequeña, decía, "¡No, no!". De repente los soldados los despedazaron con sus ráfagas».

Más tarde vio a un soldado que de repente abría fuego con su ametralladora contra un grupo de campesinos, como siempre, mujeres, bebés y niños que estaban reunidos formando un gran círculo. Ellos, aterrados, intentaron correr, pero los acribillaron… «No sé cuántos pudieron haberse salvado».

Luego Haeberle vio cómo un soldado disparaba contra dos niños de unos cuatro y cinco años que iban por un camino. El mayorcito de los dos se tiró encima del otro para tratar de protegerlo, pero el soldado siguió disparando hasta que los hizo trizas a los dos.

Pero la hazaña aún no terminaba:

Ahora eran casi las nueve de la mañana y toda la compañía Charlye se encontraba en la aldea asesinando a la mayoría de las familias dentro de sus casas o justo en las puertas —dicen apartes del relato de Seymour M. Hersh—. A los que habían intentado escapar, los soldados los amontonaban en algunos de los muchos refugios que habían construido en la aldea para protegerse, y cuando el refugio estaba lleno, los cubrían con nubes de fuego de los lanzallamas, acompañadas por granadas de mano.

Gary Garfolo pidió prestado un lanzagranadas y bañó con llamas a un búfalo: «Le bañé justo la cabeza», gritó. El animal cayó de golpe… Luego agregó: «No siempre se tiene la oportunidad de darle a un hijo de puta de estos con un M79».

Otros disparaban esta arma contra refugios llenos de gente.

Carter recordaba que «unos soldados daban gritos y alaridos durante la matanza».

(Pero claro: los héroes disfrutaban la marihuana).

—«Cuando uno ríe y bromea sobre lo que está haciendo es porque le divierte», explicó luego.

Un soldado gritó: «Eh, ya tengo otro». Había matado a un niño.

Otro contestó: «Resérvame uno para mí».

Carter creía que incluso el capitán Medina se lo estaba pasando muy bien: «Uno se da cuenta cuando otro disfruta con su trabajo», comentó.

Según Carter, «en un momento de la mañana uno de los miembros del puesto de mando de Medina se unió a los que disparaban. Una mujer salió llorando de una cabaña con un niño en brazos y gritaba, porque cuando otro de sus pequeños hijos estuvo delante de la cabaña, alguien había disparado y lo había matado.

»Cuando apareció la madre, uno de los hombres de Medina le disparó con su fusil y ella cayó. Al caer soltó al niño y el soldado le disparó una ráfaga al bebé y lo despedazó».

Él también vio cómo un oficial agarraba a una mujer embarazada y le disparaba con una pistola calibre 45... «La tuvo agarrada por el cabello durante un minuto, la bamboleaba con fuerza, luego la soltó y ella cayó al suelo».

Unos reclutas que estaban por allí, dijeron:

«Bueno, ahora esta hija de puta estará en el gran arrozal del cielo».

Michael Bernhardt vio la aldea por primera vez cuando la matanza estaba en su apogeo. Él se había retrasado porque Medina le había dicho que inspeccionara una caja de madera sospechosa que había en la zona de aterrizaje. Tras comprobar que no se trataba de una trampa, Bernhardt se apresuró a reunirse con sus compañeros de la tercera sección, entró a la aldea y allí vio que los hombres de la compañía Charlye, «estaban haciendo cosas extrañas:

»Primero, le estaban pegando fuego a las cabañas y esperando a que la gente saliera para asesinarla.

»Segundo: entraban en las cabañas y les disparaban a los que trataban de esconderse.

»Tercero: reunían a la gente en grupos y les disparaban ráfagas con sus fusiles...

»Todo era tan deliberado... Era un asesinato evidente y yo estaba allí contemplándolo, y aquello me obligaba a preguntarme si podría volver a tener confianza en alguien».

Todos ellos actuaban bajo los efectos del odio y de la marihuana.

Eran algo más de las nueve de la mañana. Meadlo le dijo a Grezsik que «*mi*» teniente Calley lo había obligado a disparar contra aquellos indefensos. Trataba de llorar.

«Traté de calmarlo», dijo Grezesik, pero el jefe del grupo no podía detenerse mucho. Sus hombres aún no habían finalizado de *barrer* la aldea a balazos, pero el enemigo seguía sin aparecer.

Medina y sus hombres habían comenzado a dirigirse hacia el sur en busca de un vietcong que a lo mejor había visto Hugh Thompson, el piloto de un helicóptero. Fue en ese camino cuando encontraron en el arrozal a la joven que había sido señalada por el humo de Bernhardt. Este vio lo que sucedió después:

«Medina iba solo. Le disparó a la mujer que simulaba coger arroz. Se encontraba a unos cien metros de distancia con una cesta... Si para alcanzarnos hubiese tenido una granada de mano, hubiera necesitado mucha más fuerza en el brazo que uno mismo.

»Medina se llevó el fusil al hombro, inclinó la cabeza sobre el cañón y tiró del gatillo... Vi caer a la mujer... Medina no había tirado más que una vez sin apuntar... ¡No fue un mal tiro!

»Después se acercó hasta ella, se acercó muchísimo, la pateó en la cara, en la cabeza y luego le disparó un par de veces más acabando completamente con ella:

»—¡Era un cadáver bien limpio!... "*Mi*" capitán la miraba con un gesto de odio».

Habían pasado las nueve y media de la mañana y los hombres de la compañía Charlye llevaban más de dos horas en su hazaña. Algunos de ellos se quitaron los cascos, se desataron su equipo pesado, se dejaron caer en el suelo y descansaron cubiertos por el humo de sus *porros* de marihuana.

Thompson, el piloto de helicóptero, estaba furioso. Intentó sin lograrlo comunicarse por radio con las tropas de tierra para averiguar lo que sucedía y como no pudo, informó al cuartel general de la brigada sobre los disparos furiosos y las muertes innecesarias. La totalidad de los helicópteros del mando que sobrevolaban por allí tenían radios de canales múltiples y podían escuchar perfectamente las conversaciones.

El teniente coronel Barker interceptó el mensaje y llamó a Medina. John Kirch de la sección de morteros escuchó que Medina contestaba:

«—No sé lo que están haciendo. Es la primera sección la que va al mando. Trato de detenerlos.

»Más tarde, Medina le comunicó al teniente coronel Barker:

»—He contado trescientos diez cadáveres de vietcongs comunistas».

«El capitán Medina llamó más tarde al teniente Calley y le dijo: "Es suficiente por ahora"».

Stanley declaró ante la División de Investigación Criminal del ejército lo que Calley hizo luego:

«—Llegamos a un bohío. Había una anciana en la cama y creo, un sacerdote vestido de blanco, rezando junto a ella... Calley me dijo que preguntara por el Vietcong y por el ejército norvietnamita y en dónde estaban las armas.

»El sacerdote negó ser un vietcong o pertenecer al ejército norvietnamita.

»Charles Sledge contempló horrorizado cómo Calley arrastraba hasta la calle al anciano sacerdote. Allí le gritó algo al monje. Parecía como si aquel estuviera rogando para que le perdonara la vida. Entonces el teniente Calley emplazó su arma, empujó al monje a un arrozal y le desocupó toda la carga de su fusil a quemarropa».

Según Paul Meadlo, «Luego el teniente volvió la atención hacia los vietnamitas agrupados allí por sus hombres y dio una orden:

»—Arrojen a todos estos hijos de puta a la zanja.

»Tres o cuatro soldados cumplieron la orden. Calley golpeó con el fusil a una mujer mientras la empujaba abajo. Stanley recordó que aquellos campesinos trataban de salirse. Algunos alcanzaron a hacerlo, pero Calley comenzó a disparar y le ordenó a Meadlo que lo acompañara:

»—Metimos a empujones a siete u ocho personas con el grueso del rebaño y así empecé yo a disparar sobre todos. Lo mismo hicieron Mitchel, Calley… Creo que yo maté quizá a veinticinco personas en la zanja» pasaron de las ráfagas a los disparos sueltos para ahorrar munición.

Herbert Carter, «contemplaba a las madres que se agarraban a sus hijitos, y a los pequeños que se agarraban a sus madres. Yo no sabía qué hacer».

«Entonces Calley se volvió a Meadlo y le dijo:

»—Meadlo, tenemos otro trabajo que hacer.

»Meadlo no quería más *trabajo* y empezó a discutir con Calley.

»Sledge observó que Meadlo empezó a sollozar. Calley se volvió entonces hacia Robert Maples y le dijo:

»—Maples, carga tu ametralladora y dispárale a esos hijos de puta».

«—No voy a hacerlo, respondió Maples.

»En ese momento, un niño de unos dos años, sangrante aunque no había sido herido, salió milagrosamente de la zanja. Lloraba. Empezó a correr en dirección a la aldea.

»"¡Un niño!", gritó alguien. Hubo una pausa larga y al final, Calley corrió, agarró al niño, lo arrojó a la zanja y descargó su fusil en el pequeño cuerpo.

»—¿Has visto como ha matado a ese hijo de puta?, dijo Gary».

En aquel momento Thompson volaba por el lugar en su helicóptero y le relató al general inspector lo del asesinato del niño:

«Seguí volando en torno a la zanja y vi que algunos cuerpos aún tenían vida», dijo luego.

El capitán Bryan W. Livingston piloteaba un helicóptero artillado, grande, y sobrevolaba unos metros más arriba. Escuchó las quejas desesperadas de Thompson y descendió para echar una mirada… Luego manifestó ante una audiencia militar:

«—Recuerdo que en ese momento evocamos la antigua historia bíblica cuando Jesús convirtió el agua en vino: aunque la zanja tenía un color gris, se estaba llenando con la sangre roja de los campesinos que fueron lanzados allí».

Thompson sobrevoló varias veces, al final de las cuales observó que los cuerpos de algunos de los niños no tenían cabeza.

Aterrizó por tercera vez, después de que el jefe de la tripulación le dijo que había visto algún movimiento en medio de la masa de cuerpos y sangre que había abajo.

El jefe de la tripulación y Colburn se dirigieron hacia la zanja:

«—Nadie dijo nada» —declaró Colburn— «simplemente salimos».

Luego encontraron a un niño pequeño aún con vida. No había ningún soldado en la zona inmediata. El jefe de la tripulación descendió a la zanja:

«—El niño estaba metido hasta las rodillas entre los cadáveres y la sangre; el niño estaba callado, enterrado entre muchos cuerpos. Seguía agarrado a su madre que estaba muerta».

El niño, que se sujetaba con desesperación, fue separado a la fuerza. Seguía sin llorar.

Thompson le dijo al general inspector:

«—Ni siquiera creo que este niño estuviera herido en absoluto, sólo estaba allá abajo metido entre todos los cadáveres y estaba aterrorizado».

Thompson y su tripulación transportaron al niño a un sitio seguro.

Ya era casi mediodía y la mayor parte de la compañía comenzó a dirigirse lentamente hacia la plaza, como desinteresada.

Estaba terminando la proeza. Buena parte de la aldea se encontraba en llamas.

El general Samuel Koster, jefe de la división que aparentemente sobrevolaba en helicóptero, preguntó cuántos campesinos habían matado durante la operación, y Medina le contestó:

«—Unos veinte o veintiocho» y el general respondió:

«—¡Eso me parece correcto!».

Medina hizo marchar a los soldados al noreste a través de las aldeas desiertas de My Lai-5 y My Lai-6, saqueando y quemando por donde pasaban.

Michael Bernhardt hizo un resumen de aquel día: «No encontramos ninguna resistencia. Yo vi únicamente tres armas capturadas. No tuvimos ninguna baja».

Durante el repliegue, Gregory Olsen vio a un soldado de la compañía Charlye que corría con una mujer al hombro. Ella tenía sus ropas completamente arrancadas. Se dijo que se trataba de una enfermera del ejército norvietnamita.

Roy Wood, negro del sur de Estados Unidos —como lo identificó en documentos la División Criminal del Ejército—, declaró que en la Compañía Charlye los blancos y los negros solían hacer grupos aparte, como ocurría en la mayoría de las unidades en Vietnam. Parecía que algunos blancos nos querían ignorar totalmente, dijo.

Después recordó claramente que los de la segunda sección cayeron luego encima y que todos, uno a uno, violaron a la muchacha. La desgarraron completamente.

Después la vieron sangrando y uno de los sargentos dijo que la había curado. Más tarde ella escapó.

Más allá se veían decenas de cadáveres de campesinos a los que les habían marcado el pecho con cuchillos: «*Compañía C*». A otros los habían destripado. Las mujeres fueron violadas.

Luego de la curación de aquella mujer, un soldado dijo:

«No era difícil encontrar gente para matar. Estaban por todos lados. Les corté la garganta, las manos, la lengua y el cuero cabelludo. Muchos soldados lo hacían y yo también lo hice... Y, además, a los cadáveres yo les sacaba la dentadura a patadas buscando calzas de oro».

Terminada aquella proeza, el general William C. Westmoreland, entonces comandante en jefe de las fuerzas estadounidenses en Vietnam, despachó el siguiente mensaje:

«En la operación realizada el 16 de marzo en My Lai-4, se ha dado un fuerte golpe al enemigo. Felicitaciones a los oficiales y hombres de la compañía Charlye por su acción sobresaliente».

***

Pocos días después de la matanza, el artillero de un helicóptero, Ronald Ridenhour, de Phoenix, Arizona, sobrevoló My Lai-4. Desde allí observó la desolación («ni siquiera un pájaro cantaba allí»), y luego se unió a una unidad de reconocimiento en donde escuchó a cinco testigos oculares de aquello.

Siete meses después fue licenciado y regresó a Phoenix y decidió hacer algo sobre la ignominia.

Allí habló con Arthur A. Orman, uno de sus antiguos profesores de literatura en el bachillerato. Es que, además de su indignación, Ridenhour siempre había querido ser escritor y sabía que jamás encontraría mejor tema con qué comenzar.

Orman lo convenció de que no tratara de vender su historia a ninguna revista y debía entregarla a aquellos organismos del gobierno capacitados para investigar.

Al siguiente marzo —1969—, doce meses después de aquella *acción sobresaliente*, tomó la decisión crítica de dirigirse al Congreso y acordaron finalmente que se deberían enviar denuncias a las cabezas de la Cámara y del Senado, pero también a la Casa Blanca, al Pentágono y al Departamento de Estado.

Se hicieron treinta copias de una carta con sus revelaciones y fueron puestas en el correo, de las cuales se dirigieron nueve cartas certificadas al presidente Nixon, a tres senadores demócratas, entonces portadores de una campaña contra la guerra en Vietnam; a cinco miembros de la delegación de Arizona en el Congreso; a otros dos miembros republicanos de la Cámara y a dos demócratas más.

También se enviaron copias al Pentágono, al Departamento de Estado, a los jefes del Estado Mayor, a otros trece miembros del Senado, a tres miembros más de la Cámara, incluyendo al presidente de la Comisión de Servicios del Ejército y a los capellanes de la Cámara y del Senado.

Ronald Ridenhour, de Mountain View, California, sabía lo sensible que es el ejército estadounidense frente al Congreso.

Seymour M. Hersh, autor del libro sobre My Lai-4 conocido luego por el mundo, hizo un seguimiento minucioso de la historia desde su comienzo.

Según él —en algunos apartes—, solamente dos congresistas, Morris Udall y Mendel Rivers, presidente de la Comisión de Servicios del ejército, se interesaron personalmente por la carta.

Tres días después, Rivers redactó una presionando al Departamento del Ejército para que investigara el asunto, y Udall hizo lo mismo ante el secretario de Defensa, Melvin A. Laird.

Antes de dos semanas luego de haber enviado las comunicaciones, Ronald Ridenhour recibió contestación del coronel John G. Hill del Estado Mayor del ejército en la que le decía que una investigación apropiada llevaría algún tiempo, puesto que los hechos habían sucedido hacía un año pero que ya se estaba investigando.

Sospechando que su denuncia estaba siendo enterrada por el ejército, en abril y mayo Ridenhour intentó comunicarse telefónicamente hasta dos veces por semana con el coronel

William Vickers Wilson, encargado de armar un expediente secreto del caso, pero no logró una respuesta.

Ante el silencio del ejército, a finales de mayo buscó un directorio de agentes literarios, escogió a uno y le envió otra copia de la carta, pero no recibió respuesta.

Durante las seis semanas siguientes envió copias a numerosas revistas, incluyendo *Life, Look, Ramparts, Harpers* y a la *Washington Post Company,* propiedad *de Newsweek*. Tampoco le respondieron.

Sin embargo, a finales de julio se dio orden de congelar cualquier ascenso para Calley.

En agosto, agentes de la División de Investigación Criminal del ejército localizaron al fotógrafo militar Roland Haeberle en Cleveland, y éste les entregó un juego de fotografías de la matanza y les dijo en qué dependencia del ejército podrían encontrar más rollos fotográficos. Estos fueron localizados luego.

A finales de este mismo mes se estaban llevando a cabo a todo lo largo de Estados Unidos y en Vietnam, interrogatorios a antiguos miembros de la compañía Charlye.

En esos momentos, el ejército era reacio a acusar al teniente Calley, argumentando que eso le daría ventajas de propaganda al Vietcong comunista.

A principios de septiembre, por fin el coronel Wilson llamó telefónicamente a Reidenhour y le dijo que el teniente Calley había sido detenido.

Corrieron las semanas y ante el silencio, Ridenhourt se enteró de que los oficiales de alta graduación del ejército que habían dado las órdenes a Medina y a Calley iban a escapar de cualquier juicio.

Sin embargo, el 22 de octubre, unos siete meses después del envío de las cartas de Ridenhour, el periodista Seymour M. Hersh —nuestro autor— recibió una llamada telefónica en la que le dijeron que el ejército estaba juzgando en secreto a algún individuo en Fort Beining por el asesinato de setenta y cinco campesinos vietnamitas.

En aquellos días, el ejército no había hecho otra cosa que elevar los cargos y continuaba tratando de evitar que cualquier línea sobre My Lai-4 saltara a los periódicos.

No obstante, siete días después de la llamada telefónica, Seymour M. Hersh inició una serie de viajes por los Estados Unidos buscando a los personajes de la matanza en My Lai-4, mientras la prensa estadounidense continuaba apática y prácticamente silenciosa, hasta cuando estalló el acontecimiento que aceleró las cosas:

La noche del 21 de noviembre, Paul Meadlo fue entrevistado en el programa de inmensa sintonía en la televisión costa a costa, conducido por Walter Cronkite de la CBS.

En él, Paul Meadlo describió, algunas veces con detalles, las atrocidades cometidas por sus compañeros y las mismas suyas, contra cinco centenares de seres pacíficos en la aldea vietnamita.

La impresionante confesión entonces le abrió camino en algunos periódicos a la publicación de relatos de atrocidades norteamericanas vistas previamente en Vietnam del Sur, ante lo cual, cuatro días después el ejército se vio obligado a anunciar oficialmente que se había preparado al tribunal de guerra que juzgaría al teniente Calley por el asesinato de ciento nueve campesinos vietnamitas.

Posteriormente vinieron la publicación de impresionantes gráficas tomadas por el fotógrafo militar Ronald L. Haeberle y los relatos de algunos testigos oculares, pero el impacto fue amortiguado en parte por el prestigioso diario *The Washington Post*, que sugería que los padecimientos sufridos por la compañía Charlye eran los causantes de estos «deslices».

«En marzo de 1968 para la compañía Charlye —decía el diario— los arrozales y las aldeas desbastadas constituyeron una pesadilla de trampas y de minas».

Un despacho de la también prestigiosa agencia de noticias estadounidense *The Asociated Press*, *AP*, que se sumaba para restarle importancia al «incidente», decía:

«La matanza de campesinos es una práctica establecida por los comunistas del Vietcong como parte de la guerra desde mucho antes de que entrasen en acción las primeras tropas *americanas* en marzo de 1965».

Ray Cromley, el prestigioso corresponsal de la también prestigiosa y objetiva agencia de noticias *News Paper Enterprise Association,* escribió:

«*América* debe empezarles a pagar su deuda, enviando paquetes de todas esas cositas que les hacen falta para vivir a los pobres aldeanos vietnamitas... Debemos asegurarnos de que se manden médicos cirujanos para remediar en la medida de lo posible las mutilaciones de los sobrevivientes... El pueblo vietnamita es un pueblo muy humilde. Reacciona ante todo. Viven en un mundo rudo y miserable y saben que pueden suceder cosas terribles».

Ante la agitación que despertó la confesión del exsoldado Meadlo en el programa de Walter Cronkite, una vez se dieron a conocer las primeras revelaciones del *incidente* de My Lai-4, y tal como si habláramos de Colombia, «a principios de diciembre se informó que el presidente de Vietnam del Sur, Nguyen Van Thieu, tenía conocimiento de aquella matanza desde el momento en que ocurrió, pero no lo quiso reconocer públicamente, pues, le explicó a sus colaboradores, que aquello sólo hubiese servido para agravar los sentimientos anti-*americanos* en su país».

Luego, el señor Van Thieu dio órdenes para que los periódicos vietnamitas no publicaran los relatos de la matanza y tomó disposiciones para publicar un mentís inmediato.

Pero también, muy, pero muy a lo colombiano, el silencio de los periódicos en Vietnam del Sur duró ocho días, al cabo de los cuales *Chin Luan* (Opinión Justa), uno de los más influyentes de Saigón, publicó una entrevista con el canciller Tran Van Lan, anunciando que el presidente Thieu había ordenado «una investigación exhaustiva» sobre el incidente.

Los resultados de la investigación se hicieron públicos al día siguiente temprano en la mañana, en boca del ministro de Defensa que como también es lo usual en Colombia, aseguraba que «los relatos del *incidente* por parte de algunos soldados *americanos* eran completamente falsos».

Como complemento, una semana después de la sensacional confesión de Paul Meadlo ante la televisión costa a costa, surgió la solidaridad del pueblo estadounidense con sus héroes de Vietnam, y, por ejemplo, miembros de la Legión *Americana* de Jacksonville, Florida, dieron a conocer su proyecto de recaudar un fondo de doscientos mil dólares a favor del teniente William Calley Junior.

«Nuevamente» —todo parece haber ocurrido en Colombia—, «al teniente se le concedió permiso para abandonar su sitio de detención en Fort Benning, donde estaba retenido y volar a Jacksonville con el fin de asistir a una fiesta de recaudación de fondos, y allí se le recibió como a un héroe.

»Al iniciar el viaje, algunos pasajeros del avión lo reconocieron y le palmotearon el hombro y lo aplaudieron».

El Pentágono, que había rodeado de secreto la historia de My Lai-4, logró enterrar las atrocidades cometidas por la unidad *Tiger Force* y las de otras acciones tan depravadas como aquellas cometidas por varios grupos de militares estadounidenses en diferentes puntos de Vietnam.

Así por ejemplo, documentos archivados en el cuartel general del distrito de Quang Nai, revelaban que el jefe del pueblo de Song Mi testificaba que en marzo de 1968 —el mismo mes del «incidente» de My Lai-4— los estadounidenses habían matado, descuartizado unas veces y decapitado otras, a 900 personas en Co Lui.

Un poco después surgió otro informe sobre la matanza masiva de seres inocentes y la destrucción de la aldea Ven Tre.

Esta vez, la explicación pública de un oficial estadounidense, fue: «Tuvimos que destruir la aldea para salvarla».

Sin embargo, en Estados Unidos un grupo de periodistas descubrió por su parte que una investigación del ejército había encontrado pruebas sustanciales de que los soldados de la *Tiger Force*, bajo los efectos de la marihuana, habían cometido crímenes de guerra por matar a civiles desarmados que no ofrecieron resistencia, pero las administraciones Nixon y Ford no procesaron a nadie.

Para finalizar la historia de lo ocurrido en My Lai-4, luego de la investigación secreta del ejército se acusó al teniente Calley de haber asesinado a 109 «seres humanos asiáticos», mediante disparos de fusil.

Luego dijeron que no, que las víctimas eran sólo 102.

(El coronel William J. Chilcoat, jefe de la justicia militar del ejército, le pidió a su Estado Mayor que «en las acusaciones delictivas referentes a My Lai-4, en el futuro las víctimas deberían ser descritas como *seres humanos* y no como seres humanos asiáticos»).

Calley fue acusado inicialmente de asesinar a mujeres, bebés, niños y viejos, como también de violar mujeres y mutilarlas.

Sin embargo, pronto el ejército rectificó y dijo que no lo acusaba personalmente por asesinar y violar a todas esas víctimas, «sino de haber matado a algunas y de haber hecho que otros las mataran».

Finalmente, Calley fue condenado por un tribunal militar a cadena perpetua.

Después le cambiaron la pena por otra a veinte años.

Luego a una tercera, pero por diez años.

Luego a tres años y medio.

Pero el teniente Calley sólo pasó cuarenta y ocho horas en un calabozo militar porque el presidente Richard Nixon ordenó que pagara el resto de la sentencia bajo arresto domiciliario en un apartamento en el cuartel Fort Benning —donde, como en las mazmorras de la prisión de alta seguridad, *Tolemaida Resort* del ejército colombiano—, cocinaba, bebía, recibía invitados, hablaba con periodistas de la televisión y salía a hacer compras.

Pese a todo, poco después lo liberaron y se fue para Miami, su ciudad natal... Pero antes de viajar, el ejército lo condecoró con el *Corazón Púrpura* por haber sufrido pequeñas lesiones en la piel de la cara con las esquirlas de una mina durante su campaña en Vietnam.

Cuando lo pusieron en total libertad, Calley recibió importantes sumas de dinero pronunciando discursos y dictando conferencias a grupos que calificaban a los militares estadounidenses de Vietnam como sus héroes.

Al capitán Low Ernest Medina también lo juzgó el ejército por el *incidente* de My Lai-4, pero en la tercera instancia del enjuiciamiento, que duró un poco menos de sesenta minutos, fue declarado inocente.

(¿Recuerdan ustedes? Herbert Carter cuando declaraba contra Medina:

«El oficial de la División Criminal me dijo: ¡Cuidado! Usted está haciendo unas acusaciones muy serias contra su oficial superior»).

En cambio, antes de que se marchara para su casa, a este héroe también lo condecoraron con la *Cruz de Plata* para premiar su valor —tercera medalla en importancia de las que otorga el ejército estadounidense.

Fuera de ellos, ninguno de los criminales de Vietnam fue llevado a responder ante la justicia. Es que ninguno de ellos, ni mucho menos sus superiores fueron siquiera amonestados por aquella barbarie. Mucho menos castigados.

Los Estados Unidos son, por cuenta propia, quienes juzgan y sancionan la violación de los derechos de los seres humanos en países que no sean los Estados Unidos.

En otro plano, años más tarde y utilizando como pretexto la lucha contra el tráfico de estupefacientes —que ellos mismos implantaron aquí—, y ante la venia de los gobiernos de Pastrana y Uribe, invadieron a Colombia con sus propios mercenarios y los ubicaron en puntos estratégicos en relación con la Amazonia, el mundo del agua y la diversidad biológica más rica de la tierra.

(¿Recuerdan al presidente *Nguyen Van Thieu en Vietnam del Sur?).*

***

No mucho después del comienzo de la invasión, regresó de Vietnam el primer contingente de excombatientes y en las universidades estadounidenses se sintió su ingreso, especialmente porque, con excepciones, empezaron a demandar cantidades de marihuana, algo inusual hasta entonces.

Inicialmente algunos la encontraron en Jamaica, pero allí el orden del país les dificultó el tráfico ilegal de la yerba, otros comenzaron a producirla en forma clandestina en algunos parques naturales de California, algo en invernaderos de Kentucky, en cavernas en Alaska con ayuda de lámparas y oxígeno, pero fueron reprimidos, y finalmente —«Oh, ¡qué gozo!»— supieron que en un país llamado *Columbia*, en Sudamérica, se encontraba una de gran calidad que crecía en el litoral Caribe.

Hasta ese momento, la marihuana era de un consumo muy reducido en Colombia. La fumaban en las cárceles y *la soplaba* una parte de lo que la izquierda llama *lumpen,* aquellos vagos que se movían en algunas calles de mala muerte y en ciertos barrios de estratos sociales bajos, donde decían que su jefe, *El Jefe*, era el cantante puertorriqueño Daniel Santos, «El inquieto anacobero». (*«Yo conoz-co a lindaooo…»*).

La marihuana se encontraba entonces en ciertas cantidades en la Sierra Nevada de Santa Marta, hasta donde habían llegado semillas de cáñamo índico, una planta cannabácea (cannabis, marihuana, *maracachafa, cosa, varillo, cacho, chiruza, marimba, vareta, mota, pucho, verde, juana, galleta*...) conocida en la década de los años treinta como cáñamo, que fue traída a Colombia para producir cuerdas y lienzo, pero realmente nunca fue utilizada y quedó casi olvidada en aquellas tierras.

A comienzos del año 2010, ocasionalmente conocí a un hombre de la alta sociedad de Santa Marta, reconocido como antiguo traficante de la yerba quien luego me presentó a dos compañeros más y desembocamos, sin proponérnoslo, en el tema de la marihuana y los héroes *americanos* del Vietnam:

Éstos estudiaban entonces en diferentes universidades de los Estados Unidos y fueron buscados «con afán, con acelere por jóvenes gringos que habían hablado con otros colombianos y les habían preguntado por la yerba que crecía en unas montañas en el Caribe, y cuando éstos supieron que se trataba de la de Santa Marta, nos los fueron enviando a los samarios.

»Fue el gran negocio, maestro. Apenas nos conocían, decían de frente:

»—Váyanse a... ¿Cómo se llama?

»—Colombia.

»—Sí. Vayan a *Columbia* y nos traen yerba. Toda la que puedan.

«En el primer viaje llevamos cada uno dos maletas llenas... Pero entonces no sabíamos que lo que se fumaba era la flor y habíamos acomodado hojas, trozos de ramas y desde luego, algunas flores. Llenamos las maletas, cubrimos aquello con dos o tres camisetas y regresamos...

»—¿Qué sucedió en la aduana?

»—Pues, ¡nada! Ni las miraron.

»—Pero, luego, ¿qué hicieron los gringos con las ramas y las hojas?

»—A lo mejor se las *soplaron*. Es que uno los miraba y le parecía que se querían fumar hasta las uñas... Jamás habíamos visto gente tan sumamente viciosa. Francamente tan empedernida. Hablaban de Vietnam y la marihuana de aquí les parecía un poco mejor.

En adelante el negocio fue creciendo, fue creciendo, aunque un poco después ya empezaron a venirse los mismos gringos especialmente en aviones *Douglas DC3* y *Douglas DC4* descontinuados del servicio, con sus pilotos excombatientes de Vietnam, y sus dólares... Y, claro, su vicio.

«—Los gringos son los más vicioso del mundo ¡Seguro! —decía uno de los hombres de la reunión en Santa Marta.

A partir de allí, los traficantes estadounidenses comenzaron a abandonar aviones en diferentes aeropuertos de la Costa Norte. En pleno desierto guajiro permanecieron por mucho tiempo varios DC3 y DC4 con la matrícula «N» —Estados Unidos— que luego de cualquier falla, por pequeña que fuera, transbordaban la yerba a otros que traían pronto para reemplazarlos y los anteriores quedaban allí abandonados a la vista de todo el mundo... Y todo el mundo llegó a acostumbrarse a su presencia.

Yo recuerdo haber visto abandonados un año, y al siguiente, y al siguiente, cuatro DC4 en pleno desierto guajiro, dos en la plataforma del aeropuerto de Valledupar, tres en el de Riohacha, dos en el de Santa Marta.

Pero los de los DC3 y los DC4 no venían a buscar a los señoritos del Club Santa Marta. No. Estos contactaban a aquel que los abastecía de gasolina en el aeropuerto, al lustrabotas, al portero del hotel, y así fue surgiendo toda una generación de traficantes de los estratos bajos, y detrás del río de dinero aparecieron personajes como *El Gavilán Mayor* y *Lucho Barranquilla* y éste y aquél, y la ostentación, y la egolatría, el exhibicionismo y la competencia, la exaltación del mal gusto y la estridencia, y ante todo, una tremenda rivalidad.

Y como resultado, el baño de sangre que aún continúa, aunque los Estados Unidos sean hoy el primer productor de marihuana del mundo, por encima del trigo y del maíz.

Luego, en la retaguardia de los héroes, en Colombia apareció una legión de jóvenes llamada *Cuerpos de Paz* que, desde luego no iban a Vietnam y en cambio viajaban como enviados de buena voluntad tratando de integrarse al país, pero algunos de ellos creyeron que la mejor manera de hacerlo era tomando en arrendamiento o adquiriendo parcelas pequeñas en clima medio, donde sembraban marihuana que, desde luego, enviaban a *América.*

Ellos fueron el segundo coro que selló en Colombia la imposición del tráfico de narcóticos por parte de los estadounidenses.

***

En los años ochenta y al lado del narcotráfico aparecieron los *paramilitares,* asesinos a sueldo financiados por la élite local dueña de las tierras, de los cultivos industriales y de la crianza extensiva de ganados, que ya se confundía con los narcotraficantes, con gentes del gobierno, con militares, con industrias multinacionales, y la guerra empezó a cambiar su fisonomía.

Los paramilitares eran la versión del mercenario local, un mercenario que tecnificó la guerra: hasta entonces, en Colombia las gentes morían a machetazos, pero ellos comenzaron a utilizar la motosierra para descuartizar vivos a quienes no pensaran como los de la élite, como los del gobierno y como los militares. Y para que afinaran mejor, las multinacionales del petróleo trajeron los primeros mercenarios extranjeros como sus instructores.

Pero ante todo, el programa paramilitar inicial de lucha contra la guerrilla en Colombia fue establecido en los Estados Unidos, siguiendo la doctrina del *Low Intensity Warfare,* «Operación Militar de Baja Intensidad» del ejército estadounidense, enseñada en el centro de formación para los militares latinoamericanos —antigua Escuela de las Américas— en Fort Benning, Georgia.

En aquel momento nuevamente se perdía el monopolio de la violencia estatal que en nuestro medio, y de acuerdo con el ayer, equivaldría al debilitamiento del Estado. Pero el Estado siempre ha sido débil. Por lo tanto, aquí sería necesario hablar de un «Estado fallido» en cuanto los señores de la guerra se hallan enquistados dentro de ese mismo Estado.

En el año 2000 Washington implantó la Ofensiva al Sur o Estrategia Andina, que le vendió a este país mimetizada con el nombre *Plan Colombia,* una guerra con el pretexto del narcotráfico, pero en la realidad, orientada a controlar a Colombia y al resto de los países amazónicos.

Acto seguido, a través del Departamento de Estado y del Pentágono, contrató con una serie de empresas militares privadas una invasión silenciosa de mercenarios, con la cual se identifica el mismo Estado colombiano.

En eso estamos hoy: una guerra a tono con la de Iraq. Una gran feria para las empresas de violencia privada que los estadounidenses llaman «corporaciones militares», así como a sus mercenarios les dicen «contratistas»; a la tortura «presión física leve» o «prácticas de menor intensidad» (Abu Ghraib y Guantánamo), y «ayuda» a la intervención directa en Colombia.

La privatización de la violencia es sencillamente el reflejo de lo que sucede en las Fuerzas Armadas de los Estados Unidos, las cuales crean en su seno elementos de privatización que, de acuerdo con la idea neoliberal, integran la conducción de los conflictos a la economía de mercado.

A esta guerra algunos la califican como «nueva» en la medida en que su carácter militar y político pasa a un segundo plano porque en ella lo importante son los intereses económicos extranjeros.

Se trata de una guerra que no confronta a un enemigo en particular —aunque esgrima pretextos como la guerrilla y el narcotráfico—, sino que busca apropiarse de los recursos estratégicos. En nuestro caso, el agua dulce y la espectacular diversidad de nuestras selvas.

Según Robinson Salazar y César Velásquez (*En Colombia sí hay guerra*), la orientación de este conflicto privatizado está en confrontar todo aquello que se oponga o se resista a la privatización y apropiación de recursos previamente ubicados: gas, petróleo, agua dulce, biodiversidad.

Los actores principales son militares, mercenarios extranjeros y bandidos paramilitares colombianos. «Ahora interesa más que antes la alianza militar para controlar, privatizar o apoderarse de recursos».

En otras palabras, el sentido de nuestro conflicto gira en torno a la abundancia de nuestros recursos estratégicos, disfrazado con el pretexto *antiterrorista*, para controlar las fuentes de energía. Es la confrontación entre una potencia y un conjunto de naciones «pobres» que concentran inmensas riquezas naturales.

Según el libro *El negocio de la guerra* (Editorial Txalaparta, 2006), «las llamadas Corporaciones Militares Privadas —fundadas por antiguos militares de carrera— hoy asumen no solamente la construcción de campamentos, sino cada vez más misiones de combate. Ha transcurrido ya mucho tiempo desde cuando la declaración de la independencia de los Estados Unidos calificó el uso de mercenarios por el rey de Inglaterra como "totalmente indigno de una nación civilizada".

»En la actualidad se privatizan, incluso, las misiones de las Naciones Unidas».

Según Darío Azzellini y Boris Kanzleiter en el libro *La privatización de la guerra,* el proceso que vive Colombia comenzó con la derrota de los Estados Unidos en Vietnam.

«Ahora estamos volviendo a algo similar a las economías del período colonial. Ya no se trata del control de territorios, ni de la imposición de un modelo de sociedad; ahora las Fuerzas Militares controlan sólo los puntos económicamente interesantes. En Iraq es muy claro: únicamente les interesa controlar los pozos petroleros, como antes controlaban los ingenios azucareros, las minas y otros enclaves coloniales».

Ya se ha subrayado, en Colombia, con el argumento de la cocaína comienzan a controlar, entre otros recursos estratégicos, las selvas tropicales con la variedad de especies vegetales más rica de la tierra (punto de partida de millares de industrias mediante la biotecnología) y en forma paralela el agua dulce en medio de la crisis mundial.

En otras palabras, el que desde los años ochenta del mil novecientos Colombia sea un laboratorio experimental para el manejo privado de la guerra —según Azzellini— obedece sencillamente a que la globalización del capitalismo neoliberal impulsada por Estados Unidos está enmarcando el conflicto dentro de este sistema.

Igual, en otros campos, el gobierno colombiano entrega al capital privado del extranjero bienes estratégicos que en países sólidos son controlados por el mismo Estado: comunicaciones, empresas energéticas o manejo del agua potable. No obstante, se trata de una entrega hecha en la medida de la corrupción local y del endeudamiento externo.

Y desde luego, es la manera de cerrar un círculo que comienza por el desmantelamiento progresivo de las estructuras del Estado y la venta de los mejores sectores de sus economías nacionales a las compañías transnacionales, obteniendo como respuesta la pobreza local. Y como respuesta a la pobreza, la guerra. Y como perfeccionamiento de la guerra, su privatización y la formación de nuevos e inmensos capitales privados en el extranjero.

En Colombia, desde hace veinticinco años se busca promover la expansión de las economías de guerra en una parte de la economía de mercado, y el creciente concurso de política, ejército, policía, narcotráfico, ganaderos, industriales, paramilitares, ejército estadounidense, agencia antidrogas norteamericana DEA y corporaciones militares privadas, cooperan en asociaciones cambiantes para imponer sus intereses comunes contra los de la población inerme.

El negocio de la guerra de hoy es de tal magnitud que, por ejemplo, refiriéndose a la compañía Northrop Grumman Califoria Microwave Systems —una de las 19 que operaban en Colombia desde el comienzo de la primera fase del *Plan Colombia*—, la analista alemana Anna Kucia señala cómo en el 2004 producto de sus contratos con el gobierno de Estados Unidos tuvo utilidades por doce mil millones de dólares.

Cifra baja junto a los doscientos mil millones de dólares que, se calcula, ganaron en el mundo las corporaciones militares privadas estadounidenses en el 2006.

Otro de los objetivos que condujeron a la creación de aquellas corporaciones privadas fue eludir cualquier control democrático de la violencia. Si Estados Unidos dice que envía seiscientos soldados a Colombia, esa decisión pasa por el congreso en Washington (al de Colombia su propio gobierno ni siquiera se lo anuncia como lo ordena la Constitución Nacional).

Pero si quien envía esos soldados es una empresa privada con base en un contrato firmado por el Pentágono, el congreso estadounidense no tiene nada que decir porque ni siquiera se entera de lo que está sucediendo, pues no hay obligación de informárselo.

Desde otra perspectiva, la presencia de corporaciones militares privadas con sus mercenarios en un país ajeno no es la del Pentágono, ni la del Departamento de Estado. En dos palabras, no se trata de una ocupación. No es una invasión. Lo correcto, la *plausible deniability* es hablar de «ayuda».

Plausible deniability es aquel eufemismo tan estadounidense, según el cual todo es explicable pero tiene que ser plausible.

La utilización de corporaciones privadas de mercenarios tiene aún más ventajas. Puesto que son delegadas y financiadas generalmente en forma directa desde Washington por el Pentágono o por el Departamento de Estado, las instituciones del gobierno colombiano no son debidamente informadas pero deben guardar silencio en torno a lo poco que saben, por lo cual invariablemente alegan que no conocen sus actividades.

Desde luego, a través de las corporaciones, Estados Unidos tiene acceso directo a las zonas de operaciones.

Frente a esto, las instancias de control del Ejecutivo Nacional o del Congreso y una opinión pública absolutamente desinformada son mantenidas a distancia. En igual desinformación se mantiene a la de los Estados Unidos.

Pero, en forma simultánea, en la actual invasión silenciosa, las ventajas para el gobierno de los Estados Unidos son evidentes: si se enviaran a Colombia tropas regulares en lugar de mercenarios, el asunto se convertiría en un tema de debate público.

Por otro lado, la muerte o el secuestro de un mercenario tienen menos, mucho menos trascendencia que la de un soldado estadounidense. Pero, además, un atropello o un delito cometido por un mercenario, en la práctica escapan al marco de la legislación local.

El interés de Washington es que estas cosas no trasciendan, pues pondrían en peligro las operaciones que adelanta el Pentágono con las compañías de violencia privada en diferentes regiones del mundo, especialmente en Colombia e Iraq.

Una diferencia de la guerra privatizada de hoy con la de Vietnam es que en aquélla, la prensa contó con libertad y los estadounidenses a través de la televisión veían morir a militares que a la vez eran sus hijos, sus hermanos, sus amigos, sus vecinos y, como respuesta, una férrea oposición de los ciudadanos en su propio país comenzó a marcar la declinación de la guerra.

En la «nueva» guerra, no. Si por una verdadera casualidad en un descuido los reporteros burlan el control y registran que quienes mueren y cuyos cadáveres vejados aparecen ante las cámaras son civiles *americanos*, desde luego no se escucha una reacción igual a la que se hubiera activado si se tratara de militares.

El 31 de marzo del año 2004 ante las cámaras de televisión fueron mutilados y arrastrados por una calle de Fallujah cuatro estadounidenses, pero en un primer momento se intentó convencer al mundo de que se trataba de civiles. No obstante, tiempo después no pudieron ocultar que los caídos eran mercenarios de la compañía Blackwater USA, que también está presente en la guerra de Colombia.

«Aquellos eran gente muy preparada, con misiones especiales», le dijo un mercenario chileno a la agencia AP, «Tan especiales eran sus misiones que no hubo forma de explicar qué hacían esos cuatro extranjeros en Iraq» remata el reportero que escribió la nota.

Algo similar ocurrió en Washington durante el juicio al guerrillero de las FARC Simón Trinidad. Él había sido extraditado a los Estados Unidos bajo los cargos de traficar con cinco kilos de cocaína y participar en el secuestro de tres mercenarios estadounidenses que intervenían en el conflicto colombiano.

Durante el juicio fueron desplegadas en un trasfondo las fotografías de los mercenarios vestidos de paisanos, y los fiscales insistieron siempre en su carácter civil y no de asesinos paramilitares a sueldo, por lo cual se referían a ellos como «ciudadanos patrióticos que se hallaban en Colombia ayudando a detener el tráfico de drogas hacia los Estados Unidos».

Antes del linchamiento de Fallujah la guerra privada no se había asomado en forma patética ante los ojos del mundo, que en ese momento no estaba en capacidad de descifrar cómo supuestamente los mercenarios son civiles, pero asumen plenamente tareas militares.

La guerra privada es silenciosa. Si en Colombia muere un mercenario *americano* drogado en una base militar —como realmente ha ocurrido—, primero: la base no es de los Estados Unidos aunque sean ellos quienes llevan en ella la iniciativa.

Segundo: en la práctica, para los mercenarios no hay jueces, no hay análisis forenses, no hay quién se oponga a la salida del cadáver sin pedir una autorización legal, porque la guerra privatizada no está regulada en el mundo por el Derecho Internacional.

Tercero: un caso particular que se describe luego, dejó al descubierto que algunos mercenarios se quedan con la droga que vinieron supuestamente a combatir, la transportan en helicópteros estadounidenses hasta las bases militares colombianas en las cuales es almacenada por ellos, y más tarde la llevan hasta sus propias bases en los Estados Unidos, también en aviones militares de aquel país.

Este caso —el único que ha trascendido— no recibió ninguna respuesta de su embajada, pues no se trataba de un militar. Pero tampoco, nadie en el Gobierno, ni en las Fuerzas Armadas de Colombia abrió su boca: había un *americano* de por medio. Y, sí, desde luego, era un caso de narcotráfico, pero realizado por los *americanos*.

Una de las múltiples ventajas de emplear mercenarios es que no hay que dar demasiadas explicaciones de lo que hacen. A pesar de que el 20 de octubre del 2001 la ONU prohibió «el reclutamiento, utilización, financiación y adiestramiento de mercenarios», ni Estados Unidos, ni Gran Bretaña, ni Suráfrica, ni tampoco Israel firmaron esta orden. No es casual que las grandes empresas de reclutamiento de estos ejércitos privados estén radicadas en aquellos países.

Aparte de esta resolución de la ONU, no existen leyes internacionales que regulen el negocio de los mercenarios. Y esto les da muchas ventajas porque no están sometidos a ningún control, lo que permite utilizarlos en tareas «mal vistas» y abusos que no se permitirían en un ejército oficial. Como ocurrió en Abu Ghraib, donde el secretario de Defensa, Donald Rumsfeld, admitió a treinta y siete «privados» para que participaran en los salvajes interrogatorios a los presos, o el caso del mercenario Jack Idema, que dirigía una cárcel privada en Afganistán.

En el mosaico de nacionalidades de mercenarios serbios, bosnios, estadounidenses, franceses, ingleses, libaneses, colombianos, hindúes, surafricanos, liberianos, paquistaníes, australianos, se pueden encontrar abultados prontuarios de crímenes y sabotaje en todos los continentes.

Otra ventaja es que los mercenarios no cuentan como soldados y, por lo tanto, no hay que justificarlos ni pedir permiso ante ningún congreso para que ingresen a los países. Y cuando mueren no pasan a engrosar la lista de cadáveres militares que tanto incomodan a los políticos e indignan a la opinión pública de Estados Unidos. Tampoco requieren de ceremonias y banderas a la hora de sepultarlos. De hecho, ni siquiera se sabe cuántos han muerto, porque son invisibles para el arqueo siniestro.

En Colombia los programas antinarcóticos están manejados por mercenarios, igual que las estaciones de radares colombianos que controla el Comando Sur con sede en Miami.

Hasta donde se ha podido constatar, aquí han muerto en los últimos años ocho mercenarios, pero como pertenecen a empresas privadas, el Pentágono elude toda responsabilidad. Colombia es el laboratorio de experimentación de las nuevas guerras en América Latina.

En octubre del año 2004 el congreso en Washington autorizó aumentar de 400 a 800 sus militares en suelo colombiano, en tanto que habló de 600 «*contratistas*» estadounidenses, que algunas fuentes calculaban en más de 3.500 cuando finalizaba el 2006.

Pero mexicanos, cubanos de Miami, salvadoreños no son estadounidenses, de manera que las corporaciones interpretan el mandato a su manera y elevan las cifras ostensiblemente contratando latinoamericanos y enviándolos a Colombia junto con los estadounidenses.

Pero, por otro lado, aquí sólo la compañía DynCorp, una de las más grandes del mundo, manejaba en el 2006 cerca de un centenar de helicópteros y aviones del gobierno estadounidense y se calculaba que tenía dos latinoamericanos por cada tres mercenarios.

Según un informe especial del IRC, Programa de las Américas realizado por Raúl Zibechi, «Estados Unidos creó el *Plan Colombia* que se apoya de manera decisiva en corporaciones de mercenarios para no repetir el fracaso de Vietnam, y muy en particular el escándalo que produjo en la sociedad la difusión de noticias sobre la guerra».

Según James Petras, «la verdadera preocupación del Comando Sur de los Estados Unidos es militarizar una región estratégica (la Amazonia), formada por Colombia, Venezuela, Brasil, Perú, Bolivia y Ecuador, para asegurar su control».

Terminada la Guerra Fría, el pretexto de la lucha contra las drogas justificó en el Pentágono la continuidad de la presencia militar estadounidense en el hemisferio, y con ella la necesidad que durante décadas tuvieron las fuerzas militares de mantener una política de control en la región.

Hoy el argumento de la guerra contra las drogas es una respuesta a esta necesidad estadounidense. El fin de la Guerra Fría cuestionó la razón de ser del Comando Sur. Durante las tres décadas anteriores la contrainsurgencia había sido la disculpa de ese comando en el hemisferio, pero el fin de aquella Guerra Fría también marcó el fin de la necesidad de utilizar la misma justificación para la presencia militar estadounidense en América Latina: la lucha contra el comunismo.

La terminación de la guerra en Nicaragua, la reducción de las tropas estadounidenses en Honduras y las negociaciones de paz en El Salvador terminaron con lo que había sido la función principal del Comando Sur, pero pronto surgió un gran pretexto para continuar con las políticas militares en el continente: la cocaína.

En esta forma, desde mediados de 1991, el argumento de la guerra contra las drogas continúa siendo prioritario en ese comando y basándose en tal pretexto ha procedido a ampliar cada vez más sus esfuerzos en la zona andina y a expandirse a lo largo y ancho del resto de América Latina.

Pero volviendo atrás, Brasil, consciente de los planes estadounidenses frente a la región, se opuso a la Ofensiva al Sur o Estrategia Andina, o sencillamente *Plan Colombia,* como dicen en Washington cuando hablan en público.

Durante la Cuarta Conferencia de Ministros de Defensa de las Américas, Manaos octubre del 2000, el entonces presidente Fernando Henrique Cardoso rechazó la posibilidad de involucrar al ejército brasileño en el combate contra la cocaína tal como lo proponía Estados Unidos.

En respuesta, Brasil puso en marcha el Plan Cobra —con las iniciales de Colombia y Brasil—, para evitar que la guerra en ese país involucrara a la Amazonia brasileña, y también el Plan Calha Norte para evitar que guerrilleros y narcotraficantes cruzaran sus fronteras.

***

Hoy parece claro que la lucha contra el narcotráfico es una disculpa para justificar el posicionamiento militar de los Estados Unidos en Colombia, donde ha establecido una *cabeza de playa* ubicada en el portal de América del Sur.

Uno de los primeros pasos de esta operación fue la instalación de cuatro poderosos radares estadounidenses en el sur de Colombia, desde luego en plena puerta de Suramérica, el primero en un punto llamado Marandúa —no lejos de la frontera con Venezuela— y más hacia el sur, también en la Amazonia colombiana, otro en San José del Guaviare, un tercero en Tres Esquinas y otro en Leticia, puerto sobre el río Amazonas.

Estos radares fueron adquiridos por nuestros gobernantes con el dinero de los impuestos que pagan los colombianos, pero el gobierno de los Estados Unidos determinó que fueran operados por militares y mercenarios estadounidenses que, desde luego, no le dan información a Colombia sino a sus centros en los Estados Unidos.

Según observadores internacionales, la lucha antinarcóticos realmente es una coartada para —a partir de allí— avanzar en el control de los inmensos recursos naturales y energéticos de esta parte del continente.

Por ejemplo, la mayor riqueza de agua dulce de la tierra se encuentra en esta zona: la cuenca hidrográfica del Amazonas, el acuífero Guaraní y los grandes yacimientos de la Patagonia que afloran en sus inmensos lagos, contrastan con la preocupante crisis del mismo recurso en los Estados Unidos.

De acuerdo con el Fondo Mundial de la Tierra, quien controle el agua dulce en la próxima década controlará la economía mundial y la vida.

En el mismo sentido se han manifestado dos de los más destacados pensadores geopolíticos, el inglés Mackinder, de la escuela determinista terrestre, y el estadounidense Spykman, líder del pensamiento marítimo, cuando dicen: «Quien controle el agua dulce controlará la economía universal y, como corolario, controlará la vida en un futuro no lejano».

Una de las conclusiones del Forum 2004 «Habitar el Mundo», realizado en Barcelona entre mayo y septiembre, es concreta:

«Para los países industrializados, el control de los espacios geopolíticos de cualquier parte del planeta donde se encuentran grandes reservas de recursos estratégicos como el agua dulce constituyen áreas de alto valor económico y geopolítico. Los países industrializados han fijado como su objetivo controlar, explotar y administrar el agua como lo han hecho con las áreas petrolíferas y de gas natural».

En contraste, en la Segunda Cumbre sobre Desarrollo Sostenible de Johannesburgo, donde se trató la escasez de agua potable y sus consecuencias, se señalaron cifras alarmantes: una quinta parte de la población mundial, es decir, 2.400 millones de personas, en ese momento no tenían acceso a dicho recurso, situación que mostraba todos los perfiles de una explosiva bomba de tiempo sobre la humanidad.

En tanto, Klaus Toepfer, director ejecutivo del programa ambiental de las Naciones Unidas, dijo:

«La parte más terrible de esta historia es que los conflictos por el agua potable, tanto guerras internacionales como civiles, amenazan volverse un hecho clave en el siglo veintiuno».

La sentencia coincide con un estudio de la comunidad científica internacional, según el cual en este siglo todas las guerras del mundo serán por el agua dulce.

El anuncio parece ahora una vieja advertencia cuando se piensa que el motivo verdadero del actual conflicto árabe-israelí fue la pretensión de Israel por desviar las aguas del río Jordán.

El asunto salió a la luz en junio de 1967 cuando Israel capturó la meseta del Golán, una región de Siria. En ella se encuentra el mar de Galilea, un lago de agua dulce de once kilómetros de ancho y veintiuno de largo, que actualmente provee a Israel el treinta por ciento del agua que consume y con la cual irriga sus campos.

Israel destruyó ese año los emplazamientos militares sirios en el lugar.

De esos puestos fronterizos hoy en ruinas, habían salido los proyectiles con los cuales, durante dos décadas, Siria había atacado de manera intermitente el valle del río Jordán que se ubica en Israel.

La disputa de las dos naciones trascendía los derechos del río que nace en las alturas del Golán. Para Siria, rescatar la zona, más allá del orgullo nacional, es imperativa la recuperación de los recursos de agua dulce en la región.

La escasez de agua dulce en el mundo definitivamente es un tema geopolítico y estratégico del presente. Por ejemplo, en Estados Unidos —donde se habla en voz baja del problema propio— llegó a plantearse la posibilidad de echar por tierra parte de las cuatro presas del Bajo Snake, uno de los ríos tributarios del Columbia para devolver doscientos veinticinco kilómetros a su estado de libre flujo.

El río Columbia posee una tercera parte del potencial hidroeléctrico de ese país. En su cuenca hay doscientos cincuenta presas para generar energía.

Solamente la presa Grand Coulee produce electricidad para un millón de hogares, pero eliminó mil seiscientos kilómetros de hábitat en el Columbia y sus tributarios.

Los veinticuatro generadores producen más energía hidroeléctrica que ningún otro de América del Norte. Las líneas de transmisión llevan dos mil millones de vatios a ciudades tan lejanas como Los Ángeles.

Sin embargo, aguas abajo hoy comienzan a surgir problemas de abastecimiento humano. Los niveles del embalse bajan hasta sesenta metros en algunas temporadas y los cauces de algunos ríos se convierten en lodo, ante lo cual un sector minoritario cree que es necesario desmantelar parte de la más espectacular obra de ingeniería en el mundo como es este sistema hidrográfico.

Aunque la discusión llegó a centrarse en el río Snake, éste es sólo una parte de la cuenca del Columbia que baña a siete estados y a una provincia canadiense.

No obstante, la idea de derribar presas no representa ninguna solución, como tampoco lo es permitir que continúe la crisis de abastecimiento, ante lo cual la determinación es buscar soluciones fuera de los Estados Unidos: por ejemplo, ocupando militarmente inmensos yacimientos en Suramérica (Amazonia, acuífero Guaraní y eventualmente la Patagonia), y mediante tratados económicos (TLC), privatizándolos y construyendo en ellos grandes hidroeléctricas,

La guerra contra el narcotráfico en unas zonas y la supuesta presencia del terrorismo islámico en otras son las grandes disculpas de los Estados Unidos para tomar posesión de las zonas acuíferas.

Tratados como el Área de Libre Comercio de las Américas, ALCA, y el de Libre Comercio con Colombia son la segunda fase de una estrategia para tomar posesión de estos recursos a través de corporaciones transnacionales.

Una parte del complemento a todo esto es un conjunto de hidroeléctricas en América Central, hoy en construcción y en estudios, como la de Chixoy en Guatemala, Central Hidroeléctrica Bonyc en Panamá que se agrega a las ya existentes de Miraflores, Maddem y Gatún y El Chaparral en El Salvador, entre otras de la misma o mayor importancia, que se unirán mediante líneas de interconexión, proyectadas para enlazar a Suramérica y Centroamérica y llevar la energía a los Estados Unidos.

La riqueza acuífera de América Latina hoy ofrece la posibilidad de abastecer de energía a los Estados Unidos mediante hidroeléctricas construidas con capital privado y al margen de los diferentes Estados nacionales.

El agua dulce es parte del botín de la nueva guerra.

La OPIC, agencia federal que apoya a compañías estadounidenses a invertir en el exterior, en un comunicado del 31 de octubre del año 2003, informó que había dispuesto doscientos cuarenta y cinco millones de dólares para las inversiones en el rubro de «aguas» a realizarse en «mercados emergentes» de América Latina y otras partes del mundo.

Esto quiere decir que la temida escasez de agua dulce se presenta como una cuestión estratégica.

El dilema entre las presas y la sequía en zonas del Noroeste no es el único que afrontan los Estados Unidos. Un poco más al sur, el río Colorado apenas logra llegar al océano Pacífico.

El año 2010, el río Bravo se secó antes de llegar al mar.

En Arizona, los diques y los canales han desecado todos los ríos del sudeste de Estados Unidos. Allí sólo queda el San Pedro, que de setenta y cinco metros de ancho hace cinco décadas hoy presenta un lecho de dos metros.

Pero, por otro lado, en el Parque Nacional de Los Glaciares en Montana, de 150 nevados hoy quedan menos de 30 con la consecuente disminución de los ríos que nacen en la zona.

Los agricultores estadounidenses sacan el agua del acuífero Ogallala bajo las Grandes Planicies a una velocidad insostenible. Hoy una tercera parte de la porción que corresponde a Texas está prácticamente agotada.

La mitad de la población estadounidense depende del agua subterránea y la explotación irracional de los acuíferos ha producido disminución de los niveles en Chicago, Milwaukee, cuenca del Albuquerque, Nuevo México, acuífero Sparta de Arkansas, Louisiana y Mississippi.

Igualmente ha permitido la intromisión de agua salada en los acuíferos costeros. En el litoral atlántico es preocupante esta situación en Cap Code de Miami, Long Island, Nueva York, y en el Oeste, la costa central de California.

También está produciendo el hundimiento del suelo en el valle San Joaquín, California, Houston, Galveston en Texas, Baton Rouge en Louisiana, Phoenix en Arizona, así como la reducción de las descargas de agua superficial en ríos y humedales.

Hoy Estados Unidos tiene un déficit de agua subterránea calculado en 14.000 millones de metros cúbicos anuales, cuya mayor parte se acumula en el Ogallala.

Pero por otra parte, según la comunidad científica estadounidense, en ese país el cuarenta por ciento de sus ríos y lagos están contaminados y más de la mitad de su población depende del agua subterránea.

Un ejemplo son las aguas del canal del Amor de las cataratas del Niágara, que ahora padecen un alto grado de deterioro.

Y otro, las aguas ahora reducidas del acuífero Ogallala que se extiende por ocho estados, desde Dakota del Sur hasta Texas, soportando una gran carga de pesticidas y agroquímicos.

Pero también la atmósfera que cubre a los Estados Unidos es la más contaminada de la tierra por emisiones de dióxido de carbono. Según el Fondo Mundial para la Naturaleza, WWF, los países del mundo con mayor contaminación son Estados Unidos con 9 millones de toneladas métricas de carbono al año, China con 4,5, Japón con 2,8 y Rusia con 1,9 toneladas métricas.

En contraste, la Amazonia es el verdadero pulmón del mundo por su atmósfera incontaminada y por su prodigiosa producción de oxígeno.

Según Guillermo Navarro Jiménez en el libro *Plan Colombia: ABC de una tragedia* (Ediciones Zitra, Quito), «La Amazonia es uno de los ecosistemas más ricos y diversos de la tierra con algo más de siete millones de kilómetros cuadrados. Su cuenca hidrográfica es la más grande de la tierra».

Pero, además, según el Fondo Mundial de la Tierra, la banda selvática que se extiende a partir del litoral pacífico en el occidente de Colombia es la mayor productora de biomasa del planeta, lejos en extensión y densidad de cuantas aparecen en los cinco continentes.

***

Como ya se anotó, vale la pena subrayar que, frente al panorama estadounidense está el de Suramérica, enriquecido entre otros grandes sistemas por los de la Amazonia, el acuífero Guaraní y la realidad hídrica de la Patagonia, los yacimientos de agua dulce más grandes de la tierra, y que en la visión estadounidense pueden considerarse paralelos a las grandes reservas de petróleo en Venezuela.

Por esta realidad contundente no parece ocasional que, por ejemplo, Peter Goss, director de la CIA, hubiera sostenido ante una comisión del Senado de los Estados Unidos, que la agencia contaba con «evidencias» de reuniones entre la guerrilla colombiana FARC y la red islámica Al Qaeda de Osama Bin Laden, para coordinar ataques terroristas en la región.

Según esta versión, «la amenaza terrorista» sería inminente en América Latina.

Aquel anuncio coincidió con otro, hecho meses antes por el Departamento de Estado, cuando señaló la existencia de indicios según los cuales en Maicao se movía una célula de Al Qaeda.

Maicao es un poblado en el desierto tropical de La Guajira —Caribe colombiano—, vecino al lago de Maracaibo. Allí se asienta una colonia sirio-libanesa.

Tradicionalmente aquel conglomerado humano ha vivido del contrabando de mercancías, pero a su lado, en la zona del lago de Maracaibo, se encuentra concentrado el gran poderío petrolero de Venezuela.

Frente a este tema, Estados Unidos guardó un año de silencio ante los medios de prensa, pero a comienzos del 2006 insistió nuevamente en la existencia de la célula de Bin Laden a partir de aquella aldea en el desierto tropical vecino de Venezuela.

Frente a las expectativas despertadas con los anuncios, el mendicante gobierno de Uribe le pidió a España 46 viejos tanques de guerra AMX30, con el pretexto de atacar a las guerrillas, aunque éstas se refugian en las montañas y en la espesa selva amazónica.

Aun así, España se los ofreció prácticamente regalados, pero eran tan viejos que se caían a pedazos. Con la llegada al poder de Rodríguez Zapatero se despejó el asunto y, como se quería, la chatarra no vino a guarniciones en los terrenos áridos y completamente llanos en inmediaciones de la frontera con Venezuela.

La estrategia de establecer bases cercanas a los recursos es recurrente y obedece a una vieja posición del empresariado estadounidense con el fin de mantener la supremacía mundial, y una de las tácticas es controlar las fuentes de poder económico vinculadas a la diversidad biológica, al agua dulce y, desde luego, a los hidrocarburos.

En torno a lo último, en el año 2000 el presidente George W. Bush había dicho: «Nunca antes en su historia Estados Unidos había sido más dependiente del petróleo extranjero. En 1973 el país importó el treinta y seis por ciento de sus necesidades petroleras. Hoy Estados Unidos importa el cincuenta y seis por ciento de su petróleo crudo».

Asegurar el control sobre los recursos estratégicos como el agua, la biodiversidad y los petróleos suramericanos requiere un control territorial de enclave en aquellos sitios donde se producen.

En una instancia paralela, el Centro de Militares para la Democracia Argentina, Cemida, dio a conocer que en la Triple Frontera, que une a Argentina, Brasil y Paraguay, Estados Unidos dijo haber detectado una supuesta actividad de grupos terroristas encabezados por Al Qaeda. (El mismo argumento de Maicao en la frontera de Colombia con Venezuela).

Según Cemida, «se trata de un pretexto para incrementar su presencia militar en la región, luego de que Washington sostuvo que, además de Al Qaeda, en la zona existían bases de las organizaciones Hamas y Hezbollah».

Realmente allí hay tres pequeñas localidades cuya población no llega al medio millón de habitantes: Ciudad del Este en Paraguay, Foz do Iguazú en Brasil y Puerto Iguazú en la Argentina. En las dos primeras hay una comunidad árabe de veinticinco mil personas dedicadas al comercio.

En Ciudad del Este la actividad tradicional ha sido el contrabando organizado y controlado por el poder político-militar.

Ante el interés militar estadounidense por la Triple Frontera, una investigación confirmó que detrás de todo se encontraba la existencia de un yacimiento colosal de agua potable subterránea, quizá la reserva más importante del mundo: el acuífero Guaraní, llamado también el Acuífero Gigante del Mercosur o Sistema de Acuífero Mercosur. Está situado entre los paralelos 16 y 32 de latitud Sur, y los meridianos 47 y 56 de longitud Oeste. Se extiende por las cuencas de los ríos Paraná, Paraguay y Uruguay.

De acuerdo con datos disponibles, la superficie del acuífero es de un millón 196.000 kilómetros cuadrados, área mayor que la de España, Francia y Portugal juntas. El acuífero es transfronterizo pues se extiende bajo el territorio de cuatro países: setenta por ciento bajo suelo brasileño, diecinueve por ciento en Argentina, seis por ciento en Paraguay y cinco por ciento en Uruguay.

El colosal yacimiento toma contacto por el norte con El Pantanal que a su vez conecta con la Amazonia, por lo cual la Triple Frontera es una región estratégica para los Estados Unidos por ser una puerta de acceso a enormes recursos.

Se desconoce todavía el límite Oeste en Paraguay y en Argentina, aunque se calcula que en este país se prolonga hacia la cuenca del Bermejo. También es desconocido su límite sur en Argentina, pero no se descarta su continuación hasta las regiones pampeanas inundadas (la Patagonia), pudiendo llegar incluso a conectarse con la zona de los grandes lagos precordilleranos.

Las reservas de agua del acuífero se estiman en aproximadamente 40.000 kilómetros cúbicos, las cuales pueden satisfacer la demanda de agua dulce de 360 millones de habitantes a lo largo de cien años agotando sólo un diez por ciento de su capacidad total.

Según Lisandro Reynoso en «Apropiación del Acuífero Guaraní», hay un evidente avance de los Estados Unidos sobre el resto de los países del continente y especialmente aquellos que poseen agua dulce. Pero este país no sólo mira hacia los acuíferos sino que realiza estudios sobre los glaciares del sur del continente con el fin de elaborar estrategias de aprovechamiento de los mismos.

De acuerdo con Reynoso, para entender uno de los posibles destinos que Estados Unidos pretende darle al acuífero Guaraní y a la espectacular esponja que representa la Amazonia, es necesario tener en cuenta el proceso de traslado de industrias al resto del mundo, que lleva a que este país dependa de las importaciones de China, Unión Europea, India y Corea del Sur.

La necesidad de recortar esa dependencia lleva a revalorizar la zona donde se encuentran el acuífero y la Amazonia, ya que allí se podrían relocalizar industrias manufactureras contando con el agua, generación de energía eléctrica para ser conducida hasta el norte del continente, comunicaciones, tierra y mano de obra baratas.

En cuanto a la Amazonia, su inmensa cantidad de recursos estratégicos la convierten en una de las regiones más codiciables del planeta, y la llave de acceso —como es la Triple Frontera— en una zona que es necesario controlar y monitorear para garantizar la apropiación de esos recursos, según los intereses estadounidenses.

Con el propósito de controlar esos recursos y de neutralizar cualquier movimiento en contra, para Estados Unidos es imprescindible militarizar las regiones con combatientes mercenarios, como ocurre en Colombia, su actual *cabeza de playa* a la entrada de Suramérica.

Estados Unidos estructuró en Suramérica un sistema para detectar la magnitud del Acuífero, asegurar su uso de manera «sustentable» y evitar todo tipo de contaminación. Para ello puso al frente de la investigación al Banco Mundial, a la Organización de Estados Americanos, a órganos alemanes y holandeses que ellos mismos controlan, y a algunos elementos universitarios de los países involucrados.

Luego destinó un presupuesto de 26 millones 760.000 dólares y sugirió la forma en que participarán las comunidades indígenas y la sociedad civil para celebrar sus fines, que son: determinar la magnitud del reservorio, evitar su contaminación, regular su uso «sustentable» y mantener permanente control hasta cuando lo considere conveniente.

Según lo planteó Elsa Bruzzone, secretaria general del Cemida en un Foro Social del Acuífero Guaraní, en Araraquara, a 200 kilómetros de San Pablo, «actualmente la supuesta actividad de grupos terroristas en la Triple Frontera ha sido el pretexto de Estados Unidos para incrementar su presencia militar en la región y cumplir su verdadero objetivo: apoderarse en forma silenciosa del acuífero Guaraní, la reserva de agua dulce subterránea más importante del mundo.

»Ante las dimensiones del acuífero, ahora todo tiende a justificar la inusitada presencia de efectivos militares estadounidenses en la región, la proliferación de informes —siempre falsos— de acciones de terrorismo internacional desde la Triple Frontera, los continuos ejercicios combinados de las fuerzas militares estadounidenses con los de las regiones, con pretextos tan infantiles como el de enseñar a los marinos argentinos a combatir el dengue en la provincia de Misiones.

»Se habla continuamente de la necesidad y la posibilidad de instalar una base militar de Estados Unidos en la provincia de Misiones con el fin de controlar una supuesta célula de Al Qaeda. Los preparativos avanzan con el visto bueno del Ministerio de Defensa argentino».

No obstante, un rechazo general, inclusive de parte de los militares, se opuso al proyecto que fue cancelado posteriormente por el gobierno de aquel país.

En Paraguay, tropas estadounidenses permanecieron durante el año 2006 realizando operaciones conjuntas con el ejército local con el pretexto de presencia de células de Al Qaeda, pero el 31 de diciembre del mismo año el gobierno dejó vencer los términos del acuerdo y cesaron tales ejercicios.

En el Forum de Barcelona 2004 una de las cuatro megaexposiciones mostraba *El mapa de los conflictos* y en un planisferio, puntos rojos representaban las guerras en el mundo. Según éste, actualmente sólo hay tres zonas en paz: Australia, Japón y América del Sur, aunque la marca señalaba en forma inexplicable un conflicto armado en la Triple Frontera.

Comenzando el mes de junio del año 2007, Washington insistió públicamente una vez más en el terrorismo desde América Latina, pero esta vez incluyó a Trinidad Tobago y Guyana a raíz de un supuesto plan para atacar el aeropuerto John F. Kennedy Internacional de Nueva York.

Según *The Wall Street Journal*, cuatro hombres musulmanes, supuestamente vinculados a grupos islamistas radicales en Trinidad Tobago y Guyana, fueron acusados el 2 de junio de atentar contra la red de suministro de combustible de ese aeropuerto «para trastocar la economía de Estados Unidos».

Aunque voceros del Departamento de Justicia enfatizaron que «El plan estaba muy lejos de llevarse a cabo», dijeron que estaban intensificando su atención sobre los ataques potenciales que acaso pudieran venir de América Latina.

«Se trata de una región que nos preocupa cada vez más y requiere de más atención», dijo Raymond W. Kelli comisionado de policía de Nueva York.

Los agentes antiterrorismo dicen temer que El Caribe pueda utilizarse como base desde la cual atacar el tráfico marítimo con destino a Estados Unidos, especialmente los envíos ligados a la energía. Trinidad Tobago y Guyana están en la misma área del lago de Maracaibo, punto visible de la industria petrolera venezolana, país poco amigo del gobierno estadounidense.

Según el diario citado, en el año 2010 más del sesenta y cinco por ciento de las importaciones totales de gas natural licuado hechas por Estados Unidos provinieron de Trinidad Tobago.

Trinidad Tobago, tanto como Guyana cuentan con comunidades musulmanas que componen entre el diez y el quince por ciento de su población total. Trinidad Tobago alberga a un grupo islamista radical, Jamaat al Muslimeen que intentó derrocar al gobierno local en 1990. «Se sospecha que algunos extremistas con vínculos en aquel movimiento también estén conectados con Al Qaeda y hayan posiblemente entrenado en campos terroristas africanos según agentes estadounidenses.

«Además de El Caribe, los agentes antiterroristas se están concentrando en las comunidades árabes y musulmanas del resto de América Latina, especialmente en Maicao, Colombia —localidad vecina del lago de Maracaibo— y en la región fronteriza conocida como la Triple Frontera que conecta a Brasil, Argentina y Paraguay. Representantes argentinos dicen que esta región fue utilizada por agentes iraníes y de Hizbulá para llevar a cabo la explosión suicida de 1994 sobre un centro de la comunidad judía en Argentina.

»Funcionarios de inteligencia de Estados Unidos dicen ahora que Hizbulá y Al Qaeda podrían recaudar fondos del contrabando de narcóticos y otras mercancías en Latinoamérica».

***

Como complemento de lo anterior, la invasión de grandes capitales del hemisferio norte a la Patagonia —tercera reserva de agua potable del planeta— es un fenómeno que ha pasado prácticamente desapercibido ante el mundo a pesar de sus dimensiones.

La ofensiva de macro-empresarios —fundamentalmente de Europa y los Estados Unidos—, para tomarse aquella zona es también a todas luces una vanguardia de sus Estados en procura de apropiarse del agua dulce de Suramérica.

Una nota escrita por el periodista argentino Gonzalo Sánchez hace el perfil de algunas de aquellas corporaciones, que se convierten hoy en la imagen de cuantos han llegado por allí, según dicen, «atraídos por el paisaje y el clima».

De la abundancia extraordinaria y del futuro del agua dulce no dicen nada, por lo menos a través de la crónica de Sánchez, de la cual bien vale la pena tomar algunos apartes que reflejan un fenómeno realmente desconocido por la gran opinión mundial.

En ella el cronista comienza hablando de Joseph Lewis, inglés, dueño de la sexta fortuna del Reino Unido, propietario de Tavistock Group, una corporación con más de cien empresas entre ellas laboratorios dedicados a investigar el secreto de la vida.

En la Patagonia es dueño de la totalidad de las tierras que rodean el Lago Escondido, un paraíso que ocupa cerca de catorce mil hectáreas, en una tierra de lagos, glaciares y montañas.

Desde cuando llegó a la zona en 1966, Lewis no ha dejado de despertar pasiones en la comarca, en su mayoría habitada por gente muy humilde. Allí están los que aceptan su presencia y reciben con aplausos sus gestos de filántropo —donaciones de colchones, frazadas, equipos de video para colegios de la zona, algún dinerito, atención médica— y los que denuncian que detrás de sus buenas acciones «se esconde un plan para seguir anexando tierra y seguramente algo más».

«Por ahora no se le puede probar nada que esté fuera de la ley: Lewis está allí sencillamente porque nadie se lo prohibió:

»—No he comprado nada que no me hayan dejado» —dice. Luego agrega:

«—Yo podría haberme instalado en Salta o en las cataratas del Iguazú, pero elegí este lugar que es el lugar soñado».

«… Al final de un vuelo en helicóptero apareció lago Escondido. Lo entendí todo: Lewis tuvo un sueño y lo edificó con su dinero» —dice el cronista, y agrega:

«El lago es una belleza como pocas y es casi inaccesible. Allí podría terminar el mundo: es un espejo de agua clara de seiscientas hectáreas de superficie rodeado por montañas cubiertas de alerces, árboles de más de cuatro mil años.

»Y hay caballos que corren por campos que parecen de golf y bosques que parecen de hadas, establos, cabañas de ensueño para el personal permanente, un generador de electricidad propia, vehículos todoterreno…».

Pero detrás del brillo —claro— se encuentra la polémica. Todas las cuencas hídricas de la Argentina son públicas y por lo tanto Lewis no es el dueño del lago, pero sí de todos sus alrededores.

Para llegar hasta la orilla de lago Escondido hay que atravesar un camino de dieciocho kilómetros por dentro de la propiedad de Lewis y nadie pasa por allí si no se pide autorización al capataz.

Comprar y vender tierras en la Patagonia no es un problema mayor si se tiene una buena cantidad de dólares. La Argentina no cuenta con reglamentación precisa sobre la venta de grandes extensiones a extranjeros.

Si Lewis hubiera querido adquirir sus catorce mil hectáreas en los Estados Unidos debería haber acreditado al menos diez años de residencia en el país, certificado que tiene un ingreso constante y legal, y por supuesto haber obtenido su visa. Luego debería hacer los trámites obligatorios de posesión. Así el gobierno estadounidense controla qué extranjero compró el terreno y con qué finalidad.

Más cerca, en Brasil directamente, no hubiera podido afincarse. Una ley de 1974 establece que los extranjeros no pueden comprar campos a menos que sean residentes. Pero Lewis desembolsó siete millones de dólares y le compró los terrenos a una familia de tres hermanos, los Montero, que no eran lo que llaman *niños de pecho*...

TURNER

En la Patagonia argentina el dueño de la CNN, Ted Turner, posee una mansión por la ruta a Villa Tafur.

Para él las cosas fueron menos polémicas. Un día llegó a la Argentina de Carlos Menem y aquél, por entonces presidente de la República, le dijo que fuera a la Patagonia.

El hombre de CNN tomó su jet privado en vuelo directo hacia Villa Trafull en un rincón de la Patagonia norte donde el cielo se confunde con el agua de los ríos. Al llegar cayó de rodillas ante los bosques de arrayanes.

Corría 1996. Luego el dueño de la CNN siguió invirtiendo en la Patagonia y compró campos a orillas del lago Fagnano en Tierra del Fuego.

... Turner además es un gran anfitrión. Siempre ha corrido el rumor de que ha hecho hasta allí varios viajes de incógnito su amigo el expresidente George Bush, padre.

—Somos amigos del dueño de Pepsi. Alguna vez fuimos a cenar ciervo a su casa de Bariloche —dijo Bush.

LAY

Ward Lay, el heredero del emporio de los *snaks*, nieto del inventor de las papas fritas Lay y dueño de Pepsico Inc., tiene grandes extensiones y entre ellas el rancho Alucina —cerca de Bariloche—, una estancia que antes fue de bandidos.

El rey de las papas fritas se enloqueció cuando conoció el sur. Después compró las 70.000 hectáreas del rancho Alicurá, un campo marcado con la huella de bandidos rurales.

Sus tierras están muy cerca del majestuoso lago Nahuel Huapi.

BENETTON

Y quizá el rey indiscutido del desierto patagónico, Luciano Benetton, anda tras el glaciar Perito Moreno.

Los hermanos Carlo y Luciano Benetton sí que vieron el filón antes de que llegara el aluvión de forasteros a comprar esta belleza de los Andes australes.

En 1991 adquirieron la Compañía de Tierras del Sur Argentino Limitado, 900.000 hectáreas con una historia de luchas obreras detrás y 300.000 cabezas de ganado ovino de donde sale lana para sus productos Benetton.

Ellos son los mayores terratenientes de la Argentina. Para el gobierno la presencia de Benetton en la Patagonia es clave porque les inyecta dinamismo económico a las comunidades de la región. Sin embargo, hay gente que dice lo contrario.

Los campos de este hombre no están lejos de la ciudad de Esquel. El casco urbano de la localidad no es imponente, pero sí la cadena de lagos (El Verde, El Menéndez y El Rivadavia) que se oculta a cuarenta y cinco kilómetros de allí, justo detrás de los montes que custodian el lugar.

Allí viven Atilio Curiñanco y su esposa Rosa Rúa Nahuelquir. Ellos son gente de trabajo y pocos recursos. Pero antes que eso son mapuches, es decir que pertenecen a una de las etnias indígenas que habitaban la región de los Andes australes cuando el hombre europeo se lanzó a la conquista del mundo patagónico.

Por lo tanto, la historia mapuche es una historia de destierros y exclusión y su archivo reciente narra un litigio decimonónico con la Compañía de Tierras de los hermanos Benetton.

Rosa y Atilio tienen nueve hijos y casi no conocen Buenos Aires, pero viajaron a Roma en noviembre del año 2004.

En su casa hay una fotografía en Trevisso en la que aparece un grupo de manifestantes frente a la casa matriz de las tiendas Benetton. Allí nació la familia más famosa de Italia.

Los Curiñanco lograron lo que nadie: llegar a Roma para reclamarle en la cara a Luciano Benetton los derechos sobre 365 hectáreas de un predio conocido como Santa Rosa que está dentro de la estancia Lleque, posesión de la Compañía.

La historia es larga y admite varias lecturas. Pero lo cierto es que la justicia argentina en un juicio civil dictaminó que esas tierras pertenecían a la Compañía. En ese proceso chocaron dos visiones sobre la posesión de la tierra: la del derecho romano que aprueba el dominio privado del terreno y la mapuche que dice que el hombre es parte de la tierra pero nunca su dueño.

Un 11 de noviembre, a las cinco de la tarde, hubo una reunión de los mapuche y Luciano Benetton en el Capitolio de Roma. Estaban presentes el alcalde de la capital italiana, el embajador argentino, el premio nobel de la Paz Adolfo Pérez Esquivel y otras personalidades.

Atilio cuenta que antes del encuentro, «nos vinieron a buscar unos hombres que parecían guardias o policías y nos metieron en unos autos. Cruzaron la ciudad sin parar en las esquinas. Parecía como si hubieran detenido el tráfico para que pasáramos nosotros, con semáforos en rojo y todo. Después nos metieron por una puerta y atravesamos unos pasillos que estaban llenos de cosas de museo.

»Benetton estaba como molesto y no quería hablar demasiado. Esquivel también quería que no discutiéramos pero todo estaba como tenso y no hubo acuerdos. Nos dijo que nos ofrecía otras hectáreas en otro lado pero nosotros le dijimos que si reconocía nuestro derecho a la tierra por qué no nos daba las de Santa Rosa que son las que nos corresponden. Al final todo terminó en nada».

Entonces el magnate textil pidió hablar: «Estoy dispuesto a donar al gobierno argentino 2.500 hectáreas para que las destine como propiedad comunitaria de los mapuches. Tierra productiva», dijo, y se oyó un silencio.

Rosa volvió a expresarle a Benetton su responsabilidad en la represión y el desalojo de que fueron víctimas ella y su marido por parte de la policía.

Benetton respondió: «No tengo autoridad sobre la policía y los jueces».

Benetton se comprometía a enviar información a la embajada de Argentina y a realizar la donación, entrega que hasta el momento no se ha concretado.

Fronteras

El escritor Osvaldo Baver, autor de los cuatro tomos de *La Patagonia Rebelde,* dice:

«La Patagonia no debería ser chilena de un lado y argentina del otro, sino una sola región. Lo que pasa es que Perito Moreno, ese alcahuete de la historia argentina, exploró para trazar fronteras. Y donde hay fronteras hay ejércitos. Después los ricos se repartieron la tierra.

»Baver es una autoridad. Su palabra, creo, debe ser santa. Me quedo pensando en la Patagonia como una región con personalidad y autonomía propias: un país con la tercera reserva de agua potable del planeta. Con petróleo y recursos naturales inacabables. Población mínima y belleza inusitada. Y entiendo: el interés de los magnates del mundo podría tener algún sentido oculto».

TOMPKINS

El magnate textil Douglas Tompkins —The North Eace Esprit— tiene en la Patagonia chilena 300.000 hectáreas del ambicioso proyecto de conservación ecológica Pumalín y en Argentina está adquiriendo extensiones monumentales que irán a morir en el océano Atlántico.

Tompkins es norteamericano, pero antes que nada el gurú de la ecología profunda es un vecino loco que sólo come lechugas y tomates y que posee campos sobrc las costas del océano Pacífico.

Su llegada a la décima región chilena no pasó inadvertida. Tompkins es el dueño de 298.000 hectáreas en la zona de Palena. Nació en 1943 en Ohio y ganó su primer millón luego de fundar en 1968 la marca de ropa deportiva The North Face.

Pero un día decidió vender todo, cambiar negocios textiles por biodiversidad y convertirse en titular de las fundaciones Pumalín y The Conservation Land Trust.

Pumalín —un área de protección de especies con bosques, lagos, volcanes, playas, ríos y fiordos— está a punto de ser declarado Santuario de la Naturaleza, pero acarrea un largo conflicto que terminó dividiendo a la sociedad chilena.

Se ha llegado a decir que Douglas es un agente de la CIA y que detrás de su filantropía hay planes estratégicos de los Estados Unidos. Y, además, que financió la campaña del presidente Ricardo Lagos a cambio de tierras y más tierras.

¿Por qué América del Sur? —le preguntaron a Douglas.

América del Sur es el mejor continente del mundo por su diversidad cultural y por su naturaleza. Europa es un continente muerto.

¿Por qué hace esto?

Porque me da placer y porque tengo plata para hacerlo.

Los Tompkins viven medio año en Chile y medio en Corrientes, Argentina, donde tienen otro megaproyecto de conservación en la pantanosa región de los Esteros del Iberá.

Y otra sospecha recae sobre ellos: que planean acumular agua dulce, un bien que escaseará en no más de treinta años.

***

El primer país que reaccionó ante el accionar estadounidense en Suramérica desde el siglo pasado fue Brasil. Mediante el *Plan Amazonia* importantes intereses estadounidenses amenazaron con establecerse en la región para controlar las reservas de agua y la propiedad de la biodiversidad genética.

En el norte de Brasil, Estados Unidos promovió un movimiento independentista de los indígenas yanomanis, quienes aspiraban a segregar importantes sectores del territorio brasileño. Más adelante Estados Unidos lograría establecer una base militar en Alcántara.

Sin embargo, Brasil reaccionó para impedir la segregación. Estableció una línea de bases militares a lo largo de esa frontera, construyó carreteras en la selva y trasladó su capital al corazón de la Amazonia. Esta estrategia de afirmación de su soberanía fue complementada con la creación del Sistema de Vigilancia de la Amazonia (Sivam), y el anuncio del gobierno del cierre de la base de Alcántara en el 2004.

En tanto, Estados Unidos cambió de frente e intentó sin éxito afirmarse en Venezuela con un golpe de Estado, y con el pretexto de la lucha contra el narcotráfico revivió en el año 2000 la reprochada Ofensiva al Sur o Estrategia Andina, o Iniciativa Regional Andina —todo un tejido de nombres para camuflar sus verdaderas intenciones expansionistas—, que luego le «vendió» a Colombia en inglés con la marca *Plan Colombia*.

La Ofensiva consiste realmente en tener una presencia militar activa en la región reemplazando la Guerra Fría como punto central de su agenda militar en el hemisferio.

En otras palabras, a comienzos de la década de los años noventa el Pentágono consideraba la lucha antinarcóticos como una modalidad de guerra de baja intensidad, basada en las estrategias y tácticas de la contrainsurgencia, pero incluyendo en sus objetivos a dos nuevos enemigos: productores y traficantes de cocaína.

Ahora revivía sus planes con cambios como la lucha encubierta contra la guerrilla y la entrega de una parte de la guerra a las poderosas compañías estadounidenses de mercenarios, para disimular su intervención directa en el conflicto.

Es decir, en términos relativos, al pasar de «Estrategia Andina» a «Iniciativa Regional» pasaba del concepto de guerra de baja intensidad a modelo de guerra privatizada.

Bueno, pues como apertura de la Estrategia Andina o *Plan Colombia*, el Pentágono logró establecer una base militar en Manta, Ecuador, que durante varios años —hasta cuando el gobierno ecuatoriano la recuperó— le permitió ir cerrando el cerco sobre la Amazonia, controlar militarmente su periferia y estar en condiciones de desempeñar un papel preponderante en el momento en que se explotaran sus recursos naturales.

Quito, 17 de agosto del 2006 - El gobierno de Ecuador dijo que utilizará canales diplomáticos para rechazar las declaraciones del nuevo comandante de la base militar de Estados Unidos en Manta, Javier Deluca, quien dijo que esa base era «muy importante dentro del *Plan Colombia*».

Para el experto Andrew Sanders, investigador de la Universidad de California, «Brasil ha reaccionado en la forma correcta. Una futura crisis internacional puede llevar a la declaración de una parte del territorio amazónico como región de soberanía especial bajo el argumento de interés de la humanidad».

Interés de la humanidad. El ministro de Educación del Brasil, Cristovao Buarque, dijo públicamente: «En los debates actuales, los candidatos a la presidencia de Estados Unidos han defendido la idea de internacionalizar las reservas forestales del mundo como canje por la deuda». Con ellas se refería también al agua dulce.

Posteriormente, en una universidad en los Estados Unidos fue interrogado sobre qué pensaba en torno a la internacionalización de la Amazonia, y él respondió:

«Si la Amazonia debe ser internacionalizada, internacionalicemos también las reservas de petróleo del mundo entero. El petróleo es tan importante para el bienestar de la humanidad como la Amazonia para nuestro futuro. A pesar de todo, los dueños de las reservas se sienten en el de-re-cho de aumentar o disminuir la extracción de petróleo y subir o no su precio.

»En la misma forma, el capital financiero de los países ricos debería ser internacionalizado. Si la Amazonia es una reserva para todos los seres humanos, ella no puede ser quemada por la voluntad de un propietario o de un país. Quemar la Amazonia es tan grave como el desempleo provocado por las decisiones arbitrarias de los especuladores globales. No podemos dejar que las reservas financieras sirvan para quemar países enteros en medio de la especulación.

»Si los Estados Unidos quieren internacionalizar la Amazonia por el riesgo de dejarla en las manos de brasileños, internacionalicemos todos los arsenales nucleares de los Estados Unidos. Ellos ya demostraron que son capaces de usar esas armas provocando una destrucción millares de veces mayor que las lamentables quemas hechas en la floresta de Brasil.

»En los debates, los actuales candidatos a la presidencia de los Estados Unidos han defendido la idea de internacionalizar las reservas forestales y acuíferas del mundo como canje de la deuda. Comencemos usando esa deuda para garantizar que cada niño del mundo tenga la posibilidad de comer y de ir a la escuela. Internacionalicemos a los niños tratándolos a todos —sin importar el país donde nacen— como patrimonio que merece cuidarse en el mundo entero, aún más de lo que merece la Amazonia».

Desde luego, cuando la ciencia y la tecnología comprobaron que el hemisferio norte agotó sus recursos estratégicos, hace más de una década se le está vendiendo al mundo la figura que justifique el querer considerar nuestros propios bienes como *de interés para la humanidad.*

Al Gore, siendo vicepresidente de los Estados Unidos, decía: «Al contrario de lo que piensan los brasileños, la Amazonia no es de ellos: es de todos nosotros».

Y François Mitterrand, cuando fue presidente de Francia:

«Respecto de la Amazonia, es necesario aplicar la doctrina de *La soberanía limitada* y del *Derecho de injerencia*».

Y Mijail Gorbachov, cuando tenía el poder en la antigua Unión Soviética:

«Brasil debe delegar parte de sus derechos sobre la Amazonia a los organismos internacionales competentes».

En tanto, Atilio Boron, secretario ejecutivo del Classo y miembro del Comité Internacional del Foro Social Mundial, escribió en la revista *Nueva Gaceta*:

«Son problemas globales en cuanto a que nos afectan a todos, pero no son globales en cuanto a que todos contribuimos a generarlos.

»Los grandes contaminadores están en el Norte, pero resulta que la gran producción de agua y oxígeno está en el Sur. Por esas cosas de la organización económica internacional, es el Norte el que se beneficia y el Sur el que paga los costos de este problema».

El 18 de abril del 2010, según el diario conservador *El Siglo,* de Bogotá, Luis Alberto Moniz Bandera, geopolítico del Brasil, sostenía que «Estados Unidos está queriendo ocupar la Amazonia y la Patagonia».

Moniz ha tenido un resonante éxito con la publicación de *Conflicto e integración en América del Sur: Argentina y Estados Unidos.*

Para este prestigioso profesor universitario, la situación de potencia unipolar de los Estados Unidos y la debilidad crónica de América Latina lleva irremediablemente a los antiguos esquemas de fuerzas y debilidad que marcaron las relaciones con ese país durante el gobierno de Teddy Roosevelt y que culminaron con ataques a Cuba, Puerto Rico, Filipinas y finalmente al despojo de Panamá en 1903 que era la porción más importante de Colombia.

En su libro, Moniz sostiene la tesis de la inexistencia de América Latina y la necesidad de los países del Mercosur de confrontar unidos las posiciones de la Casa Blanca.

Según él, «hay un dato que poco se sabe: Estados Unidos está privatizando el ejército, contratando empresas de mercenarios, se está tercerizando el servicio militar. Están queriendo ocupar la Amazonia y la Patagonia. De por sí, ya están controlando la Amazonia».

La primera hipótesis de guerra que se estudia en las Fuerzas Armadas brasileñas es Estados Unidos, por la Amazonia. Todos los años, las Fuerzas Armadas hacen la operación «Ajuricaba», el nombre de un guerrero indígena que enfrentó a los portugueses en el siglo dieciocho.

Jorge Castro, postulado canciller de la fórmula Menem-Romero en Argentina, dijo en público que «debíamos estar prontos para ser una colonia avanzada de Estados Unidos».

***

La Ofensiva al Sur o Estrategia Andina… O, *Plan Colombia* —una simple referencia con que se lo vendieron finalmente los Estados Unidos al país—, fue mencionado por primera vez cuando comenzaba el gobierno de Andrés Pastrana quien lo diseñó en un Plan Nacional de Desarrollo, «Cambio para construir la paz». Luego fue aprobado por el Congreso de la República.

El gobierno colombiano lo presentó como un «Plan Marshall» para el sur del país —región amazónica— y se trataba de una estrategia de inversiones en producción, en infraestructura, en acciones humanitarias, en un país que continúa en el abandono y el atraso, y en el cual cada espacio dejado por el Estado es ocupado por la violencia.

Pero como es costumbre, en Colombia y más aún en aquel gobierno, no sería posible realizarlo sin la participación de los Estados Unidos.

Total, ministros colombianos, algunos congresistas amigos del gobierno y políticos amigos de los Estados Unidos, que desde luego contaban con la confianza total de los estadounidenses, acudieron a Washington donde al proyecto se le dio un giro total porque los estadounidenses impusieron su diagnóstico, desde luego un diagnóstico realmente falso de la realidad colombiana, y por tanto, peligroso.

Sea como sea, en aquel momento cambió la fisonomía de las comitivas encargadas de escuchar. Ahora iban al frente un par de amigos personales de Pastrana y funcionarios del Estado, seguidos por militares de alta graduación, de otro tipo de políticos y negociadores, y al final de una larga etapa de reuniones y «consultas» en aquel país, la versión definitiva fue impuesta por Washington que incluyó la intervención militar y lo presentó como *Plan Colombia* aun cuando Estados Unidos miraba mucho más allá. Por eso, dos años después surgió la verdadera base del plan que los estadounidenses denominaban, *La Ofensiva al Sur*.

En pocas palabras, el plan inicial de desarrollo delineado en Colombia era un documento amable, mirando hacia regiones ricas pero atrasadas, con base en inversiones ante los problemas de fondo.

Aquel plan de desarrollo reconocía que nuestros problemas de violencia tenían causas estructurales profundas, es decir, poca participación política, pocas oportunidades de ascenso social, pobreza y marginalidad urbana y rural, especialmente en el campo.

Esas causas —como es la realidad—, decía el plan, estaban empujando al país a un conflicto social y armado de enorme crecimiento que se traducía en el aumento de la producción de los cultivos de alucinógenos. En ese momento, Colombia desplazaba al Perú como primer productor de la mata de coca.

Estos factores exigían del Estado una apuesta arriesgada a partir de negociar con los actores armados, no sólo su existencia, sino las causas estructurales de la violencia. Inclusive, el plan le señalaba a los grupos guerrilleros que ellos podían ser no sólo parte de un problema sino parte de la solución. En ese clima comenzaron unos diálogos de paz con la guerrilla FARC.

Sin embargo, en aquellos mismos meses el subsecretario de Estado, Thomas Pickering, viajó a Colombia y le sentenció a Pastrana de una manera tajante que Estados Unidos estaba dispuesto a colaborar con su gobierno, siempre y cuando se diseñara en Washington una estrategia «coherente» con nuestra realidad.

Desde luego, para Washington la coherencia significaba guerra y toma de posiciones frente a Suramérica, así ya estuvieran marchando unos diálogos de paz con la subversión y el Congreso colombiano hubiera aprobado meses antes una cosa diferente.

Luego en el año 2000, cuando se anunció el comienzo del Plan de los estadounidenses, se hizo en forma breve, sucinta, comprimida, por aquello de «la seguridad nacional», de manera que seis meses después en un debate en el Congreso, adelantado por el representante Antonio Navarro Wolf, se comenzaron a conocer algunos, sólo algunos detalles de la estrategia. En aquel momento Navarro preguntaba: «¿De qué manera se puede transformar un plan de desarrollo en otro diferente, sin pasar por el Congreso?».

El debate tuvo lugar el 6 de diciembre de aquel año. Según los congresistas, hasta ese momento aquella corporación no tenía la menor idea del contenido del Plan de guerra elaborado en Washington para remplazar al de paz, de Pastrana. La verdad es que los congresistas colombianos se habían enterado de su comienzo seis meses antes, a través de algunas noticias que publicaba la prensa local.

Por ejemplo, el día del debate se supo que aquello que hablaba de obras de infraestructura para el desarrollo dentro del plan de paz del gobierno colombiano, ahora se convertía en unas Fuerzas Armadas luchando por primera vez en la historia contra los narcóticos.

Desde luego, al introducir el elemento militar, el plan dejaba ver algo que aún hoy niegan los estadounidenses: que su orientación tiene que ver con la toma de posiciones en Suramérica y su objetivo son los inmensos recursos del subcontinente.

La presentación era la lucha contra los cultivos de coca y amapola mediante herbicidas y matamalezas aplicados desde el aire. Por primera vez en este país se utilizó en el conflicto armado tecnología de avanzada suministrada por los Estados Unidos: tecnología de punta en inteligencia y en otros campos.

«Mire», dice un general retirado, «Los *americanos* tienen mayor conocimiento directo e inmediato que los colombianos de lo que sucede en nuestro conflicto armado. Ellos poseen aviones y submarinos en nuestros mares interceptando comunicaciones y administran esa información. Es decir, le entregan a Colombia sólo lo que ellos consideran oportuno para que opere. Pero, hay que reconocerlo, los colombianos jamás sabremos todo lo que saben los *americanos* sobre los subversivos de las FARC, ni lo que realmente buscan en el fondo con esto que ellos nos han vendido como *Plan Colombia*».

Según la académica Ana María Puyana, de entrada, el *Plan* comenzó rompiendo por dentro el proceso de paz que entonces se estaba adelantando con las FARC para retomar la guerra y eso es lo que explica fundamentalmente el final de los diálogos gobierno-guerrilla dos años después.

Realmente con la Ofensiva al Sur el gobierno fue llevado por Estados Unidos a dinamitar el proceso que él mismo había inaugurado en el año 1998.

Y lo dinamitaron porque uno no puede adelantar un proceso de paz y simultáneamente aprobar fuera de las fronteras nacionales un plan de guerra de más largo plazo.

El resultado de esta nueva intervención de los Estados para vitalizar su posición, por ejemplo, frente a los recursos amazónicos fue tan evidente que no escapó ni a los más remotos observadores. En Madrid en el año 2001, el escritor mexicano Carlos Fuentes dijo en una conferencia de prensa: «El *Plan Colombia* es militarista y tiene la firme convicción de que acentuará el problema en lugar de eliminarlo», como realmente sucedió en los años siguientes.

Después de la divulgación del rútulo *Plan Colombia* fue cuando se conoció la existencia de aquello que los estadounidenses llamaban desde un comienzo, Ofensiva al Sur o Estrategia Andina —igualmente aprobada por el Congreso en Washington—, que respondió a políticas regionales suramericanas a las que se da luz verde en forma extraterritorial. Es decir, no pasan por las discusiones legislativas de los congresos de los países involucrados ni tampoco por la discusión de la opinión pública nacional en cada uno de ellos.

Si la iniciativa de los Estados Unidos (Ofensiva al Sur) funcionaba aquí y se lograba doblegar las soberanías de los países andinos hacia el sur de Colombia, habría pequeños planes de intervención en esos países. Por ejemplo, la base militar de Manta fue, hasta cierto punto, una claudicación de la soberanía ecuatoriana que le permitía a Estados Unidos intervenir más en los asuntos ecuatorianos antes del cambio de gobierno en el 2006, panorama que no se veía tan fácil en Venezuela ni en Bolivia.

Con la aparición del plan estadounidense, dos años después el gobierno de aquel país aprobó que los recursos antidrogas también fueran utilizados para la guerra *antiterrorista* y apareció el Plan Patriota durante el gobierno de Uribe Vélez.

Viendo todo esto, hoy uno se pregunta cuáles son los intereses de los Estados Unidos: ¿La lucha contra las plantas de coca? ¿La lucha contra la guerrilla que se beneficia de ellas? ¿Una lucha por controlar el agua dulce, los bosques y los recursos genéticos? ¿Una lucha por mercados...? ¿Qué los mueve?

Los mueve todo eso, pero fundamentalmente, primero, definir su hegemonía política continental, indiscutida por las demás potencias mundiales.

***

Un análisis del experto Rafael Ugarte sobre lo que fue el *Plan Colombia* I, que indudablemente daba lugar a la continuación de la misma estrategia, le permitió señalar cómo, «desde su comienzo mostraba claramente que rebasa y ha rebasado el tema de la droga propiamente dicho, para asumir una connotación geoeconómica y geopolítica de significativa importancia para los intereses de los Estados Unidos en el hemisferio».

Viendo un poco más lejos, está al frente el criticado y controvertido Plan Puebla Panamá, parte de un engranaje de los Estados Unidos que con la Ofensiva al Sur o *Plan Colombia* coinciden en el tiempo con las «negociaciones» del Área de Libre Comercio de las Américas, ALCA, *(que se convirtió en los TLC)* y muestran que todas estas fórmulas son coherentes en la aspiración de los estadounidenses de crear un nuevo orden hemisférico en el continente americano que le sea útil a sus intereses. Pero esos intereses van más allá del libre comercio para incursionar en asuntos no comerciales, es decir políticos, ideológicos, militares y de seguridad en su más amplia dimensión.

Eso explica por qué Estados Unidos no sólo estaba proyectándose en función del libre comercio y la libertad para invertir, sino paralelamente a las conversaciones del ALCA pretendía derrotar los focos subversivos en Colombia, México y el rescoldo que dejaron las guerrillas en El Salvador, Nicaragua y Guatemala. Según los estadounidenses, todo esto planteaba inseguridad para «la libertad comercial».

A los Estados Unidos les interesa acceder a la biodiversidad de Latinoamérica y a las fuentes de energía que le permitirían compensar en alguna medida la vulnerabilidad energética de esta nación, y por último poner orden al flujo migratorio de latinoamericanos que según su concepto de la *Seguridad Nacional* presionan su frontera Sur y constituyen un peligro para la estabilidad de su país. La solución a todos estos temas para ellos estaba en estrategias como el *Plan Colombia* y el Plan Puebla-Panamá.

Por todos estos motivos era posible afirmar que la Ofensiva al Sur había rebasado el tema de la lucha contra la cocaína, y asumía importancia geopolítica para sus intereses en el hemisferio.

Según Ugarte, esta tesis «se reforzaba más cuando se miraban las riquezas naturales, o recursos estratégicos que se localizan en Colombia —agua, energía, biodiversidad, producción de biomasa—, su privilegiada ubicación geográfica; único país de Suramérica que conecta directamente al Norte y al Sur por tierra, único además que tiene salida a los dos océanos y el único que tiene frontera terrestre con el último país concebido dentro del Plan Puebla Panamá.

»Su riqueza hidrográfica es una de las más importantes de la tierra, en plena crisis mundial del agua dulce. Esta riqueza ha asumido una importancia insospechable en vista de la escasez mundial del líquido que según los expertos será una de las causas de conflictos bélicos en el mundo y, al parecer, Estados Unidos pretende asegurar un acceso expedito a esa agua, que abunda en Colombia y el resto de Suramérica».

Otro aspecto de enorme importancia está relacionado con la diversidad biológica y el «banco de genes» que abunda en Colombia, importante fuente de materia prima para la industria de la ingeniería genética y la biotecnología, muy desarrolladas en Estados Unidos, y en contraste pobremente practicadas en la región con excepción de Brasil.

Todos estos elementos ratifican la importancia estratégica que tiene Colombia para Estados Unidos, más allá de la simple lucha contra la cocaína.

«Pero a la vez la guerrilla colombiana, la posición política de los gobiernos de Venezuela, Ecuador y Bolivia, la capacidad política del movimiento indígena y campesino en Bolivia, Ecuador y el Perú, para no mirar más allá de la Zona Andina, constituyen un escarnio demasiado adverso para los intereses de Estados Unidos en América Latina y el Caribe. Una derrota militar de estas fuerzas crearía mejores condiciones para la materialización del Área de Libre Comercio de las Américas, ALCA. Si eso no ocurriera el tratado sería impuesto por Washington en lo que podría considerarse un terreno minado».

La primera fase del *Plan Colombia* —ejecutada en seis años que terminaron en el 2006— irrumpió en silencio en cuanto a su finalidad real pero a la vez en grandes titulares de prensa que hablaban exclusivamente de la *ayuda* de los Estados Unidos a Colombia con 1.300 millones de dólares.

Durante la etapa previa al debate en el Congreso, el senador Navarro Wolf le envió un cuestionario de preguntas a la embajadora de los Estados Unidos, especialmente sobre la destinación de una suma «clasificada» es decir, secreta, que tenía el rubro más grande de los dineros a ser manejados por el Departamento de Defensa, y en ese caso la respuesta fue contundente:

Podría ser de interés para ustedes pero esta información no está disponible para el Congreso de los Estados Unidos en general; únicamente un selecto grupo de la Cámara y el Senado tiene acceso a dicha información y bajo circunstancias altamente controladas.

En el año 2006 cuando terminaba este hito de la guerra colombiana, se supo finalmente que una parte de aquellos dineros eran destinados al pago de mercenarios estadounidenses, pues a la hora de la verdad, se trataba de una guerra privatizada, perfil característico del *Plan Colombia.*

Plan vendido como paz, fomento a la producción, desarrollo de infraestructura, pero cuya *ayuda* fue invertida básicamente en la fuerza, a través del ejército colombiano y el ejército estadounidense, policía, paramilitares criminales y mercenarios extranjeros.

Inicialmente el Plan hablaba de trescientos mercenarios, pero en aquel momento la embajadora de los Estados Unidos le respondió al Congreso colombiano que, según ella, el número de *contratistas* a que se refería inicialmente el *Plan* no eran suficientes, por lo cual se necesitarían más en un futuro cercano.

Como realmente se trataba de un plan de guerra, una parte de la inversión de aquella *ayuda* estaba representada en la compra de los primeros sesenta helicópteros, desde luego en los Estados Unidos. Al enterarse, el Congreso colombiano se preguntaba: ¿Para qué helicópteros si dicen que el *Plan* busca básicamente fumigar las selvas con herbicidas? ¿No se tratará realmente de una guerra antisubversiva?

La embajada estadounidense y el gobierno local lo negaron.

Desde luego, los sesenta helicópteros nunca fueron de propiedad del Estado colombiano que los había pagado. Eran de los Estados Unidos y su administración y su operación obedecían a las órdenes de los mismos Estados Unidos a través de la Agencia de Cooperación para la Defensa y Seguridad de ese país.

Igualmente, el gobierno colombiano repetía —por información del de los Estados Unidos— que el costo global del *Plan Colombia* era de 7.500 millones de dólares, pero continuaban enfatizando en forma recurrente que una buena parte de esa suma sería invertida en desarrollo y paz.

No obstante, en el debate del Congreso el ponente logró demostrar que las cifras de las cuales se hablaba públicamente eran incorrectas, porque la inmensa mayoría de los dineros serían destinados a la guerra.

En ese momento se contaba con los 1.300 millones de dólares aportados por Estados Unidos e invertidos casi totalmente en ese país, mas no con los dineros de una cooperación europea, canadiense y japonesa, de la cual el presidente colombiano hablaba en forma insistente.

Pero resulta que los europeos se negaron a participar en el *Plan* porque al conocerlo resolvieron que no compartían sus objetivos y desde luego no aportaron 1.000 millones de dólares.

La ayuda japonesa de 750.000 dólares tampoco era ayuda, se trataba de un crédito blando que debía pagar Colombia, de manera que el resto de los dineros, es decir, la porción más grande la aportaría también el país con préstamos del Banco

Mundial, del Banco Interamericano de Desarrollo y de la Corporación Andina de Fomento.

Colombia era en ese momento el segundo país de América Latina con el más alto desempleo, y una de las más deficientes coberturas hospitalarias del continente.

De acuerdo con las cifras que más adelante se confirmaron por sí solas, la *ayuda* militar de los Estados Unidos no era tan alta, mientras las condiciones que le pusieron a Colombia a cambio eran tan fuertes que el Estado perdió su libertad de actuar frente a problemas que acrecentaban el conflicto y empobrecían a su industria y a su pueblo a través de un futuro Tratado Bilateral de Libre Comercio con Washington.

Un estudio realizado por Diego Fernando Otero Prada para Indepaz revela que los dineros aportados por Estados Unidos cobraban cada vez menos importancia frente al enorme esfuerzo que hacía Colombia.

Según el documento, «la verdad es que el conflicto está causando que importantes recursos del presupuesto nacional se dediquen a resolverlo por la vía militar en lugar de asignarlos a promover la capacidad productiva del país, poniendo en riesgo el potencial de crecimiento económico del mediano y largo plazo.

»Lo más grave de todo es que a cambio de esa *ayuda* el país está hipotecado a los intereses de Estados Unidos y ha perdido toda capacidad de maniobra interna y externa. En otras palabras, la presencia estadounidense desestabiliza a Colombia.

»Pero, por otro lado, el *Plan Colombia* disminuyó la flexibilidad para negociar el Tratado Bilateral de Libre Comercio, TLC, y para tener una política exterior más de acuerdo con la mayoría de los países de Suramérica».

Según el mismo autor, si se suspendía el *Plan Colombia* la amenaza era algo equivalente a la aparición de una espada de Damocles colgando sobre la cabeza de cada colombiano, como si éste fuera un factor clave para encontrar la solución militar o política, cuando en realidad era lo contrario.

Dados los resultados de la estrategia estadounidense que intensificó el conflicto, fracasó en el pretexto de lucha contra los cultivos y la exportación de cocaína que el *Plan* nunca logró disminuir, pero ató al Estado colombiano a sus determinaciones. Desde un comienzo, sectores del país y analistas como Otero Prada opinaron que Colombia podía olvidarse del *Plan Colombia.*

Si esto se logra —decían— se tendrán más posibilidades de llegar a un acuerdo con los diferentes grupos involucrados en el conflicto y a disminuir las tensiones que implica la política de extradición de colombianos.

Por otra parte, en cuanto a la Ofensiva al Sur o Estrategia Andina o *Plan Colombia*, al Plan Patriota y ahora a la continuación de la estrategia estadounidense con algo llamado *Iniciativa Amazónica* —en todo lo cual Colombia hacía de vanguardia de los estadounidenses frente a sus vecinos—, el estudio citado anota:

«El *Plan Colombia* es motivo de alarma entre los países vecinos» (Brasil, Venezuela, Perú, Ecuador). «Los venezolanos ven a Colombia como un instrumento de los estadounidenses contra su país, asunto que no conviene a nuestros intereses. Nuestro socio natural es el poderoso Venezuela: varios millones de colombianos viven allí, nuestro comercio bilateral es el segundo más importante después del de Estados Unidos y el potencial de integración energética y económica es enorme.

»Son muchas razones para no preocuparse por la suspensión de recursos de la Ofensiva al Sur o *Plan Colombia*, del Plan Patriota y de la Iniciativa Amazónica. En verdad esto es lo que más le convendría a Colombia, pues el país recuperaría su autonomía para mejorar los asuntos internos y externos, se disminuirían las tensiones y habría posibilidad de un clima más tranquilo en el país.

»La historia del mundo muestra que donde se involucra el poderoso vecino del norte comienzan los problemas. Los Estados Unidos, más que la solución, son el problema».

***

Para la comunidad científica colombiana, que jamás ha sido escuchada por los gobiernos, la fumigación indiscriminada de los bosques con herbicidas producidos por la industria estadounidense —la verdadera ganadora de esta guerra de décadas—, y que el gobierno local presentaba como un experimento «a manera de aprendizaje porque es parte del *Plan Colombia*», representó un error fatal.

Según la experiencia de cuarenta años —ese tiempo abarcaban hasta entonces las fumigaciones aéreas de marihuana y coca en Colombia— ese sistema no resuelve el problema de los cultivos. Simplemente lleva a los narcos a destruir más bosques y a trasladar las siembras de región en región.

Como lo demostró entonces ante el Congreso el senador Antonio Navarro Wolf, «la población sufre ahora la fumigación del tóxico llamado *Glifosato* y no tiene ninguna actitud distinta a la de disponerse a sembrar nuevamente.

»Para eso hay una estructura superorganizada: en previsión de que aparezcan los aviones estadounidenses, poseen almácigos, es decir, millares de plantas listas para ser sembradas y se van con ellas para otra región. A ese paso, mis queridos compañeros del Congreso y televidentes de Señal Colombia, vamos a acabar con las selvas más ricas del planeta y no habremos resuelto ningún problema».

No obstante, para acallar cualquier reacción en este sentido cuando el concepto logra colarse en los medios locales de comunicación, enviados de Washington, que aparecen periódicamente ofreciendo conferencias de prensa en la embajada, que luego se conocen a través de los diarios, y la radio, y la televisión, diciendo que los herbicidas que ellos emplean en su guerra contra la coca también son utilizados en su país sin ofrecer ningún peligro.

Mentira repetida un año tras otro ante el silencio de los mismos gobernantes locales que saben perfectamente cómo el *Glifosato* —con que aquéllos envenenan seres humanos y ríos, y destruyen las selvas más ricas del mundo— digo, la utilización de este herbicida, tal como la realizan los estadounidenses en su propia guerra en Colombia, está prohibida en el resto del mundo.

El *Glifosato* con que los Estados Unidos durante muchos años han envenenado a este país con la autorización de los gobiernos colombianos —entre otras especificaciones—, es un herbicida de amplio espectro; un matamalezas que en principio destruye plantas y arbustos: el mismo *N-fosfometilglicina*, desde luego, producido por la firma Monsanto en los Estados Unidos.

Monsanto nació en 1901 en San Luis, Misuri y hoy su principal actividad es la producción de alimentos transgénicos que cada día encuentran mayor resistencia en el mundo civilizado que no considera probada su seguridad para la salud humana.

Por este motivo en el año 2013 fueron retirados de Europa con excepción de tres países.

Monsanto es definitivamente una empresa controvertida en el mundo debido al peligro que representan sus productos ante la extensa historia negra frente a la salud de los seres humanos, animales, plantas y el medio ambiente en general.

El *Glifosato* que en contravía del resto del mundo representa una de las estrellas utilizadas por los Estados Unidos en su guerra contra la coca —que ellos mismos estimulan con su extraordi nario consumo en forma de cocaína—, produjo en la primera década del siglo veintiuno, graves daños en zonas de la frontera entre Colombia y Ecuador, por la acción de los mercenarios estadounidenses y sus aviones fumigadores sobre la selva común a los dos países.

Como era lógico, el gobierno del Ecuador denunció internacionalmente a Colombia para detener la estela de enfermedades de seres humanos, muerte de animales en tierra y en los ríos y humedales, y destrucción de la selva que les venían causando con la aspersión indiscriminada de *Glifosato* desde aviones de los Estados Unidos.

Para evitar un problema binacional mayor, el gobierno colombiano de Juan Manuel Santos —obediente del mandato de las autoridades estadounidenses como todos cuantos lo han antecedido—, logró pactar con el Ecuador y consiguió que los estadounidenses aceptaran alejar a sus mercenarios y a sus naves fumigadoras unos cuantos kilómetros de la línea fronteriza... Pero, además, debió reconocerle a Quito una indemnización inicial de quince millones de dólares cuando promediaba el año 2013, por el daño causado a sus pobladores y a su naturaleza.

Hoy Colombia continúa siendo el único país del mundo que permite la fumigación aérea de herbicidas para atacar cultivos ilícitos.

Según analistas colombianos independientes como Daniel Mejía Londoño, del Centro de Estudios sobre Seguridad y Drogas de la Universidad de Los Andes, la *ayuda* de los Estados Unidos en este conflicto es en aviones, mercenarios y canecas con *Glifosato.*

Otros estudiosos del tema opinan que la presión de los Estados Unidos para que se continúen envenenando ríos, poblaciones con seres humanos y selvas con este herbicida obedece a la del fabricante Monsanto, pese a que la misma policía de Colombia reconoce que esta estrategia no es la más efectiva para siquiera disminuir el mercado de la droga.

Pero la historia de este agroquímico en la guerra de los estadounidenses destruyendo vidas y medio ambiente en Colombia, es apenas uno de los últimos capítulos de aniquilamiento de la humanidad, escritos por la casa Monsanto de San Luis Misuri.

***

Una vez más, Colombia es víctima directa de la guerra en Vietnam:

Durante la invasión a Vietnam, los Estados Unidos utilizaron otro defoliante fatal, conocido como *Agente Naranja* —una de las más terribles armas químicas— con el cual en un sueño de dementes pretendían, primero, destruir las inmensas selvas que cubren Indochina para eliminar la protección de los guerrilleros del Vietcong que los golpeaban en forma sistemática. Y en segundo lugar, reducir por hambre a millones de seres humanos, al extender su objetivo a los cultivos de arroz.

Según cálculos hechos por los mismos estadounidenses, con el *Agente Naranja* fueron esparcidos desde el aire 77 millones de litros y se causó, según la misma Asociación *Americana* para el Avance de la Ciencia, el nacimiento comprobado de por lo menos 500 bebés con malformaciones congénitas.

Luego la misma Asociación demostró que en la fabricación de uno de los principales componentes del producto se desarrollaba una impureza que identificaron como *dioxina* la cual resultó altamente cancerígena y, además, producía malformaciones en los fetos.

Según la ciencia, entre otras cosas, este elemento resultó más letal que la *Thalidomida*, sedante y calmante de las náuseas durante los tres primeros meses del embarazo, que causó desastres en el mundo por su efecto de producir el nacimiento de niños con defectos congénitos.

La lucha de la Asociación de científicos estadounidenses finalmente logró que el Pentágono retirara el veneno de Indochina.

El gobierno de Washington aceptó, y los sobrantes —millones de litros— fueron trasladados a una isla en el Pacífico.

Pero una vez allí, entonces sí reconocieron el peligro que representaba el herbicida y, claro, se lo ofrecieron a América Latina, pero los Estados lo rechazaron. Todos…

Menos Colombia.

Desde luego, los fabricantes, Monsanto y Dow Chemicals, enviaron su producto a elevados precios y posteriormente negociaron sus fórmulas con otras firmas y aquí empezó una extraordinaria feria del tóxico, a juzgar por el número de nombres y presentaciones con que lo camuflaban nuevos fabricantes en el país, que iban desde industrias del mismo Estado torpe y sumiso, hasta más de una decena de negociantes estadounidenses.

A continuación el cartel descubierto en Colombia, nueve años después de la invasión a Vietnam. Es la imagen concreta de la feria del veneno que produce el nacimiento de niños deformes y una ola de cáncer, promovida en este país —a pesar del pleno conocimiento de su monstruosidad— por los intereses estadounidenses y encabezada por la casa Monsanto de San Luis, Estado Misuri.

Este horror muestra sólo una fase de la guerra que se da contra la cocaína lejos de los Estados Unidos:

PRODUCTORES EN COLOMBIA:

Dow Chemical: *DMA* en dos formulaciones o disfraces, y *Esterón* en ocho formulaciones.

Química Schering: *Herbicida 100* en dos formulaciones y *Limpia Potreros* en dos formulaciones.

Rohn and Haas: *Rendon*

Shell: matamalezas en cuatro formulaciones.

Quimor: *Kilex* en tres formulaciones.

Caja de Crédito Agrario, propiedad del Estado Colombiano, «*Al servicio de los campesinos de nuestro país*»:

Herbiarroz, *Salamina* y dos formulaciones de mata arbustos.

Federación Colombiana de Arroceros, «*En auxilio de los cultivadores colombianos*», *Fedearroz* en tres formulaciones.

Laboratorios Basf: *Aniquil* en cuatro formulaciones.

Laboratorios Cela: *Ceretox* en seis formulaciones y *Hierbatox* en tres formulaciones.

Invequímica: *Arbustol*, y *Durtok* en seis formulaciones.

Como consecuencia, el mes de septiembre de 1974, el doctor Marco Fidel Micolta, director del hospital de El Guamo. Tolima —población enclavada en una de las grandes zonas agrícolas del país— confirmó que «aquí han comenzado a detectarse muchos casos de bebés nacidos con pies chapines, labios leporinos, paladares hendidos, hepatomegalia (hígado más grande de lo normal), microcefalia (cerebros diminutos)...».

Los mismos signos que en Vietnam.

Un diario nacional registró el fenómeno en Bogotá. Monsanto guardó un silencio absoluto. La embajada de los Estados Unidos elevó su voz: ellos no tenían nada que ver con niños chapines... Y el gobierno colombiano volteó la espalda, miró hacia el techo y finalmente dejó el asunto en manos de un funcionario de segunda línea en algo llamado Instituto Colombiano Agropecuario, ICA.

Allí, en nombre del Estado, el funcionario desde un comienzo mostró su moral: «Lo que se dice ahora de El Guamo y lo que se dice de Vietnam son historias inventadas por la prensa colombiana», declaró en público.

Hoy en el libro de registro de compañías que producen agroquímicos, usted busca «Monsanto» y encuentra:

«*Fundada por John Francis Queenly en 1901, San Luis, Misuri, Estados Unidos: químico que le dio a su compañía el nombre de la mujer a la cual engañó cinco veces*».

Y que por lo visto, sus descendientes continuaron con la filosofía del patriarca frente a la humanidad.

Finalmente, hoy, cincuenta años después, la ciencia ha encontrado que continúa la catástrofe sanitaria y ambiental de la década de los años sesenta, puesto que la *dioxina* —un producto químico muy estable— solo se degrada lentamente, pero se integra a la cadena alimentaria.

Por tanto, muertes, patologías de extrema gravedad, malformaciones congénitas y lesiones nerviosas irreversibles continúan presentándose en la población de las zonas que fueron fumigadas.

Por imperdonable ignorancia, hasta hoy en Colombia ningún gobierno ha investigado en este sentido la situación actual de las extensas zonas que fueron fumigadas con esta terrible arma química y en las cuales se detectaron síntomas de una catástrofe sanitaria y ambiental, similar a la de Vietnam.

Pero, regresando a la destrucción de Colombia, las voces de Washington se cuidan también de callar cómo en la década de los años ochenta en Estados Unidos se prohibió en forma contundente la fumigación de marihuana en algunos parques nacionales por el grave peligro que representaba.

Y callan también que hoy allí sólo son fumigados con otros productos campos de cultivo controlados, y que no es lo mismo agricultura que silvicultura: es decir, no es lo mismo un campo de maíz controlado que una selva con millones de variedades diferentes, vientos diversos, ríos y, en algunos casos, población humana.

Según Alain Labrousse en un estudio para las Naciones Unidas, los únicos países del mundo donde se han utilizado químicos en esta lucha han sido Colombia y México, pero México finalmente las ha prohibido.

«Personalmente he podido comprobar», escribe Labrousse, «que los herbicidas se dejaron de usar donde fueron ensayados contra la amapola en Pakistán siguiendo violentas protestas de la población en zonas tribales; en Birmania (Myanmar) después de fuertes críticas de organizaciones de derechos humanos, y de la propia Oficina de Naciones Unidas contra las Drogas... Y en Guatemala donde provocaron la muerte de catorce personas.

»Es muy significativo que en el año 2004, cuando se denunció en Afganistán que "desconocidos" habían ensayado clandestinamente un químico contra los cultivos de amapola, el propio presidente Hamid Karzaï, apoyado por la embajada de los Estados Unidos, dijo que no iba a permitir el uso de este defoliante por ser demasiado peligroso para la salud humana y el medio ambiente».

En Colombia, año 2002, comenzó a gestarse un movimiento en contra, pero las primeras protestas fueron acalladas por el gobierno que calificó como narcotraficantes a científicos y estudiosos que se atrevieron a plantear el peligro que significaba la aspersión indiscriminada de defoliantes sobre selvas, campos, lagos y ríos.

Pero más allá de aquellas historias, una manera de explicarse el *Plan Colombia* es buscar lo que jamás han revelado ni los Estados Unidos ni los dóciles gobiernos de Andrés Pastrana y Uribe Vélez que han tenido que ver con él.

Pastrana fue luego embajador de Uribe en Washington.

Por la cantidad de sus recursos hídricos —uno de los cuatro países más ricos del mundo—, Colombia es un escenario ideal para la guerra dentro de la lógica de expropiación internacional.

El mismo Alain Labrousse, en uno de los órganos de divulgación del Programa de las Naciones Unidas para el Desarrollo, señaló cómo, más allá del *Plan Colombia*, «además de su característica de base de retaguardia para el control geopolítico de la región, Colombia tiene otro interés para Estados Unidos: uno de los proyectos de canal alternativo al de Panamá podría atravesar el norte de su territorio uniendo dos ríos gigantescos uno en el Caribe y otro en el Pacífico.

»Por otra parte, la Amazonia colombiana podría constituir una fuente alternativa de agua para el sur de Estados Unidos que sufre una cruel escasez [...].

»Más allá de lo que podría calificarse como suposiciones, existe un ámbito en el que resulta claro que el *Plan Colombia* servía de pantalla de humo para enmascarar otros intereses».

Por motivos como estos, entre otras cosas, la mayor inversión pública del Estado colombiano en infraestructura se realizaba en zonas de intensa violencia y desplazamientos forzosos, característica en la región que entroncaba al *Plan Colombia* con el Plan Puebla Panamá, donde los corredores viales habían crecido significativamente.

La interconexión de Puerto Berrío-Arboletes-Medellín; Medellín-Pereira; el vínculo de los departamentos de Chocó, en el Pacífico, con Risaralda (todos en el Noroeste del país) en que estaba vivamente interesado el gobierno del momento, era muestra del interés económico que guardaba el *Plan Colombia* para ofrecérselo a los inversionistas de las transnacionales obedeciendo los planes de Washington.

Pero por otro lado, y teniendo en cuenta que Colombia está ubicada en límites con Perú, Ecuador, Brasil y Venezuela, todos países amazónicos, nuestra nación, con una enorme deficiencia en servicios de salud, educativos o de vivienda, aumentaba y sigue aumentando cada año más sus esfuerzos en infraestructura militar.

Pero en el fondo del *Plan Colombia* había mucho más: la búsqueda angustiosa por privatizar el agua tenía el objetivo definido para obtener poder y, más allá del poder, crear capitales extranjeros incalculables, por ejemplo, en torno a la generación de energía eléctrica para ser llevada al Norte del continente.

Según Róbinson Salazar y César Velásquez, en el libro ya citado, «la privatización del agua potable posibilita la construcción de hidroeléctricas que incrementarían el valor de la expropiación en tanto que genera la energía que escasea por el desabastecimiento de petróleo.

»Bajo esta lógica, aparecen los planes intervencionistas, Plan Dignidad en Bolivia, Ofensiva al Sur o *Plan Colombia* y Plan Puebla Panamá; sumados a ellos, planes como la militarización y privatizaciones en el sur de Argentina, el Iguazú, las represas en Centroamérica y la ubicación precisa de los ríos que faciliten la interconexión eléctrica entre Colombia y Panamá pasando por la riquísima zona ecológica del Darién, primer productor de biomasa de la tierra.

»Dentro de la estrategia para controlar la riqueza de los países latinoamericanos, el Plan Puebla Panamá dejará de ser un proyecto regional, traspasaría las líneas fronterizas iniciales y el plan era conectarlo con el *Plan Colombia* a través del proyecto que anunciaba el Sistema de Interconexión Eléctrica de los Países de América Central, SIEPAC.

»El proyecto era construir una línea conductora y una vía de quinientos kilómetros que costarían aproximadamente 200 millones de dólares y conectarían el extremo panameño de la red de energía que enlazaría Centroamérica y México con los países andinos, a través del Tapón del Darién en el Pacífico colombiano, o del golfo de Urabá en el Caribe colombiano, financiado por el Banco Interamericano de Desarrollo».

Otro de los proyectos anunciados por el presidente Uribe Vélez, recitando los planes de Washington en Colombia a pesar de que significarían la destrucción de una de las zonas ecológicas más poderosas de América —por lo cual había sido desechado por los gobiernos anteriores—, era la apertura de la selva del Darién (paso de Colombia a Panamá) con el fin de servir al proyecto estadounidense de interconectar Suramérica con América Central, y desde luego con América del Norte en materia de energía.

Sin que hubiese mediado aviso previo, Colombia se enteró de los planes de los Estados Unidos gracias a Uribe Vélez el 28 de mayo del 2006 tras su reelección como presidente, cuando anunció que conectaría el *Plan Colombia* con el Plan Puebla Panamá.

Aunque los estudios ya habían sido hechos por la firma Ecology and Environment Inc. e Hidromecánicas Limitada, Uribe Vélez no se lo había informado a Colombia.

El costo de la obra estaba calculado en 231 millones de dólares. Ese tramo completaría los 25.500 kilómetros que unirían a América Central y Suramérica con los Estados Unidos para llevarles a ellos la energía. Como en todo este tipo de proyectos, valdría la pena preguntar cuánta energía y a qué costos deberá pagarla América Latina si le correspondiera una parte.

Efectivamente, cumpliendo con los planes de los Estados Unidos, el 10 de julio del 2006 —poco después de regresar de Washington por séptima vez— el presidente Uribe Vélez concurrió a la cumbre de países del Plan Puebla Panamá donde anunció, como «dos grandes negocios para Colombia», llevar energía local a Centroamérica y vender gas a esa parte del continente.

Aquel día la prensa diaria señalaba que «además de aspectos meramente comerciales, a Uribe lo motiva también un espíritu integracionista, que parece haberse intensificado tras su reelección».

Tres días antes Uribe Vélez había visitado Venezuela y olvidando momentáneamente sus desavenencias con el presidente Hugo Chávez. Esta vez se puso en plan de lograr un acuerdo para llevar a cabo la construcción de un gasoducto que permitirá ir con nuestro gas hasta Venezuela, pero por sobre todo a Panamá en una segunda etapa.

La ocasión era perfecta para vender sus gestiones: ese día Uribe, en presencia de Chávez y de Martín Torrijos presidente de Panamá, confesó públicamente su deseo de promover «la demolición de fronteras entre los países de la región».

Pero, además de la venta de gas, los planes de Uribe eran, como lo dictaban los Estados Unidos, llevar energía eléctrica a América Central. Según lo anunció aquel día, para llegar a Panamá se construiría una red de transmisión a través de las selvas del Darién que forman el gran parque natural.

***

En julio del año 1972 atravesé lo que se llama el Tapón del Darién, un pantano selvático que más o menos ha protegido a la zona de la destrucción total.

Lo que llaman el Tapón está dividido en tres tramos de selva: el primero, a partir del río León, no lejos de la carretera Medellín-Turbo o carretera al Mar, se extiende hacia el occidente (océano Pacífico) hasta llegar a tres elevaciones de roca llamadas lomas Las Aisladas.

Es una zona plana, cubierta en aquel momento por una selva sólida y espesa, piso firme, muy rica en aguas.

El segundo tramo, un poco más hacia el occidente, corre de Las Aisladas hasta las riberas del río Atrato: terrenos bajos y por tanto inundables, por los cuales se deslizan infinidad de arroyos, caudalosos como los pequeños ríos de la zona que a la vez forman un extenso pantano rodeado de lagos y lagunas. Ese es el verdadero Tapón.

De allí hasta la frontera con Panamá, en el extremo occidental, está el tercer tramo que comprende el valioso parque natural de los Katíos, área escarpada que termina en Palo de las Letras, cúspide donde se halla el hito fronterizo con Panamá.

Entonces con el ingeniero Pablo Castillo, de la firma *La Vialidad* que había realizado el trazado y los estudios de suelos para construir luego una carretera, iniciamos el recorrido a partir del primer tramo (río León-Las Aisladas) transitando por una senda de pocos metros de ancha. Las sierras de los ingenieros la habían despejado, por lo cual hallamos atravesados en el suelo árboles que derribados eran más altos que nosotros. A los costados, la selva imponente impedía ver más allá de la cortina de árboles y plantas que conformaban el bosque bajo.

Más o menos al final del segundo tramo encontramos a un hombre llamado Lubín Giraldo, de 52 años, un campesino visionario que trabajó con *La Vialidad* y al terminar la senda se quedó allí para derribar selva a lado y lado y hacerse así a la tierra cuyo esfuerzo lograra despejar de árboles.

No lejos de él estaban bajo dos chozas los hermanos Irenio y Victoriano Doria, sus mujeres y sus pequeños hijos. Habían llegado por el Caribe y en el golfo de Urabá se adentraron por el río Atrato en un par de botes, penetraron la selva remontando el caño Tumaradó, luego el Tumaradocito hasta hallar terreno firme, más allá de una meseta llamada El Terraplén de la Reina, avanzaron hasta la senda y comenzaron a destruir la selva, también en busca de cultivar praderas.

Sólo entre enero de ese año y aquel momento —2 de julio— habían llegado 19 familias al lugar, avisadas de que por allí pasaría una carretera. Cuando finalizaba el año ya eran 417.

Doce meses más tarde regresé al lugar y ya no encontré selva. Había desaparecido. Pero había desaparecido totalmente, y, por lo menos entre diez y quince kilómetros a lado y lado del estrecho trazado que atravesamos antes, desde el helicóptero divisamos tierras sin vegetación y decenas de cauces secos por los cuales antes corrían ríos y arroyos cargados de aguas.

A partir de aquella experiencia, los gobiernos siguientes —que aún no conocían el hallazgo del Fondo Mundial de la Tierra señalando a estas zonas del litoral Pacífico como las más ricas del mundo en producción de biomasa y espectacular variedad genética— resolvieron olvidarse de conectar por tierra a Colombia y Panamá. Se habló entonces del costo irreparable de la destrucción de la naturaleza, en un país en el cual sus gobiernos no han sido propiamente los más conscientes de aquello.

Un ejemplo de la incalculable riqueza biológica de la zona puede ser un estudio del científico Jesús Idrobo, botánico del Instituto de Ciencias de la Universidad Nacional de Colombia, que sólo en una de las fases de su trabajo —la simbiosis— halló en el lugar un árbol asociado a quinientas plantas diferentes.

Pero, a pesar de la experiencia contundente y de las enseñanzas negativas de la comunidad científica colombiana, el presidente Uribe Vélez hablaba de la apertura del Darién para conectarnos con Panamá como uno de los proyectos más visionarios de su gobierno, lo cual coincide curiosamente con los planes de Estados Unidos.

Sin embargo, alguien de la prensa colombiana se arriesgó a hablar del peligro de aquellos planes, y Uribe respondió: «No. Tenemos que aprender. ¡Yo voy a aprender de la experiencia!».

Al lado del proyecto ignorante y por lo tanto absurdo de Uribe, uno de los logros importantes para él ha sido la supuesta desmovilización de bandas de paramilitares que nacieron para combatir a la guerrilla.

Según los autores citados, «los planes militares, el agua y la energía eléctrica vienen acompañadas con la reubicación y supuesto desarme de las Autodefensas Unidas de Colombia, AUC, ejército de paramilitares asesinos creado en Colombia en la década de los años ochenta.

«Se estima que un cuarenta por ciento de los supuestamente desarmados hasta hoy han sido reubicados en el Chocó, litoral Pacífico colombiano» (la misma zona del Darién que conecta a Colombia con América Central), «catalogado a nivel mundial como una potencia en biodiversidad, en el cual en forma consecutiva las actividades de extracción mecanizada de madera, seguidas por los cultivos de palma de aceite y ahora los proyectos de infraestructura, ya de hecho, lo están convirtiendo en un territorio estéril.

»Asimismo allí existen minas de molibdeno, cobre, oro, plata y platino y abundante biodiversidad. El río Atrato, que atraviesa el Chocó y es el más caudaloso del mundo de acuerdo con su extensión, es la cabeza del proyecto estadounidense para construir un nuevo canal entre el Caribe y el Pacífico mediante la conexión de dos grandes ríos» (el segundo es el Truandó).

»¿Qué relación tienen todos estos proyectos con el escenario de la desmovilización paramilitar y del destierro de comunidades civiles que se está dando en toda aquella región?

»Ya han sido declarados como "desmovilizados" los paramilitares criminales en todos estos proyectos, incorporándolos especialmente en las plantaciones de palma de aceite.

»No sería nada extraño o no es difícil imaginar que posiblemente la "protección" de la carretera y la ejecución de líderes comunitarios será una tarea adjudicada a los "nuevos reinsertados" para que no olviden su oficio de ejercitar la limpieza social.

»También nos quita el velo para conocer las razones que tiene Estados Unidos con el fin de *paramilitarizar* la zona de La Balsa, en Riosucio, Chocó, un lugar valioso por la riqueza que guarda el Parque de los Katíos en la frontera Colombia-Panamá.

»En las zonas abandonadas por millares de desterrados por la guerra se está reubicando a los paramilitares que supuestamente negociaron un desarme, pero algo por resaltar es que no todos los paramilitares en Colombia van a ser reubicados.

»Los más diestros y afines al gobierno de Uribe Vélez y a la administración Bush serán contratados como efectivos por empresas privadas y por el Pentágono para integrarlos a las fuerzas civiles que resguardan la seguridad en Iraq y [...] asimismo serán parte de empresas similares a Executive Outcomes surafricana, la Belarús de Bielorrusia y Sandline International las cuales ofrecen su concurso para resolver conflictos que tengan que ver con la defensa de empresas extractoras de recursos estratégicos como ha sucedido en Angola o Bougainville en Nueva Guinea.

»Lo expuesto nos permite concluir parcialmente que el desarme paramilitar en Colombia va a enrarecer el panorama del conflicto y abrirá nuevos escenarios de guerra y confrontaciones armadas en los sitios fronterizos, dado que la organización de los paramilitares en ejércitos privados servirá para intervenir en asuntos internos de países vecinos. O vender su fuerza a las empresas transnacionales para hacer obras de limpieza social cuando comunidades y pueblos se enfrenten a las expropiaciones.

»Por otra parte, los militares colombianos no se preparan de manera autónoma, sino que aún reciben instrucciones en los Estados Unidos. Los últimos grupos fueron adiestrados para desempeñar labores en ejercicios antinarcóticos en la selva, operaciones ribereñas, inteligencia militar y despliegue de comandos inmediatos de élite.

»De esta manera funciona el *Plan Colombia* con la nueva de que ya se asoman los mismos recursos paramilitares y de violencia en el corredor del Plan Puebla Panamá.

»Eso indica que nos acercamos a una problemática compleja donde la violencia provocada por grupos armados que actúan aparentemente al margen del Estado va incrementándose en la medida en que vayan aplicándose los recursos de la privatización de las empresas que manejan el agua, la energía y en las poblaciones donde se sitúan los bancos biológicos».

El *Plan Colombia* como es «lo militarmente correcto», es la piel de oveja con que fue vestida la Ofensiva al Sur para presentarla ante los países amazónicos como un *Plan for peace, prosperity and the strengthening of the state*: «Plan para la paz, la prosperidad y el fortalecimiento del Estado», según lo divulgó inicialmente Washington sin contar para nada con el gobierno colombiano de Andrés Pastrana. Por tal motivo sólo fue traducido al español meses después de estar en ejecución.

Aquel año (2000), la zona de guerra más importante en Colombia era un departamento en la selva amazónica llamado Putumayo. Su gobernador conoció la versión en castellano de aquel *Plan*, ocho meses después de ordenada por Washington cuando él compró una copia en una librería del aeropuerto de Bogotá.

En el Congreso de la República, el representante a la Cámara Antonio Navarro Wolf dijo públicamente que en su versión dos, que llegó de los Estados Unidos, «y en su componente antinarcóticos, este plan ni siquiera está en español, porque no hay una copia de la ley estadounidense que lo aprobó. Le hemos pedido una copia en español al Ministerio de Defensa y no la envió porque no la tiene; se la pedimos al director de Planeación Nacional y no la envió porque tampoco la conoce. Entones hemos hecho aquí una traducción libre».

Sin embargo, lo histórico, pero a la vez lo patético, fue el esfuerzo de gobernantes colombianos y funcionarios estadounidenses por presentarlo como un plan *eminentemente colombiano*.

En una de las escenas de la pieza que enmarcó su introducción, Gabriel Marsella, de la Escuela de Guerra del Ejército estadounidense citado por Adam Isacson, dijo luego que el superministro colombiano Jaime Ruiz era un genio: «Vino a Washington y con alguna ayuda de su colega Luis Alberto Moreno, el embajador de Colombia, escribió el plan en sólo una semana».

La prensa colombiana le decía superministro a Ruiz, un amigo personal del presidente Pastrana, licenciado en ingeniería en la Universidad de Kansas, casado con una estadounidense y quien, según Isacson, «habla un inglés maravilloso, y el embajador de Colombia en Washington, Luis Alberto Moreno, otro amigo de la infancia del presidente, que también habla un inglés maravilloso porque es ciudadano de los Estados Unidos de América, fueron los artífices del *Plan*».

Seis meses después fue traducido al español pero en una versión diferente a la que manejan en Washington, en la cual «lo políticamente correcto» era equivocar.

Por ejemplo, le dijeron al país que el ochenta y cinco por ciento de los dineros serían destinados a «desarrollo social»

—algunos empleos pasajeros, una que otra vivienda, mucha publicidad— pero más tarde se comprobó que el total de la inversión había sido hecha dentro de los mismos Estados Unidos en compra de materiales para la guerra y en pagos a sus propios mercenarios.

El témpano visible de la participación inicial de Estados Unidos en esta guerra eran aquellos 1.300 millones de dólares, un cuento si se los comparaba, por ejemplo, con los millones de millones que habían salido hasta entonces de los bolsillos del pueblo colombiano hacia la firma estadounidense Monsanto, fabricante de los herbicidas con que se ha arrasado por décadas la flora del país.

Un segundo ejemplo daba la medida real de lo que constituye la *ayuda* de los Estados Unidos:

La primera suma de estos fondos —antes de la compra de los sesenta helicópteros— fue destinada por el gobierno estadounidense a adquirir un avión para entregárselo a su propio ejército en remplazo de otro que se había accidentado en Colombia mientras intervenía en la guerra interna:

Siete muertos. Para rescatar los cadáveres y una parte de los instrumentos del avión ingresaron a Colombia naves y tropas estadounidenses, desde luego sin la autorización del Congreso colombiano, como lo escribieron en alguna ley, mientras el dócil Ejército local se negó a revelar lo sucedido con el avión. Sin embargo, uno de los jefes de la Policía dijo más tarde en la televisión:

—Los *americanos* no nos han autorizado a informar: la operación está siendo manejada en Colombia, directamente por el gobierno de los Estados Unidos de América.

Pero fue tan visible el accidente, por el despliegue que le dieron los medios, que el Ejército local citó a una conferencia de prensa con el fin de tender una cortina de humo (operaciones psicológicas) y evitar que se comprobara la intervención directa de los Estados Unidos en nuestra guerra.

En primer lugar se informó que la nave accidentada era un moderno bimotor con tecnología de última generación a bordo del cual se encontraba un observador estadounidense.

Caso típico en este conflicto en el cual la embajada norteamericana habló de un accidente. Sin embargo, el marido de la piloto del avión, el coronel retirado norteamericano Charles Odom, reveló que el avión comandado por su esposa había sido derribado en un ataque de las FARC mientras cumplía una misión «de inteligencia» para el gobierno de Estados Unidos.

En segundo lugar, como dijo en una rueda de prensa un mal encarado general del ejército de Colombia, vocero de los estadounidenses, en el avión no volaba un *americano*. No. En él volaban cinco, pero no estaban encabezados por un observador —como decía él—, sino por la capitana Jenifer Odom como piloto. La nave no se impulsaba con dos motores sino con cuatro, y la tecnología con que estaba dotada no era de última generación pero sí un tanto avanzada en el campo electrónico para una guerra como la de Colombia.

Tampoco se trataba de un avión civil B-7 como decía el general, sino de un Dash-7 construido por De Haviland, no en los Estados Unidos sino en Canadá, cuarenta años atrás.

Era tal la sobreactuación del general que llegó hasta decir que el piloto no había podido eludir una masa montañosa, porque ésta simplemente no aparecía registrada en el «mapa táctico» que utilizaba para volar.

Pero es que los «mapas tácticos» no se utilizan en aviación, ni tampoco ocurren accidentes aéreos porque un mapa sea incompleto. Los mapas tácticos pueden ser guías para el ejército de tierra, pero quienes vuelan utilizan cartas de navegación.

Volviendo atrás, a la larga los primeros dineros del *Plan Colombia* fueron 30 millones de dólares a favor de Northrop de Los Ángeles, para comprarle un avión RC-7 multifunción de reconocimiento aéreo ARL-M (siglas de espionaje). La nave le fue entregada al ejército de los Estados Unidos como reposición del accidentado contra un cerro llamado Patascoy al sur de Colombia, la madrugada del 23 de julio de 1999. Volaba tripulado por militares estadounidenses en plan de espionaje contraguerrillero.

Para medios de prensa internacionales, el accidente dejó al descubierto la participación directa de los Estados Unidos en la lucha contra la guerrilla, lo que el gobierno estadounidense venía negando en forma insistente.

Según *Stratford Global Intelligence Update*, agencia de noticias de los Estados Unidos especializada en temas de inteligencia, «desde ese avión espía habían logrado ponerse al descubierto y contrarrestar algunas ofensivas de la guerrilla.

»Pero este accidente no sólo subraya la rápida escalada en la que Estados Unidos se está involucrando en la lucha contra la guerrilla en ese país, sino que además ha abierto una ventana para los insurgentes, cuyas últimas ofensivas habían logrado ser contenidas gracias a la información suministrada por ese aparato y hasta que no se le encuentre un reemplazo, la guerrilla se podrá mover con mayor libertad y atacar no sólo al ejército colombiano sino a las tropas estadounidenses en Colombia».

Desde luego, las últimas palabras de Stratford Global quedaron fuera de base porque a partir de allí el gobierno dc los Estados Unidos comenzó a contratar esa labor con compañías de mercenarios de su país.

La Ofensiva al Sur o *Plan Colombia* (*for peace, prosperity, and the strengthening of the state*) se convirtió entonces en una invasión de los Estados Unidos, pues cuadruplicó en este país el número de soldados profesionales y multiplicó por veinte los helicópteros con matrículas a nombre del Ejército y de la Policía, aviones de inspección y consejeros militares. Incorporó compañías militares privadas y centenares de mercenarios, mientras que el número de los bandidos paramilitares que acogían satisfactoriamente el *Plan*, aumentó de 5.000 a 12.000.

En los territorios definidos como zonas prioritarias, los paramilitares siempre han estado activos. Un militar entrevistado por el *Boston Globe* señaló: «El Plan Colombia no hubiese sido viable sin los bandidos que allí llaman paramilitares. La estrategia conjunta fue acordada entre ellos y el Ejército».

Igualmente el exdefensor del Pueblo para los Derechos Humanos de la ciudad de Puerto Asís —en el corazón de la guerra—, Germán Martínez, declaró: «El fenómeno paramilitar en Putumayo —es decir, de asesinos a sueldo— es la punta de lanza del *Plan Colombia* para buscar el control territorial de las áreas que han de ser fumigadas».

El experto Raúl Zibechi indica cómo «desde cuando se diseñó la Ofensiva al Sur o *Plan Colombia* y se fijó el nuevo despliegue militar de Estados Unidos, la estrategia de *derramar* la guerra colombiana sobre los países vecinos (Venezuela, Perú, Brasil, Ecuador) buscando desestabilizarlos si no se adaptaban a la estrategia trazada por el *Plan*, encuentra crecientes dificultades.

»Acaso por este motivo, hoy el gobierno de Venezuela y los nuevos en Bolivia, Ecuador, Chile, Brasil, Uruguay y Argentina están tomando distancia con los planes del Pentágono».

Con este analista coinciden Róbinson Salazar y César Velásquez al señalar cómo «el hecho de conectar el *Plan Colombia* con el Plan Puebla Panamá y extender el conflicto colombiano hasta llevarlo a las fronteras de Perú, Ecuador, Brasil y Venezuela es el escudo de una búsqueda para mantener seguras las reservas de agua dulce y petróleo que existen en esos países.

»La tendencia a incrementar las fricciones y desencuentros entre el gobierno de Uribe Vélez de Colombia y Hugo Chávez de Venezuela no es más que la expresión de los intereses estadounidenses para asegurar el suministro de petróleo venezolano, sirviendo el gobierno colombiano de herramienta hostil para desarreglar las relaciones entre los dos países y abrir una brecha para agilizar la injerencia directa en Venezuela.

»El pretexto de la existencia de una base de Al Qaeda en la población colombiana de Maicao, cerca de la frontera con Venezuela, alegado en forma repetida por el Departamento de Estado, es un ejemplo».

Acaso algo de fondo con la Ofensiva al Sur o *Plan Colombia* es que le ha servido al presidente Uribe Vélez para construir un imaginario del miedo dentro de la subcultura de la violencia que aflige a los colombianos y, a través de aquel, diseñar algo que él llamó la Seguridad Democrática que, entre otras cosas, consiste en señalar a todo aquel que piensa o actúa diferente al gobierno.

«En este clima fue creando ejércitos de informantes a sueldo y de soldados campesinos con el mismo tenor que nacieron las bandas de paramilitares, lo cual significa a la vez que el paramilitarismo se acepta y se queda con el objetivo de que sea tan extenso que cualquier conducta crítica u opositora caiga dentro de ese campo.

»El *Plan Colombia* le permitió a Uribe Vélez ampliar la definición de *terrorismo*, gracias a lo cual él ve lo que no es posible observar: como el terrorista es un enemigo invisible, desconocido, que actúa de manera súbita y casi de manera individualizada, es difícil combatirlo. Para no perder la batalla contra un enemigo inventado, lo magnifica y cualquier persona puede ser potencialmente señalada de terrorista, de ahí que mediante la Seguridad Democrática hayan asesinado a miles de colombianos que se dedicaban a la academia, a la política y a la defensa de los derechos humanos en comunidades desprotegidas». (Salazar y Velásquez).

***

Dos años antes de la fecha prevista para la terminación del *Plan Colombia* en el año 2006, los Estados Unidos diseñaron y pusieron en ejecución algo que ahora llamaban Plan Patriota. Esto conllevaba asentarse definitivamente *ad portas* de la zona más rica de Suramérica con el viejo pretexto de luchar contra la guerrilla comunista de las FARC.

Su ejecución irrumpió cuando el gobierno anunció que se trataba de una iniciativa eminentemente colombiana para concentrar la guerra contra lo que comenzaron a calificar en Washington como "terrorismo".

Según continuaban repitiéndolo los Estados Unidos, la versión aprobada del *Plan Colombia* estaba orientada únicamente a combatir el narcotráfico. Sin embargo, a partir de aquel agobiante 11 de septiembre las condiciones se modificaron y los recursos fueron entonces orientados en forma abierta y sin evasivas a la lucha contra los grupos ahora denominados terroristas, vinculados al narcotráfico: guerrilla, y para darle mayor credibilidad, dijeron que también estaban incluidas las bandas de paramilitares.

Bajo este nuevo enfoque, en Washington se destinaron partidas para proteger el oleoducto de algunas multinacionales estadounidenses conocido como Caño Limón-Coveñas y se suprimieron las limitaciones para utilizar los equipos y el personal antes dedicado a la lucha antinarcóticos, en la puesta en marcha de otra fase de la guerra como era el Plan Patriota.

El nuevo Plan buscaba agudizar el conflicto, para lo cual a mediados del 2004 el presidente Bush le exigió al Congreso incrementar el número de militares y mercenarios estadounidenses en Colombia. El resultado fue, entre otras cosas, admitir públicamente la lucha contra la guerrilla, cosa que ya sucedía pero jamás había sido aceptada ante la opinión de los dos países.

En la iniciación del nuevo plan se comprometió al dócil gobierno de Uribe Vélez a enviar al sur de Colombia a 17.000 hombres del Ejército —luego fueron 22.000— a los que se sumarían asesores del ejército estadounidense, mercenarios de ese país y bandas de paramilitares cuyas zonas de lucha se extendían a partir del escudo de bases y brigadas establecidas en la costa de la selva amazónica colombiana, desde luego, frente a Venezuela, Brasil, Perú y Ecuador, ubicadas, a la vez, en áreas estratégicas por su riqueza en recursos naturales.

En aquellas regiones existen también intereses particulares del presidente George W. Bush, uno de los propietarios de la empresa petrolera Harken Energy que desde tiempo atrás ha realizado labores de exploración y explotación de petróleo con inversiones superiores a los 300 millones de dólares.

Desde el punto de vista militar, el Plan Patriota fue diseñado «por líneas interiores», es decir, acometer sobre el centro donde supuestamente estaba el Secretariado comunista de las FARC (la cúpula) porque, según los estrategas, «cortada la cabeza, muerta la serpiente».

Pero aquel diseño tiene la consecuencia de que el enemigo empieza a dispersarse, como era lo que se buscaba y lo que realmente está sucediendo con Venezuela, Brasil, Perú y Ecuador: en esos países la guerrilla colombiana tiene zonas de recuperación —retaguardia estratégica—, porque allí se encuentran tranquilos.

No obstante, observando los intereses estadounidenses en la región amazónica, el trabajo se ha venido adelantando desde tiempo atrás. Allí existe ahora un escudo de bases y radares en zonas selváticas colombianas que se va completando en forma progresiva. En el 2006, este era el panorama:

Un radar y una base militar en Marandúa, frente a Venezuela; un radar y una base militar terrestre en San José del Guaviare, en la costa de la selva amazónica; la escuela de entrenamiento de Barrancón; un radar y una base militar en Tres Esquinas y un radar en Leticia, frente a Perú y Brasil; la Brigada 24 del Ejército en el Putumayo frente al Ecuador; la Brigada Oriental del Ejército en Puerto Carreño, frente a Venezuela; una brigada del Ejército en Caquetá, frente a Perú y Brasil; una Brigada de patrullaje fluvial en Puerto Leguízamo, frente a Perú y Brasil.

Los radares colombianos emiten señales a aviones estadounidenses que se mueven libremente por el espacio aéreo de Colombia y también a aviones locales.

Pero ante todo está el Comando Sur de los Estados Unidos con base en Miami que tiene una importancia fundamental para promover y proteger a las corporaciones, bancos y empresas de importación y exportación basadas en Estados Unidos. La responsabilidad de este comando abarca toda América Central y América del Sur, el Caribe y las aguas que lo componen, totalizando más de 15,6 millones de millas cuadradas y más de 400 millones de personas.

Para su comandante en jefe, «más del treinta y nueve por ciento de nuestro comercio se realiza dentro del hemisferio occidental. Además, cuarenta centavos de cada dólar gastado en América Latina son utilizados en bienes y servicios importados de Estados Unidos. América Latina y el Caribe suministran a Estados Unidos más petróleo que los países de Oriente Medio».

Como un ejemplo, se puede decir que el Comando Sur maneja una red de guarniciones terrestres de radares: tres fijos en Perú, siete en Colombia y el resto móviles y secretos en países andinos y del Caribe.

Hacia el Sur del continente y también controlando la Amazonia estaba la Base de Manta en Ecuador; la Estación de Radar en San Lorenzo y una base militar en el Oriente que sirve para entrenamiento de soldados del Cono Sur, y está planeada la construcción de una nueva base militar en la isla de Baltra, ubicada en el archipiélago de Galápagos para la utilización de la marina y aviación estadounidenses. Esta guirnalda de bases se sumaría a las que se encuentran en Perú en el alto Huallaga e Iquitos.

Igual que en el resto del mundo, en América Latina existe una correspondencia entre la ubicación de los yacimientos de los combustibles fósiles, las fuentes de agua dulce, los bancos genéticos de bosques y los arrecifes coralinos, los ejes de desarrollo, aeropuertos, vías y puertos con las bases militares y líneas de desplazamiento militar del Comando Sur de los Estados Unidos.

Por este motivo, más al Norte, la cadena comienza en Texas con el radar Rothr de Corpus Christi, y en el Caribe con Fort

Buchanan y Roosevelt Rose en Puerto Rico; Guantánamo en Cuba; la base Reina Beatriz en Aruba y la base Hato Rey en Curazao; en El Salvador, Comalapa, además del Centro Regional de Drogas y la embajada tipo búnker más grande de Centroamérica; en Costa Rica se encontraban negociando la instalación de una base que se llamará Liberia; en Honduras las bases-radares Soto Cano y Palmerola; el aeropuerto militar estadounidense en Ciudad de Panamá; un radar en Urabá, Caribe colombiano y otro en La Guajira, cerca de la frontera con Venezuela; las bases de Leticia y de Tres Esquinas, también en la Amazonia colombiana, además de las bases existentes en este país en las cuales ondea la bandera colombiana pero son militares y mercenarios de Estados Unidos quienes tienen la iniciativa en aire, tierra y agua; las bases «antinarcóticos» en Iquitos, Amazonas peruano y Santa Lucía; campamentos para entrenar Boinas Verdes en Paraguay y los Sitios de Operaciones Avanzadas Fos, entre los que están los de Costa Rica, Belice, Honduras, Islas Caimán y Panamá, además de una serie de instalaciones de entrenamiento militar desconocidas por la opinión del continente.

Como complemento, en toda América Latina se halla la presencia de equipos móviles de fuerzas especiales estadounidenses dedicados básicamente a entrenamiento de unidades antiterroristas. En Colombia, por ejemplo, está el caso de algo conocido como las AFEAU, Agrupación de Fuerzas Especiales Antiterroristas Urbanas, un grupo élite compuesto por destacamentos del Ejército, la Armada, la Fuerza Aérea y la Policía. Unidad bajo el mando directo del comandante general de las Fuerzas Militares, entrenada por mercenarios israelíes, surafricanos, ingleses y estadounidenses.

No es nuevo decir que el continente está poderosamente vigilado por los Estados Unidos: solamente sobre los cielos colombianos se mueven en forma permanente aviones Awak de alta tecnología interceptando comunicaciones. Su base es Apiay en Villavicencio, la puerta de entrada a la Orinoquía y las selvas del Sur. Igualmente se desplazan por todos los puntos cardinales equipos de vigilancia con aviones robot, operados a control remoto, y tanto en el Caribe como en el Pacífico, submarinos que también detectan comunicaciones y controlan los mares.

El escenario bélico y la ubicación estratégica de bases militares y la más grande e insospechada red de control ilustran cómo las empresas transnacionales son acompañadas por fuerzas del gobierno estadounidense.

«La guerra es frontal, amplia, extensiva y va más allá de las líneas fronterizas, dado que muchos de los recursos estratégicos no se concentran sólo en Colombia, sino que los comparte con países vecinos, de ahí que la región está en peligro de convulsionarse y serán muchos los roces y los desencuentros, las violaciones de las fronteras y las formas contestatarias que se opondrán a la explotación indiscriminada de las riquezas naturales.

»El Plan Patriota tiene una doble definición: patriota en cuanto trata de crear un nacionalismo a lo estadounidense y coloca a Colombia como país asediado por las naciones fronterizas que le dan alojamiento a las guerrillas. Y regional, en cuanto confronta a gobiernos que no apoyan la política exterminadora del presidente Uribe Vélez», aseguran los autores de *En Colombia sí hay guerra*.

Como se ha visto, el objetivo es llevar la guerra para controlar a otros países bajo el pretexto de perseguir a los insurgentes más allá de las fronteras, incluso pidiendo la colaboración de agentes y corporaciones militares de las naciones que limitan con Colombia, lo cual no ha aceptado hasta hoy ninguno de los vecinos por temor a ser enrolados en un conflicto que tampoco es el suyo.

La historia de todos estos planes, estrategias y pretextos es parecida. Igual que cuando los estadounidenses estructuraban la Ofensiva al Sur o Estrategia Andina, con el Plan Patriota, el ministro de Defensa de turno y el viceministro de Defensa que lo secundaba, y los generales cercanos a ellos, y los coroneles subalternos de aquéllos viajaban a Miami y algunas veces a Washington para tratar de escuchar cómo iba evolucionando el plan y cuál era el papel que le asignaban a Colombia.

«Misiones secretas» decían a su regreso los militares, con aquel gesto de importancia de quien guarda una confidencia vital para la patria.

—Sí, son planes ultrasecretos —repetía el ministro al día siguiente.

Luego de un par de semanas y una vez le dieron vía libre, cuando finalizaba abril del 2004 el presidente de la República dejó saber que se había estructurado algo llamado *Plan Patriota* que ahora comenzaba a ser desplegado, pero se negó a contarle —no sólo a la prensa sino al Congreso de la República como lo ordena la ley— qué había en el fondo, más allá de intensificar la guerra.

Sencillamente las consultas sobre el número de soldados y de mercenarios estadounidenses que ahora podían irrumpir libremente en Colombia ya le habían sido formuladas al Congreso de los Estados Unidos.

Por este motivo, ni a los del diario *El Tiempo* —gobiernista en todos los gobiernos— se les dejó saber más allá de lo que podían contar.

Y lo que podían contar era que «tras la iniciativa del gobierno Bush, de subir de 400 a 800 el número de sus militares en Colombia y a 600 el de *contratistas*, se oculta la estrategia más audaz ideada para poner fin al conflicto».

(Una nota emocionada):

«Con cooperación del Comando Sur de los Estados Unidos en Miami, en forma secreta se alistó un Plan llamado *Patriota*. El objetivo es desplegar inicialmente una gran fuerza en las selvas y poblaciones del Sur del país en donde la guerrilla comunista FARC ha tenido presencia histórica y mantiene intacta su retaguardia.

»Son fuerzas móviles y escuadrones de selva que están siendo entrenados hace algunos años por los *americanos*.

»A pesar de su importancia es poco o nada lo que se supo en Colombia de este plan. Los encargados del mismo lo guardaban como secreto de *seguridad nacional*.

»No en vano dicen que es la más ambiciosa ofensiva militar en la que se ha enfrascado el gobierno colombiano en toda su historia.

»Desde el año pasado se han surtido en Estados Unidos decenas de reuniones entre Colombia y ese país para *discutir* los detalles, en particular con militares adscritos al Comando Sur de los Estados Unidos, en torno a aspectos tácticos, y con funcionarios del Departamento de Estado y del Departamento de Defensa que fueron encargados de venderle el tema en materia política y de presupuesto a Washington.

»El general Hames T. Hill, jefe del Comando Sur, se reunió por lo menos doce veces con militares colombianos en Miami explicándoles este tema y es uno de los más entusiasmados»:

—*Hemos desarrollado un plan operativo y táctico que literalmente lleva la guerra a partes de Colombia donde los militares no han tenido presencia en quince o veinte años. El Plan va a llevarles la guerra a sus enemigos, si tiene el potencial para propinar un golpe decisivo a los narcoterroristas* —dijo Hill.

«De los miles de hombres que serán desplegados inicialmente» —continúa *El Tiempo*— «unos tienen la misión de copar el territorio. Otros como las unidades de comandos se concentrarán en *blancos de alto valor* y en penetrar a los sitios más recónditos de los comunistas de las FARC gracias a su capacidad de resistir semanas y hasta meses en territorio agreste como la selva.

»En un *briefing* con la presencia de funcionarios *americanos* se dijo que el primer capítulo de esta nueva fase comenzó el 31 de diciembre del año 2003 con la Operación Año Nuevo, llamada de ablandamiento en las selvas del Caquetá en el gobierno de Uribe Vélez.

»Se está tratando de construir una base militar en Araracuara adonde sólo se llega en avión. En ese lugar está desde enero el Batallón 55 de la Primera División del Ejército, además de instructores y expertos *americanos*.

»Es tan ambicioso el Plan que por él el gobierno de Estados Unidos decidió pedirle a su congreso que aumente el número tope de militares y *contratistas* que se permiten en Colombia».

Ellos han desarrollado una campaña que los mete directamente en el corazón del territorio controlado por estos grupos ilegales, afirmó el general Hill.

«*Para poder otorgarles el máximo apoyo en este esfuerzo, la administración ha recomendado que el mandato del Congreso (de los Estados Unidos), que limita a 400 soldados y a 400 "contratistas" el número de personal que se puede enviar a Colombia, sea elevado a 800 y 1.200, respectivamente*, anotó el alto mando *americano*.

»Y especificó que su intención es ofrecer a Colombia más equipos de planeación y ayuda logística en planeación de combates terrestres, comunicaciones e inteligencia. Eso sin contar con que Estados Unidos está previendo ayuda financiera para tres años de ofensiva.

»La participación de Estados Unidos en esta campaña militar será definitiva y por eso no será extraño que los recursos que hasta ahora invierten en el *Plan Colombia* de ahora en adelante sean para el Plan Patriota.

»Además se comprarán dos aviones de combate AC47 y cuatro aviones para el transporte de tropas C130.

»También se planea construir un centro de entrenamiento nacional para que Colombia por sí sola pueda continuar con el entrenamiento de soldados que hasta ahora es responsabilidad de los *americanos*.

»Además ya se está elaborando el Plan para años futuros. Aunque no se conocen los detalles, se sabe que la asistencia será cercana a los 100 millones de dólares y servirá para respaldar todo lo creado hasta la fecha», remata el diario.

Desde luego, como hasta entonces, las grandes cifras de dinero anunciadas por los Estados Unidos como «ayuda», eran exactamente para invertir no sólo en herbicidas producidos por la industria de agroquímicos de su propio país con los que completaban décadas y décadas contaminando seres humanos inocentes en áreas cercanas a la producción de coca, contaminando ríos y fuentes de agua pura, destruyendo selvas y bosques y, finalmente en el pago de mercenarios de su país.

Desde luego, las cifras que debía invertir Colombia eran tres y cuatro veces mayores a las que anunciaban los estadounidenses.

***

Y llegó el año 2006, fecha ya lejana de aquellos primeros seis meses en los cuales —según los avisos iniciales de los Estados Unidos repetidos por Uribe Vélez— se verían los primeros resultados concluyentes de la lucha frontal contra las guerrillas comunistas FARC.

Sin embargo, en más de dos años no solamente no había caído uno solo de los 9 miembros de la cúpula guerrillera, ni tampoco uno solo de los 25 miembros del Estado Mayor, ni un solo jefe de Bloque, ni un cabecilla de cualquier Frente guerrillero, a pesar de que ahora ya no eran 17.000 sino 22.000 los hombres comprometidos *en la más ambiciosa ofensiva contra el terrorismo comunista*, y que en tres años el Ejército de Colombia hubiese crecido en una tercera parte.

En Colombia se cerraban los hospitales populares más importantes, se clausuraban las escuelas, se feriaban las empresas más rentables del Estado para que el conflicto fuera cada vez más intenso —y desde luego menos eficiente—, porque la obsesión del gobierno del momento era la guerra. Acabar con la guerrilla era su sueño, y el de los Estados Unidos, tomar posesión definitiva de la entrada a Suramérica.

Así, sólo en el 2005 se crearon tres brigadas móviles para completar quince en todo el país; un batallón de alta montaña para completar siete a nivel nacional; ocho escuadrones móviles de carabineros (54 en el país); 144 pelotones de «Los soldados de mi pueblo» en el Ejército y 14 para la Armada que hacen presencia en 158 municipios, para un total de 27.000 soldados campesinos en Colombia; 5.000 nuevos carabineros; 13.000 aplazamientos de soldados regulares y 969 nuevos infantes de marina, según la Fundación Ideas para la Paz.

Pero, pese al gran sacrificio del país, la guerra estaba ahora más perdida que nunca, pero el saldo era acallado por el gobierno.

Ante el fracaso, Uribe y quienes lo secundaban en el mando de las Fuerzas Militares no hablaban ya de las victorias anunciadas previamente porque en la realidad eran derrotados en diferentes puntos, y como argucia decidieron medir la guerra por el número de muertos que ellos mismos contaban y luego presentaban en la televisión como *terroristas* caídos en combates.

En un recorrido entre los años 2004 y 2006 no hallé en la prensa incondicional del gobierno, que era toda, una sola victoria de la dimensión de las anunciadas con el nacimiento del Plan Patriota en Washington, y únicamente con el fin de seguir el itinerario de la guerra que tocaba directamente a los ciudadanos tomé algunas notas. En aquel momento el presidente hacía público su sentimiento de estarle ganando la guerra *al terrorismo* y, por fin, pacificando al país.

Las notas:

GUAITARILLA (Nariño)

Viernes 19 de marzo, año 2004 en la noche.

Mueren siete policías y cuatro campesinos a manos de un contingente del Batallón Boyacá de la Tercera División del Ejército.

Guaitarilla es una región dominada por los paramilitares. No hubo testigos, nadie vio nada. El tiroteo comenzó a las diez de la noche y concluyó media hora después.

La noticia está perdida en una página interior, poco despliegue, titular vago en *El Tiempo,* diario del vicepresidente de la República, el ministro de Defensa y sus familias. Fue publicada tres días después. No obstante, esa semana el gran despliegue tenía que ver con el hallazgo de una zona de elaboración de cocaína de las FARC en el departamento de Nariño, el mismo de Guaitarilla. (Operaciones sicológicas).

LA ESTRELLA

Miércoles 14 de abril, año 2004.

Un coronel, un capitán y un cabo del Ejército fueron relevados de sus cargos por un error militar que le costó la vida a tres soldados y le causó heridas a otro uniformado en el departamento del Meta, Llanos Orientales.

El hecho ocurrió en La Estrella, zona rural de Puerto Gaitán. Según el Ejército, una compañía de la Séptima Brigada que realizaba una operación se dividió en dos grupos. Más tarde, por error se enfrentaron entre ellos.

ISCUANDÉ (Nariño)

Martes 1° de febrero, año 2005.

Murieron quince infantes de marina, la mayoría calcinados, y otros 25 resultaron heridos, luego del ataque de las FARC a la estación fluvial de Iscuandé donde permanecían 60 militares.

De ellos 30 habían sido enrolados en el programa presidencial, «los soldados de mi pueblo».

La arremetida de la guerrilla con cilindros bomba se inició a las tres de la mañana y duró cerca de tres horas.

Según fuentes militares, este es el golpe más fuerte que les han dado los comunistas de las FARC desde cuando comenzó el Plan Patriota.

TETEYÉ (Putumayo)
25 de junio, año 2005.

Nuevo ataque de los comunistas de las FARC a una base militar. Esta vez se trató de la de Teteyé en el Putumayo, con un saldo mayor de víctimas que en asalto anterior: esta vez, 19 militares muertos.

A propósito del desastre, destacado en la primera plana con grandes titulares, *El Tiempo* hace un breve saldo de la guerra:

En los dos años y medio de este gobierno se han presentado por lo menos siete graves acometidas contra la Fuerza Pública en el país. En Iscuandé es la tercera vez que las FARC atacan una estructura militar.

La primera ocurrió el 27 de julio del 2003 y fue el cuartel «Los soldados de mi pueblo» en Carmen de Apicalá, no lejos de Bogotá, donde murieron tres soldados.

La segunda ocurrió en la base militar que protegía a Santa María, Huila, el 25 de febrero del año 2004. Murieron un oficial, un suboficial y diez soldados cuando hombres del frente José Lozada de las FARC atacaron con cilindros explosivos la guarnición militar.

Pero anteriormente, el 26 de noviembre del 2002, habían caído trece militares del grupo mecanizado Guías de Casanare a manos de las FARC cerca de Paz de Ariporo, en los Llanos Orientales.

El 27 de marzo del 2003 murieron once militares en un ataque del frente 19 de las FARC cerca de Aracataca, Magdalena, tierra de García Márquez.

El 24 de junio del 2003 cayeron tres infantes de marina y otros siete quedaron heridos luego de que el grupo guerrillero atacara en la vía El Carmen de Bolívar-Zambrano.

El 22 de julio del año 2004 cerca de 200 guerrilleros de las FARC se enfrentaron con el Ejército en la vía Mocoa-Pitalito. Murieron doce soldados, seis quedaron heridos y uno está desaparecido.

El 18 de enero del 2005 murieron siete militares y cinco resultaron heridos cuando explotó un campo minado en Ortega, Tolima. Allá opera el frente 29 de las FARC.

VISTA HERMOSA (Meta)
27 de diciembre, año 2005.

Un ataque con cilindros bomba y ametralladoras punto cincuenta —que tienen la capacidad de derribar aviones— fue realizado ayer por los comunistas de las FARC contra una compañía del Ejército en esta localidad. En menos de tres horas se produjo el mayor error militar en los últimos años.

Entre las cuatro y media y las siete de la mañana, trescientos hombres del Bloque Oriental de esta guerrilla aprovecharon la confusión de los militares que habían entrado en un campo minado para cercarlos y diezmar la compañía.

En Vista Hermosa está el primer anillo de seguridad del Secretariado de las FARC, que es la cúpula de esta guerrilla.

PIEDRAS (Tolima)

20 de febrero, año 2006.

Este día la revista *Semana* reveló las prácticas de tortura y abusos sexuales a las que se ven sometidos soldados que son entrenados en el marco del Plan Patriota en el Batallón Patriotas de la Sexta Brigada con sede en Honda, departamento del Tolima.

Según los testimonios y las fotografías que luego reprodujo toda la prensa, 21 soldados entre los 18 y los 24 años fueron golpeados con puños, patadas, palos y machetes, sometidos a prueba de asfixia y ahogamientos, agredidos verbalmente y quemados en diferentes partes del cuerpo por sus oficiales.

Algunos fueron obligados a comer excrementos de animales, otros fueron violados por sargentos y oficiales pederastas y sometidos a otros vejámenes sexuales.

El soldado Hernando Graterol, relató:

Sentí un golpe severo en la espalda, era una media (calcetín) *llena de arena y como se dice vulgarmente, caí de bulto* (a plomo). *Me dieron patadas y me revolcaban como a un gusano... Después me llevaron a otra parte de la instrucción a patadas y puños, pero no me dieron pata y puño sino que me dieron tabla. Me dieron mucho palo. Me pararon y me hicieron sentar al lado de una hoguera y ahí comenzaron a quemarme. «Mi» cabo Tarazona me dijo que me arrodillara y me dieron un tablazo por la espalda y caí de cara en un charco y me empezaron a hundir la cabeza al fondo. Vi cuando le colocaron el pene de Sánchez Isaza en la cara de Mejía y se lo metieron en la boca a Sabogal. Luego a Mejía le abrieron las nalgas y «mi» teniente le metió, primero el pene y luego un palo...*

Según el coronel Rubén Hernández Mosquera, comandante del batallón, «todos nuestros generales han pasado por esto. Así es como nos formamos».

Ante un juez, el cabo primero José Rafael Tarazona Villamizar y el cabo tercero Edwin Alberto Ávila Mesa se declararon inocentes «porque son varones, varones a toda ley», dice el coronel.

JAMUNDÍ (Valle)

22 de mayo, año 2006.

Una patrulla del Ejército abatió en emboscada a un comando élite compuesto por diez de los mejores policías antinarcóticos al mando de un mayor destacado por su conducta.

El caso pasó a la justicia ordinaria y días más tarde el fiscal general de la Nación dijo que no se había tratado de un error militar sino de un crimen.

Veinte días después del caso se supo que el coronel Bayron Carvajal, quien mandaba a los militares, era el comandante de uno de los batallones de Alta Montaña más estratégicos del país. Por su ubicación en las montañas del departamento del Valle, era el encargado de cortarles el paso a las FARC, dentro del Plan Patriota.

No obstante, aquel domingo 11 de junio se supo que, aunque no había sido llamado a curso de ascenso, en una consideración inusual lo habían promovido a teniente coronel. Ahora —con apenas cuarenta y dos años— ya era miembro del Estado Mayor de la Tercera División del Ejército.

Sin embargo, el juez 50 Penal Militar lo investigaba por un homicidio. Por otra parte, la Procuraduría General de la Nación le había elevado anteriormente pliegos de cargos por excesos contra la población civil de Santa Ana (Magdalena).

Finalmente, se supo que un general había pedido recientemente su retiro porque en una operación del Plan Patriota, llamada «Guerrero II», el Ejército informó que en una acción contra la guerrilla el Batallón de Alta Montaña a cargo del coronel Byron Carvajal había decomisado 135 fusiles de los *terroristas*. Sin embargo, al examinar videos internos se estableció que los soldados de Carvajal solamente habían recuperado cinco armas.

Cuando habló del caso de este coronel, el comandante del Ejército dijo que en el año 2006 ya habían sido retirados 30 oficiales y 66 suboficiales ante la radiografía que se estaba revelando en el interior del Ejército a lo largo del Plan Patriota.

¡Una!
Miércoles 28 de junio, año 2006

Según la prensa nacional, «El Ejército dice que abatió a uno de los 25 *terroristas* del Estado Mayor de las FARC en cumplimiento del Plan Patriota».

Su nombre, Juan Carlos. El *terrorista* habría sido entregado por un informante en un lugar llamado Cimitarra, en el departamento de Santander. Según el Ejército, el sujeto habría sido sorprendido en su campamento, del cual, al parecer, lograron escapar seis guerrilleros que lo acompañaban.

Los militares dijeron también que anteriormente habían capturado a los jefes de dos frentes guerrilleros llamados Albeiro Córdoba y Jacinto, pero que ésta sería la primera vez que caía un miembro del Estado Mayor, el organismo superior de dirección y de mando de las FARC.

***

El triunfo en la guerra según el número de muertos era otra cara del Plan Patriota. *Body count* le decían a esto los estadounidenses en Vietnam. Por eso, hoy aun los profanos en asuntos militares saben que en un conflicto interno ese contar muertos y anunciarlos como el marcador de un partido de balompié para simular la victoria, equivaldría a un pez que contaminara el agua de su propia pecera. Es decir, se trata de la mejor fórmula para justificar una derrota.

Ahora eso mismo sucedía en un país en el cual, como no caían los cabecillas de la guerrilla tal como se había vaticinado al comienzo del *Plan Colombia* y nuevamente al comienzo del Plan Patriota, y ante la presión de los Estados Unidos —que aquí se traducía en la presión del presidente de la República—, se hizo pública la costumbre de secuestrar a seres inocentes, disfrazarlos de guerrilleros, asesinarlos, ponerles un arma en la mano y presentárselos al país a través de la prensa como *terroristas* caídos en combate. Más tarde a estos crímenes les dieron el cándido nombre de «falsos positivos».

Sin embargo, esta modalidad del hampa no era nueva en Colombia. Según documentos secretos del Estado norteamericano, desclasificados por la organización National Security Archive Washington DC, publicado en *Semana* el 7 de enero del año 2009 y firmado por el investigador Michael Evans (http://www.nsarchive.org/colombia),

«Ese ha sido uno de los principios que han guiado el comportamiento militar colombiano por años».

Posteriormente, el 27 de mayo del 2010 y luego de una visita a Colombia, Philip Alston, relator especial de la Organización de Naciones Unidas para las ejecuciones arbitrarias, ratificó la misma información.

Pero, además, el 28 de noviembre del mismo año Julian Assange, famoso por las filtraciones de documentos oficiales del Estado de los Estados Unidos, publicó un documento del gobierno de Washington hasta entonces secreto, sobre estos crímenes, en *WikiLeaks* (Cable 09BOGOTÁ542, Militaris Human Rights Initiatives Meet Resistance):

«Violaciones de derechos humanos por el Ejército de Colombia.

»En febrero del año 2009 el Inspector General del Ejército colombiano, general Carlos Suárez, reconoció ante la embajada de los Estados Unidos en Bogotá, la "amplitud" de las ejecuciones extrajudiciales por parte de los militares. También lamentó que el general Óscar González, entonces comandante del Ejército, obstruyera las investigaciones.

»En ese cable se indica que desde octubre de 2008 el Ministerio de Defensa, cuyo titular era el actual Presidente Juan Manuel Santos había ordenado retirar a 51 mandos del ejército por su implicación en ejecuciones extrajudiciales (falsos positivos).

»27 de esas bajas de militares fueron por su implicación en los casos de los "falsos positivos" de Soacha localidad de Cundinamarca —anexa a Bogotá—, donde se produjo el asesinato de 6 jóvenes que fueron presentados luego como "terroristas" caídos en combate.

»Esas 27 bajas representaron la expulsión de 3 generales y 11 coroneles, y se ordenó la salida del general Mario Montoya comandante del Ejército».

No obstante, en torno al secuestro y asesinato de miles de víctimas, en junio del año 2013, las Madres de Soacha —quienes cinco años antes habían puesto al descubierto esta ola de crímenes—, denunciaron que el noventa y cinco por ciento de los casos seguían sin que se dictaran sentencias. Hasta ese momento había 18 coroneles vinculados pero sólo 2 condenados.

Pilar Castillo, abogada de algunas familias de las víctimas, le dijo a la revista *Semana* —10 de junio— que debía preguntarse a la Fiscalía General de la Nación por qué no habían sido investigados a fondo altos mandos del Ejército.

Es necesario anotar que en junio del 2013, los «falsos positivos» llegaban a 3.000 casos comprobados por la justicia ordinaria, en los cuales habían sido secuestrados y luego asesinados 4.620 seres inocentes. Hasta entonces estaban condenados algunos militares —la inmensa mayoría de bajo rango— y otros 4.000 se hallaban vinculados a estos crímenes.

Por otra parte y según la Fiscalía General de la Nación, en poder de la justicia penal militar había 482 casos, en los cuales fueron secuestrados, disfrazados de *terroristas* —en muchos casos torturados— y luego asesinados, 1.213 inocentes. Por estos crímenes habrían sido reseñados unos 600 militares del más bajo rango, pero tres voceros del Ministerio de Defensa Nacional se negaron a tocar el tema.

El fenómeno fue estimulado por el gobierno central desde comienzos del siglo veintiuno para darle al país la sensación de una victoria contra los *terroristas* —como les decían ahora—, y, de paso, permitirle a militares embolsarse miles de millones de pesos por cometer estos crímenes.

A esta altura de mi historia, pensé que era suficiente la descripción de unos pocos casos para dar una idea de esta descomposición moral que también corroe al país:

Falso positivo uno

14 de marzo, año 2004.

Ante las cámaras de la televisión el ejército expuso ayer los cadáveres de dos hombres vestidos de camuflaje que fueron señalados como miembros de la columna Teófilo Forero de las FARC.

Sin embargo, según la población de Algeciras, uno de ellos era Raúl Vanegas González, un minusválido conocido en la región, que a pesar de la dificultad para caminar —tenía los pies torcidos de nacimiento— era trabajador del campo.

El día de su muerte, Raúl estaba en compañía de otro trabajador, Armando Narváez. Limpiaban un cultivo de arveja en la vereda El Silencio. Según testigos, hasta allí llegó el ejército y les dio muerte.

Luego dijeron los militares: «El otro positivo corresponde a reconocidos *terroristas*» y señalaron a Raúl como explosivista.

Realmente se trataba de un campesino de cincuenta años, perteneciente a la Junta de Acción Comunal de su vereda, cuyo presidente, Jaime Triviño, rescató más tarde los cadáveres en la

Novena Brigada de Neiva, capital del departamento. «Habían sido torturados porque los encontramos desfigurados», dijo luego en público.

Según el Comité de Solidaridad Vida, Libertad y Paz de la localidad, las víctimas fueron capturadas por el Ejército en la vereda El Silencio y las hicieron caminar hasta la vereda El Tabor, límites con Campoalegre. Allí los torturaron como es costumbre, les dieron muerte y los disfrazaron de *terroristas* para presentarlos luego ante la prensa.

FALSO POSITIVO DOS

15 de septiembre, año 2004.

El ejército exhibió en Campoalegre, departamento del Huila, el cadáver de un hombre vestido con uniforme de camuflaje y portando un arma, a quien señaló como uno de los mandos de la columna Teófilo Forero de las FARC.

Sin embargo, la población lo reconoció en forma inmediata como un ser inofensivo, mudo y sordo, que dormía muy poco y deambulaba día y noche en ambos sentidos por la carretera que conduce de Algeciras a Campoalegre.

Su nombre era Luis Eduardo Sánchez, recordado por la gente del lugar como una persona que no le hacía mal a nadie. Caminaba y gesticulaba como si estuviese hablando solo. Algunas veces pedía agua de beber en las casas, donde, además, le daban algún bocado.

Algeciras es la base de la columna Teófilo Forero señalada por el Ejército como la de más alta peligrosidad. Por *El Paisa*, su cabecilla, el Estado ofrecía una recompensa mayor que la de Manuel Marulanda Vélez, *Tirofijo*, jefe de las FARC.

CAJAMARCA (Tolima)

Noche del sábado 3 de abril, año 2004.

Según oficiales que anunciaban un «positivo», el Ejército dio muerte a cinco *terroristas.*

Sin embargo, la edad de uno de ellos quedó aleteando en los oídos de la opinión pública: era un bebé de seis meses.

Las personas cayeron baleadas por tropas del Batallón Pijaos de la Sexta Brigada en una zona rural del municipio de Cajamarca.

Un par de días más tarde, el Ejército aclaró que sí, es decir, que no. Que realmente se trataba de un bebé, pero que los cuatro restantes también eran *terroristas* de las FARC: dos de ellos, jóvenes de diecisiete años cada uno, eran los padres, un tercero tenía catorce años y también había un adulto de veinticuatro, todos miembros de una misma familia.

Al día siguiente, y sin que se hubiera iniciado una investigación preliminar, el presidente de la República madrugó a la televisión:

Estoy convencido de la buena fe del Ejército. Si se tratara de un ejército violador de los derechos humanos, quienes dispararon contra los campesinos habrían buscado el ocultamiento, la mentira o la desaparición de los cadáveres.

Acto seguido apareció en las pantallas el ministro de Defensa, Jorge Alberto Uribe, para explicar que los militares que participaron en la operación eran *profesionales de buena conducta y de reconocido servicio a la patria.*

No obstante, más tarde se filtró a la prensa que los campesinos vivían a veinte kilómetros del sitio donde habían caído. Allí los vecinos encontraron su casa con las puertas abiertas, la cena servida, el biberón del bebé consumido a la mitad, la pañalera en su lugar, los animales sin encerrar en su corral. Les extrañó que no se hubieran llevado consigo los biberones ni la ropa del bebé para cubrir un trayecto de más de veinte kilómetros, lo cual hacía sospechar que habían sido sacados de sus casas a la fuerza y llevados hasta el sitio de la matanza.

En el Congreso se intentó un debate sobre el tema pero, según el representante Gustavo Petro, el debate fue torpedeado porque no se hicieron presentes ni el ministro de Defensa, Jorge Alberto Uribe, ni los miembros de la cúpula militar, ni el presidente de la Comisión Cuarta, Juan Hurtado Cano, un furioso gobiernista.

En tanto, familiares de los caídos y quienes comunicaron haber hallado la casa en esas condiciones comenzaron a recibir amenazas. Algunos tuvieron que huir de la región. Héctor Mendoza, padre de la pareja, fue detenido por el ejército. Cuando la Defensoría del Pueblo preguntó la razón del arresto, lo liberaron diciendo que simplemente les pareció sospechoso que se encontrara una tarde en un paraje solitario.

El caso era típico del *Plan Colombia* o del Plan Patriota, pero cuando estaba a punto de quedarse en la impunidad, como muchísimos otros, la Procuraduría General de la Nación y el Consejo Superior de la Judicatura dijeron que debía pasar de la justicia militar a la justicia civil, pues por lo menos tres de los cadáveres tenían balazos en la cabeza hechos a pocos centímetros: el mismo *tiro de gracia* de los bandidos.

En el juicio civil en agosto del 2006 John Jairo Guzmán, uno de los soldados acusados del quíntuple asesinato, afirmó que un suboficial rifó entre ellos quién debía rematar al único sobreviviente: *Mi cabo Gómez nos dijo que los muertos no hablaban y que tocaba asesinarlo.*

El cabo y otro soldado lo contradijeron.

Por su parte, el capitán Juan Carlos Rodríguez Agudelo les ordenó guardar silencio: *Nos dijo que teníamos que hacer un pacto de sangre. Que el hijueputa que hablara se iba para la tumba.*

Para esa época el capitán Rodríguez Agudelo era investigado por el asesinato de otros campesinos en la misma zona, ocurrido seis meses antes del bebé, y sus padres y los amigos de aquéllos habían sido testigos de que la matanza fue ejecutada por un grupo de paramilitares ayudados por militares.

El capitán fue condenado a doce años de cárcel por tráfico de armas y de cocaína: *profesional de buena conducta y de reconocido servicio a la patria.*

En el juicio civil ha quedado claro que *el lamentable error* sí incluyó *ocultamiento, mentira y desaparición de evidencias.*

ANTIOQUIA

La región de Colombia en la cual se comienzan a comprobar decenas de muertes de personas inocentes que luego son exhibidas como peligrosos *terroristas* es el departamento de Antioquia.

El domingo 11 de junio del año 2006, el diario *El Tiempo* presentó a gran espacio las reseñas de 27 casos ocurridos en aquel departamento, que más que una información parecían una página de la historia universal de la infamia. El mismo diario señaló que los casos similares en poder de la justicia civil pasaban hasta ese momento de 300.

En los días que siguieron a la publicación el Ejército guardó silencio.

DIARIO *EL TIEMPO*:

«De los vendedores callejeros John Guzmán, Edímer Hernández y Ricardo Jaramillo se supo hasta cuando abordaron un auto, supuestamente enviado por un hombre al que uno de ellos había mencionado como "*mi* sargento primero". Habían hecho una cita con aquél.

»Sin embargo, un día después aparecieron muertos en Montebello. El Ejército dijo que eran *terroristas* de la guerrilla y que murieron durante un ataque. Las autoridades investigan por qué los cuerpos fueron trasladados en un helicóptero del ejército desde la población de Montebello hasta la capital Medellín y luego devueltos a aquel lugar.

»El 26 de febrero Justino Quintero, de diecinueve años, salió a cabalgar pero nunca regresó. Al día siguiente el ejército llevó su cadáver al hospital de Cocorná. Los militares dijeron que lo habían encontrado colocando minas explosivas. Sin embargo, un grupo de testigos dijo que ellos vieron cuando soldados del Batallón Bajes lo bajaron del caballo y luego hicieron una serie de disparos para simular un enfrentamiento.

»Ramiro Agudelo desapareció el 31 de enero entre Medellín y Guarne adonde viajaba para montar una fundación para drogadictos. Luego apareció muerto en Marinilla, lejos de allí, y el Ejército lo presentó como un *terrorista* muerto en combate en esa población.

»No obstante, la Inspección de Policía le dijo a la madre de Agudelo que el Ejército lo había asesinado por error.

»El 14 de marzo, luego de derribar las puertas de las viviendas de John Galeano, Alberto Londoño y Daniel Piedrahíta en Yarumal, varios hombres armados se los llevaron.

»Un día después los encontraron en la morgue del pueblo. El Ejército los presentó como "*terroristas* de las FARC" dados de baja en un combate.

»Susana Patricia, de dieciséis años, y su hermana, de catorce años, quedaron solas en la casa de su pequeña finca y vieron cómo dos guerrilleros de las FARC cruzaron por allí apurados. El Ejército los perseguía.

»En una balacera uno de los guerrilleros cayó muerto y el otro, en su huida, pasó por cerca de la casa. Las tropas comenzaron a disparar hacia allí y mis hijas se escondieron», dice el padre, y continúa rehaciendo el relato de su hija viva, la de catorce años, porque la de dieciséis murió a balazos:

«Cuando cesó el fuego, los soldados gritaron que saliera de allí todo el mundo, que no iban a seguir disparando. Mis hijas, inocentes de lo que sucedía, salieron al patio [...] pero les dispararon».

«El padre de las niñas le dijo a un juez que los militares le hicieron firmar un papel a la menor según el cual a su hermana la había matado la guerrilla. "Ellos utilizaron un carbón para marcar su huella digital".

»La familia de Víctor Manuel Molina, un campesino de Nechí, en el Bajo Cauca antioqueño, tiene claras dos fechas: el 14 de febrero, porque a las dos de la mañana hombres armados llegaron a su casa y sacaron al padre de familia a golpes y en calzoncillos. "Eran soldados porque tenían las insignias de su batallón, y uno de ellos decía, ¡*mi teniente*!", cuentan los hijos.

»Esa misma madrugada sacaron de su casa a Eusebio Duque, un vecino. Las familias supieron una semana después que habían sido sepultados en El Bagre, un municipio lejano.

»El 20 de febrero es la segunda fecha porque ese día exhumaron los restos del padre y vieron que estaba disfrazado con un uniforme camuflado y le habían robado los colmillos de oro. Sin embargo, el Batallón del Ejército los presentó como "*terroristas* muertos en combate", pero sus vecinos declararon haber visto cuando los soldados los llevaban vivos y atados.

»Cuatro militares del Gaula Oriente del Ejército en Medellín deben explicar por qué tenían en su poder el auto en el que varios hombres se llevaron a un secuestrado, y además las joyas y el dinero de la víctima.

»Varios policías intentaron detener el auto posteriormente pero un capitán del Ejército ordenó que no lo interceptaran y lo dejaran continuar su marcha.

»Sin embargo, dos policías motorizados lo siguieron, lo detuvieron en la vía a Girardota y descubrieron que en él iban soldados del Gaula Oriental del Ejército y que tenían en su poder varias joyas, doscientos mil pesos y los celulares del secuestrado que está desaparecido.

»El comandante de la Cuarta Brigada tuvo que dejar el caso en manos de la justicia ordinaria».

BARRANQUILLA

«La última semana de agosto del 2006 se denunció el asesinato de seis personas a manos de una patrulla del Ejército en una vía del Caribe.

»El comandante de la Segunda Brigada dijo que se trataba de *terroristas* y mostró a dos personas como rescatadas en una operación militar, pero el mismo comandante general de las Fuerzas Militares dijo públicamente que, al parecer, aquello era una farsa.

»Por el múltiple homicidio fueron capturados un capitán, dos suboficiales y cuatro soldados profesionales».

CÓRDOBA Y CESAR

«21 de septiembre del año 2006 - Detienen a 14 militares porque los muertos no eran guerrilleros.

»A pesar de que la muerte de tres hombres, dos en Tierralta, Córdoba, y otro en Atanques, Cesar, a manos del Ejército en supuestos enfrentamientos con la guerrilla, ocurrió en fechas diferentes, para la justicia civil son crímenes de gente inocente.

»Los dos casos fueron presentados por los militares como "positivos" del Ejército en la lucha contra el terrorismo. No obstante, la Fiscalía General de la Nación halló evidencias que demostraban que se trataba de "muertos en estado de indefensión ya que las víctimas no eran guerrilleros".

»En Tierralta el Ejército dio muerte a dos ciudadanos este año. En el 2004 detuvo un campero en Atanques, Cesar, en el que se transportaba el tercero, cuyo cadáver apareció posteriormente y fue presentado por los militares como *terrorista* muerto en un combate.

»La Fiscalía demostró que allí no hubo combate y que se trataba de un ciudadano muerto en estado de indefensión».

Pero lo que parece salido de una película de terror y que fue silenciado por la prensa colombiana, es que detrás de los «falsos positivos» un ministro de Defensa de Uribe Vélez, llamado Camilo Ospina Bernal, dio su firma para autorizar un negocio archimillonario en favor de los criminales que cometían los asesinatos, ideado por las cabezas del Estado como política oficial.

El 17 de noviembre del año 2005, Camilo Ospina Bernal puso en marcha algo llamado *Directiva Ministerial Permanente* número 29.

Esta medida, antes que pacificar, se convirtió automáticamente en una verdadera depravación oficial. En ella el señor ministro fijó tarifas especiales y estableció el pago con dineros de los impuestos de los colombianos, para premiar los crímenes que cometieran las Fuerzas Armadas secuestrando, torturando, asesinando inocentes, disfrazándolos de guerrilleros, poniéndole precio a los armamentos, utensilios, semovientes y en general, a toda una utilería de comedia que colocaban en el entorno de sus cadáveres, porque, además, la enumeración de cada elemento les representaba dinero.

Toda esta ambientación y todos los decorados, utilería y efectos especiales (caballos, burros, misiles, ametralladoras, computadoras, utensilios para laboratorios de fabricación de estupefacientes, escopetas y changones, botellas con acetona, tarros con gasolina, gasa, mercurio, esparadrapo, municiones de lo que fuera...) necesarios para lograr una representación óptima y unas escenas que manifestaran en cada escenario la sensación concreta del clima de *terrorismo* aplastado, están descritos con sus respectivas tarifas en la *Directiva Ministerial* que le correspondió firmar a Ospina Bernal, documento encabezado en cada página con la palabra "SECRETO".

Su finalidad era «definir una política ministerial que desarrolle criterios claros y definidos (*sic*) para el pago de recompensas por la captura o abatimiento en combate de cabecillas de las organizaciones armadas al margen de la ley, material de guerra, intendencia o comunicaciones, e información sobre actividades relacionadas con el narcotráfico y pago de información que sirva de fundamento para la continuación de labores de inteligencia y el posterior planeamiento de operaciones».

El fabuloso negocio que llevó a la muerte a cinco millares de seres inocentes en pocos años del gobierno de Uribe y de su ministro Camilo Ospina Bernal, tiene una partitura detallada:

(A continuación, sólo 15 de los 141 ítems que contempla la *Directiva Ministerial* para premiar a miembros de la Fuerza Pública que —como parte de la tragedia que pretendía poner en escena la pacificación del país—, ya se dijo, secuestraban, torturaban y asesinaban a seres inocentes, luego los disfrazaban, los armaban y los presentaban como *terroristas*):

»*Recompensa por cabecillas de cada Organización al Margen de la Ley, o que sin ser de rango máximo son públicamente reconocidos por su atrocidad en su accionar contra la población civil y/o que constituyen una amenaza para la seguridad nacional...*

»5.000 millones de pesos».

«*Cabecillas de estructuras mayores...*

»1.719 millones de pesos».

«*Cabecillas de estructuras que realicen actividades de planeación...*

»191 millones de pesos».

«*Cabecillas que ejecuten acciones terroristas….*
»68 millones 760 mil pesos».

«*Cabecillas y miembros de guerrilla…*
»3 millones 815 mil pesos».

«*Ametralladora Punto 50.*
»Hasta 3 millones de pesos».

«*Ametralladoras M-60.*
»Hasta 2 millones de pesos».

«*Fusiles.*
»1 millón de pesos».

«*Granadas de mano.*
»Hasta 100.000 pesos».

«*Bayonetas.*
»10.000 pesos».

«*Minas tipo sombrero chino.*
»Hasta 150.000 pesos».

«*Mulas.*
»20.000 pesos».

«*Caballos.*
»10.000 pesos».

«*Reses.*
»10.000 pesos».

«*Computadores portátiles.*
»Hasta un millón y medio de pesos».

Como resultado de esta determinación oficial del gobierno colombiano dentro de lo que llamó *Política de Seguridad Democrática*, los crímenes cometidos en los «falsos positivos» empezaron a salir a flote en el año 2008, a raíz de lo cual —como ya está anotado— el general Mario Montoya fue retirado del cargo que ocupaba como comandante del Ejército.

Sin embargo, el presidente lo nombró embajador de Colombia en República Dominicana, donde fue rechazado públicamente por las organizaciones defensoras de los derechos de los seres humanos, y señalado como «un peligro para este país».

Las redes sociales y medios de prensa locales registraron entonces comunicados y reseñas producidas en Santo Domingo con calificativos como los siguientes:

«No queremos al general Montoya. Nos sentimos amenazados... Él es una verdadera amenaza para todos los dirigentes sociales dominicanos... Tolerar la presencia de este general en nuestro país puede acarrear mucho dolor y sufrimiento para la familia dominicana... Nuestro país no debe ser escondite de criminales internacionales».

Montoya regresó y en junio del año 2013 se hallaba libre en Colombia.

Anteriormente, en junio del año 2010 la Organización de las Naciones Unidas no se había referido a una cifra redonda en cuanto al número de seres inocentes secuestrados, asesinados y presentados como *terroristas*, pero destacó que «La impunidad en el caso de los llamados "falsos positivos" es del noventa y ocho punto cinco por ciento en Colombia. Hasta hoy han sido liberados por la Justicia Penal Militar, cuarenta militares señalados como criminales, aduciendo la figura del vencimiento de términos en sus procesos».

Pero la participación directa de las fuerzas al servicio de la ley en la situación de violencia e inseguridad en esta guerra no se contaba solamente en el asesinato de miles y miles de seres inocentes, inicialmente como un estupendo negocio y a la vez, para generar una falsa imagen de pacificación. No obstante, su papel de verdugos quedó pronto al descubierto dados los visos de torpeza que rodean sus propias actuaciones.

Como un ejemplo de la situación general de aquel momento, en torno al 7 de agosto de aquel año 2006, fecha en que el presidente de la República se reeligiera en el mandato, los guardianes del orden convirtieron a Bogotá en un escenario disfrazado de violencia *terrorista*.

Solo cinco de los golpes escenificados por ellos, acaso para crear un clima que tratara de justificar la reelección del hombre que no ofrecía paz sino guerra, fueron registrados por la prensa nacional con buen despliegue:

15 de julio: la Quinta División del Ejército anunció el hallazgo de un taxi con explosivos en el barrio Molinos de la capital colombiana.

31 de julio: un reciclador de basuras murió al explotar un carro bomba cuando pasaba un convoy militar cerca, nada menos que de la Escuela Militar.

6 de agosto, víspera de la posesión de Uribe Vélez: los militares informaron de la movilización de un camión cargado con toneladas de explosivos cerca de la localidad de Sibaté, próxima a la capital del país.

15 de agosto: los militares anunciaron que sus efectivos habían desactivado explosivos dentro de un carro en la zona comercial del barrio Modelia, también en Bogotá.

28 de agosto: el ejército comunicó públicamente que había desactivado cargas grandes de explosivos en una casa de la localidad Ciudad Bolívar.

Pero, ¡oh infidencia!

Una semana después del último golpe y según trascendió públicamente, pruebas recogidas por servicios de inteligencia diferentes a los de las fuerzas militares, señalaron que un grupo de oficiales de la Décima Tercera Brigada del Ejército eran los artistas que habían actuado en aquella obra de terror.

Según documentos oficiales, se trataba, entre otros, de miembros de la Central de Inteligencia Militar del Ejército, RIME, un grupo con licencia para hacer operaciones secretas, interceptar teléfonos sin la autorización de los jueces y pagar millonarias recompensas sin supervisión de organismos de control del Estado.

Entre las evidencias contra los militares, la policía judicial reveló el contenido de grabaciones de una interceptación telefónica en la cual un Mayor hablaba con una guerrillera desmovilizada de las FARC que los militares utilizaban para ejecutar actos *terroristas*, en el que «*mi* Mayor le ordenaba a la mujer: "Ojo, ¡que ese auto no explote!"».

Otro de los indicios era un video en el que dos oficiales y la misma guerrillera se reunieron en una cafetería del barrio El Tunal de Bogotá, para montar la escena del taxi cargado con explosivos en el barrio Molinos. .

Pero, además de todo, las autoridades civiles investigaban la existencia de un cheque del Ejército girado por cinco millones de pesos —con que dos oficiales dijeron que se le había pagado a un taxista que prestó su carro para un atentado— pero la verdad fue que «*mi* teniente y *mi* capitán se quedaron con la mayoría del dinero».

En efecto, los investigadores de la Fiscalía General de la Nación revelaron que al taxista le habían entregado un cheque por cinco millones de pesos girado de la cuenta de Gastos Reservados, pero el teniente, seguido de cerca por el capitán, lo abordó a la salida del banco —cerca del Ministerio de Defensa Nacional— «le rapó 4.700.000 pesos y sólo le dejó 300.000».

Otro informante tentado con dinero del Ejército para armar otro «positivo» fue alias *Culebra*, un preso de la cárcel La Picota de Bogotá.

La Fiscalía General dijo que, según pruebas existentes en su poder, un capitán y un teniente lo visitaron en su celda y le prometieron cincuenta millones de pesos para que sus secuaces libres introdujeran una dinamita en Bogotá.

Cuando el Ejército anunció haber desactivado una carga de explosivos en una casa de Cuidad Bolívar en la capital, voceros del Ejército le informaron a la prensa que también habían hallado «mapas» de edificios estratégicos del gobierno que iban a ser volados por miembros de la columna Teófilo Forero de las FARC.

Sin embargo, al enterarse de que *El Tiempo* publicaría estas informaciones, el ministro de Defensa Juan Manuel Santos

—uno de los dueños del diario— y el comandante del Ejército reconocieron que «al menos uno de nuestros hombres está implicado en ese malentendido».

Sin embargo, la Fiscalía General de la Nación informó oficialmente que «el grupo *terrorista* está conformado, mínimo por tres coroneles, un mayor y dos capitanes».

Sin embargo, en una rueda de prensa el ministro Santos dijo que se trataba «de casos aislados, de manzanas podridas dentro de la institución», y el comandante del Ejército leyó un comunicado aceptando la participación de un oficial en la oleada *terrorista*.

Posteriormente se realizó algo que llaman los gobiernos colombianos en apuros, un *Consejo Extraordinario de Seguridad* que tiene lugar luego de cada acto de violencia. Se anunció que en él: «El señor presidente de la República, reunido con todos los organismos de seguridad del Estado, quiere desentrañar los detalles de lo ocurrido».

Sin embargo, el comunicado leído anteriormente por el comandante del Ejército, anotaba que, *de acuerdo a* (sic) *las políticas de transparencia del Gobierno y para dar cumplimiento al compromiso que el Ministerio de Defensa y las Fuerzas Armadas han asumido con los colombianos, de informar oportunamente cuando tengan conocimiento sobre hechos que supongan conductas indebidas por parte de miembros de la institución, lamento informar a la opinión pública:*

El reciente atentado con un carro bomba en el que resultaron heridos varios soldados y muerto un ciudadano, atribuido en su momento a grupos al margen de la ley, así como el supuesto decomiso de varios explosivos en los últimos dos meses, al parecer tal vez no corresponden a la realidad.

Estos engaños podrían haber sido perpetrados por personas inescrupulosas entre las que se encontrarían tal vez un par de oficiales del Ejército.

La Fiscalía, que adelanta la investigación, cuenta con nuestro total apoyo. Es de veras deplorable que estos hechos ocurran, pero el país debe tener la certeza de que seremos los primeros en comunicarlos a la opinión pública...

Según una recapitulación hecha por *El Tiempo*, «un mes antes de la posesión del presidente Uribe para su segundo mandato el ambiente era de zozobra. Se rumoraba que las FARC querían repetir la ola *terrorista* desatada el 7 de agosto del año 2002.

»Por este motivo el pie de fuerza de Bogotá se duplicó y se extremaron las medidas de seguridad. Se calculaba que más de treinta mil hombres —entre Ejército, Policía, Fiscalía y servicio secreto— barrían la ciudad para frenar cualquier acto terrorista.

»En medio de ese despliegue de fuerza fue el Ejército el que empezó a dar golpes contundentes».

Sin embargo, lo que había ocurrido en realidad en aquellos momentos era clásico terrorismo de Estado, como se llaman estos delitos.

La ola había comenzado el 15 de julio cuando la Quinta División del Ejército anunció que acababa de frustrar un atentado con carro bomba. Un vocero militar había dicho públicamente que «si el auto hubiera explotado el terror general hubiera sido monumental».

Luego vinieron los demás casos ya enumerados.

Según la Fiscalía, el *terrorismo militar* tenía como fin, entre otras cosas, demostrar eficiencia y quedarse con el dinero para recompensas millonarias.

A su vez, el presidente de la República y su ministro de Defensa y su amigo el *fiscal* general a la cabeza, se enfrascaron en un sainete tan vergonzoso como solamente se escenifica en el Estado colombiano.

El primer acto de aquel melodrama fue realizado por el señor fiscal general de la Nación, doctor Mario Iguarán, quien intentó desvirtuar la participación de los militares, señalando que como éstos actuaban asociados con guerrilleros reinsertados, «las FARC fueron quienes realizaron los actos terroristas».

Después de unas horas, y pese al comunicado del ministro de Defensa y del comandante del Ejército, y de los informes de *El Tiempo* basados en documentos oficiales, el presidente de la República negó públicamente la participación de miembros del Ejército en actos *terrorista*s y culpabilizó a la prensa de haber alimentado toda una situación de zozobra.

Por su parte, el ministro de Defensa, Juan Manuel Santos, no solamente dio un paso atrás sino que ahora se sumaba a las disculpas y a las negaciones haciendo una vehemente defensa de los militares «injustamente inculpados» hasta ese momento, sino que, como el presidente, arremetió contra quienes se atrevieron a pedir claridad en torno al asunto.

Son casos aislados —decía ahora el ministro—. *La Fiscalía no tiene hasta el momento evidencia que pueda inculpar a los oficiales. Aquí lo que hicieron fue quemarlos como oficiales de inteligencia. Lo que ocurrió fue un gran montaje sobre los supuestos montajes.*

Sin embargo, dos meses después, finalizando noviembre del año 2006, la Fiscalía General de la Nación ejecutó un coro breve confirmando la participación de oficiales del Ejército en por lo menos uno de los casos de terrorismo, en investigación.

«Fue un montaje en el que intervinieron, entre otros, dos oficiales del Ejército: el señor mayor Javier Hermida y el señor capitán Luis Barrero» dijo públicamente el fiscal general.

Luego agregó: «Los dos ilustres oficiales actuaron con el propósito de obtener un reconocimiento a su carrera militar».

Como era presumible, hasta ese momento se culpabilizaba a los dos oficiales de menor rango —entre todos aquellos que habían sido señalados inicialmente—, pero no los acusaron por el delito de terrorismo de Estado, o simplemente por terrorismo. No. Los acusaron por tráfico ilegal de explosivos y estafa agravada, a pesar de haber un saldo de un muerto y diez heridos.

***

La inocultable crisis desencadenada, entre otras cosas por los planes y la presión estadounidense, no solamente había dejado a unas fuerzas oficiales desmoralizadas sino a un país con problemas sociales aún más profundos de los que tenía cuatro años atrás.

En Colombia los combates fallidos que se presentaban ante las cámaras de televisión como grandes triunfos para tratar de cubrir grandes derrotas, los guerrilleros que andaban a su albedrío por selvas y montañas y las muertes de terroristas que no eran ni terroristas, ni subversivos, ni guerrilleros, parecían el balance concreto de seis años de intervención extranjera en el conflicto interno de Colombia, desde luego, si se hablaba del pretexto con que fueron dictados y aprobados y puestos en marcha en Washington la Ofensiva al Sur o Estrategia Andina o *Plan Colombia*, y el Plan Patriota.

Pero si se trataba de la guerra de posiciones en torno a los recursos naturales estratégicos, era necesario hablar de una victoria. Luego, después de la Ofensiva al Sur y del Plan Patriota, Washington comenzó a utilizar el lenguaje ambientalista para referirse a un nuevo plan: *La Iniciativa Amazónica,* es decir, el complemento de los anteriores.

En forma concreta, los convenios en el campo militar interno, unidos a los pactos económicos y compromisos de Colombia con Estados Unidos, le planteaban al Estado una disminución ostensible de su verdadera libertad para tomar decisiones propias.

Por ejemplo, según el senador Jorge Enrique Robledo, en el libro *El TLC recoloniza a Colombia*, «mediante la Ofensiva al Sur o *Plan Colombia*, la Casa Blanca, además de imponer la política antinarcóticos, determinó el rumbo de la economía colombiana de acuerdo con los postulados del *libre* comercio (TLC)».

La evidente situación en el campo militar es vista por observadores como Sergio Jaramillo, exasesor del Ministerio de Defensa, luego director de la Fundación Ideas para la Paz —patrocinada por la industria nacional— y posteriormente viceministro de Defensa, como «una crisis subterránea» cuando decía sin rodeos: «El Ejército está en crisis».

Estando en Ideas para la Paz, Jaramillo aseguraba que «aquella crisis se manifestaba en la serie de hechos graves que han aparecido en los medios de prensa —Guaitarilla, Cajamarca, Piedras, Jamundí, las acusaciones a la Cuarta Brigada de Antioquia...».

Jaramillo piensa que «como en toda institución jerarquizada y sujeta a lentos procesos, los efectos más serios tardarán años en verse. Pero ya hay alarmas: varios de los oficiales más brillantes han pedido la baja estos años y no pocos están pensando en seguir el ejemplo.

»De una sola brigada (Cali) acaban de pedir su retiro el coronel Javier Parra Benítez, comandante del Batallón Pichincha, el coronel Juan González Balcázar, jefe del Batallón de Servicios de la Tercera Brigada, el coronel Marco Ortiz Pulido, comandante del Batallón de Policía Militar Número Tres, y el coronel José Rafael Caicedo, comandante del Batallón Codazzi. ¿Qué está sucediendo?».

Pero por otro lado, en julio del 2006 se conoció que cada día diecisiete soldados pedían su retiro del Ejército. Entre el 2004 y julio del 2006 lo habían hecho doce mil. Estadísticas del mismo Estado señalan que entre el 2004 y el 2005 se retiraban catorce cada día, pero en el 2006 la cifra se elevó a diecisiete, niveles que anteriormente no se registraban. No obstante, el comandante de las Fuerzas Militares intentó minimizar el fenómeno diciendo públicamente que «esa cifra es apenas el dos por ciento del pie de fuerza».

Finalizando agosto del 2006, el comandante general de las Fuerzas Militares, Freddy Padilla de León, reconoció públicamente que había déficit de generales en el Ejército, «pues la selección que se emplea está sobre la base de un Ejército más pequeño» por lo cual anunció que ante la emergencia se acortaría el período de los cursos de ascenso y se nombraría a coroneles en cargos de generales.

Para el director de Ideas para la Paz, «la explicación del fenómeno está en el crecimiento descontrolado del Ejército y en la equivocada estructura de incentivos a que están sometidos sus cuadros. En menos de cuatro años el Ejército creció una tercera parte, pero para llenar esa brecha no solamente se necesitan hombres y armas. Ante todo se requieren mandos bien formados. Pero los tiempos no dan: un capitán no se forma en menos de diez años. El resultado es que muchos batallones operan con menos del cincuenta por ciento de los mandos. Subtenientes reemplazan a capitanes en el mando de compañías y soldados a cabos en el de escuadras.

»No sorprende entonces que se cometan tantos errores. En situaciones delicadas, quien da la orden de abrir fuego con frecuencia es un cuadro de escasa experiencia. A eso hay que sumarle el desinterés que hay por la instrucción. Ningún oficial con ambición dedica sus mejores mandos a esas tareas porque todos los premios están en el monte. Por eso ocurren casos como el del maltrato a sus propios soldados».

Y están también los resultados fatales de la presión por las bajas para darle a la guerra resultados con base en la publicidad del número de muertos.

Según Jaramillo, «todo lo anterior no sería tan grave si estuviera enmarcado en un propósito estratégico claro. Pero en lugar de un plan lo que hay es una insaciable presión por las bajas. Desde Vietnam se sabe que el *body count* es la manera más segura de perder en un conflicto interno, donde el éxito depende de la capacidad de proteger a la población, no de aniquilar al enemigo.

»El general Ewell, que operaba con la IX División en el delta del río Mekong (*El Carnicero del Delta*, le decían), se hizo tristemente célebre por ponerles cuotas de bajas a sus subalternos. Unos prefirieron inventárselas antes que matar civiles, mientras que a otros se les vio disparándoles desde helicópteros a sus propias tropas para subir la cuenta».

Para Jaramillo —quien no menciona las matanzas de My Lai-4 o las de la *Tiger Force*— «a esos absurdos llega la presión del *body count*. Y hay señales de que vamos por ese camino. Se dice que los mandos de una patrulla que cayó en Mutatá en el 2005, a quienes se les había negado su licencia de Navidad, sabían que la única forma de salir era asesinando inocentes. Por eso, sin pensarlo dos veces, mordieron el señuelo de las FARC. Y por eso también resultan verosímiles las afirmaciones de que no todas las bajas de la Cuarta Brigada de Medellín han sido de hombres con fusil». (Algunos casos fueron presentados atrás).

«Si el comandante del Ejército está midiendo por bajas a todas sus brigadas —que luego anuncia por radio en una especie de exhibición-espectáculo—, las condiciones están dadas para que ocurran casos así. Y para que se profundice la crisis en el Ejército».

***

Terminaba junio del año 2006 cuando el presidente Uribe concurrió a la séptima de las ocho audiencias que le concedió Washington en cuatro años, al final de la cual quedó claro que aceptaba el fracaso del *Plan Colombia*, desde luego sólo en el frente de las fumigaciones de plantaciones de coca con defoliantes. Del resto jamás se habló. Lo demás es la toma de posiciones estratégicas estadounidenses en torno a las fronteras con los vecinos, facilitadas por Colombia.

Lo que se dejó saber de esa séptima audiencia que le dispensó Bush, apareció en los titulares de la prensa colombiana un día después: «Uribe pide más fumigación. Admite que resultados de la erradicación no han sido de los mejores». «Necesitamos mostrarle a Estados Unidos mejores resultados».

Sin embargo, en cuanto a los vecinos de Colombia, «se habló de salvar la Comunidad Andina de Naciones para enfrentar a la izquierda de la región».

Desde luego, detrás del deseo de hablarle algún día a los Estados Unidos de mejores resultados estaba aquel tono de mendicidad, clásico de nuestros gobiernos: «Por favor, necesitamos más aviones, más helicópteros, más infraestructura».

No obstante, a pesar de todo, los corresponsales de prensa aclararon que públicamente Bush no se había comprometió a nada.

Otro punto de las conversaciones fue la necesidad de realizar una reunión urgente en torno a un Tratado bilateral de Libre Comercio, TLC, en el cual, según algunos voceros de la parte colombiana —como sucedió con el *Plan Colombia*—, Estados Unidos había cambiado a su antojo el espíritu de una serie de acuerdos previos.

El domingo 23 de julio del 2006 la industria avícola publicó en la prensa nacional un gran aviso para mostrar la posición del gobierno colombiano que, a pesar de estar plenamente enterado del fraude cometido en uno de los ítems del acuerdo con Estados Unidos, guardaba silencio.

El texto es un ejemplo concreto del espíritu del TLC y sus gravísimas consecuencias para Colombia en todos los campos:

El TLC avícola, un engaño para Colombia.

Violando los acuerdos alcanzados al cierre de la negociación de febrero pasado, los «americanos» lograron modificar tres veces el TLC avícola, ante el desacierto del equipo negociador colombiano.

Si la negociación fue mala, la renegociación fue peor, abriendo de manera inmediata el mercado nacional a los trozos de pollo «americano».

¿Qué va a hacer el Gobierno Nacional para no poner en riesgo la viabilidad de la avicultura?

Los avicultores, los 300 municipios avícolas del país y los 25.000 colombianos con sus familias vinculadas directamente a esta industria, necesitan una respuesta pronta, clara y fiable por parte del Gobierno Nacional.

La respuesta del gobierno local jamás fue conocida públicamente.

Pero, en el fondo, lo más grave en el marco de ese TLC es la pretensión de las empresas transnacionales de apropiarse del patrimonio ambiental y de los recursos estratégicos de Colombia ante la aceptación del Gobierno Nacional. El proceso está complementado con acciones militares como la Ofensiva al Sur, el Plan Patriota y especialmente la nueva táctica anunciada por los Estados Unidos: la Iniciativa Amazónica.

A finales del año 2006 y ante el innegable fracaso del Plan Patriota —por lo menos en cuanto al pretexto de acabar con la cúpula de las FARC— los Estados Unidos anunciaron, a través del presidente de Colombia, el comienzo de algo llamado *Plan Victoria* o *Plan de Guerra* como continuación del anterior, esta vez con 3.000 mercenarios menos pero, según lo anunciaron, con un apoyo aéreo y fluvial más grande.

No obstante, el lastre del Plan Patriota era en aquel momento de 137 bajas, 1.300 heridos y 10.000 colombianos afectados por las minas y la leishmaniosis, una enfermedad tropical.

Como ya se anotó, a cambio, en tres años no se lograron ni la captura ni la baja de ningún cabecilla guerrillero, como según Estados Unidos era la finalidad del plan.

Al hacer el anuncio ante 5.000 soldados y la cúpula militar, el presidente repetía lo mismo que en el año 2004 refiriéndose a los mandos de la guerrilla: «A esos tipos hay que capturarlos».

También, dentro de la mencionada estrategia, los Estados Unidos trazaron una nueva campaña para reemplazar el *Plan JM* que tenía como fin capturar al dirigente guerrillero *Mono Jojoy*. No obstante, en diciembre del año 2006 Jojoy continuaba tan libre como al comienzo de los planes estadounidenses.

***

La Iniciativa Amazónica surgió en el sexto año, al final del *Plan Colombia*, como una continuación de esta gran estrategia de intervención, pero con otro lenguaje.

En dos palabras, Estados Unidos tenía en Suramérica la Ofensiva al Sur o Estrategia Andina encubiertas por el seudónimo, *Plan Colombia*, y empezaba a definir una política para el acuífero Guaraní en la triple frontera, y por el otro lado estaba el Plan Puebla Panamá para Centroamérica.

Entonces, ¿qué faltaba?

Pues un componente político de intervención en un área que le preocupa muchísimo como es el papel que desempeña Brasil como contrapeso geopolítico en la región suramericana. Que lo es, desde luego, y lo ha sido siempre, independientemente de las orientaciones de los gobiernos. En este sentido, tanto las dictaduras militares de los años sesenta y setenta, como gobiernos de centro como el de Fernando Henrique Cardoso, y gobiernos de centro izquierda o de izquierda como el de Ignacio Lula da Silva —sin importar esas divergencias ideológicas—, muestran que Brasil siempre habla como una gran potencia suramericana y como un contrapeso de los intereses estadounidenses.

Entonces la Iniciativa Regional Amazónica, que se llama realmente Iniciativa de Conservación de la Cuenca Amazónica, es la pata que le faltaba a la política de aseguramiento regional.

Según Marta Ospina, en un documento de Indepaz, «La Iniciativa Amazónica está destinada a convertirse en política del Departamento de Estado de los Estados Unidos para la cuenca del Amazonas. A través de su lenguaje ambientalista esta iniciativa proyecta estrategias de intervención complementarias a los planes militares.

»La nueva Iniciativa hace parte de la disputa por el control de los recursos naturales estratégicos durante este siglo, como los que ofrece la Amazonia, ese territorio de 7 millones 800.000 kilómetros cuadrados que cubre el cuarenta y cuatro por ciento de Suramérica, que da derechos sobre la órbita geoestacionaria, que guarda el cincuenta por ciento de los bosques tropicales del planeta, una quinta parte de su reserva de agua dulce y el sesenta por ciento de la biodiversidad mundial; en fin, que es rica en luz solar intensa durante todo el año. Parecería un tema de ficción, pero no hay que llamarse a engaños: controlar la Amazonia puede resultar una fuente incalculable de poder en el futuro inmediato.

»Sólo en este contexto es posible entender la *política antidrogas* en Colombia. Su interés no es el proclamado, pues no está relacionado en realidad con la reducción de las toneladas de cocaína que llegan a los Estados Unidos, ni con la disminución del consumo. Pero, además, en la denominada *guerra contra las drogas y el terrorismo* las tácticas se acomodan a conveniencia según los intereses geopolíticos.

»Como se deduce de lo anterior, en primer lugar es indispensable cambiar el enfoque del análisis. Esto significa entender que la *política antidrogas* es fundamentalmente parte de la disputa por los recursos naturales estratégicos».

Hablando del mismo tema, Ana María Puyana recuerda cómo el primer borrador de la Iniciativa Amazónica fue elaborado en el 2005 por la Agencia Internacional para el Desarrollo, AID, del Departamento de Estado. «Pero no surge como un documento militar ni surge como un componente de desarrollo social solamente, sino como un documento de desarrollo social pero dedicado fundamentalmente a la conservación de los recursos naturales en la cuenca amazónica.

»Uno no se puede dejar confundir por los documentos. Por ejemplo, el Plan Puebla Panamá tiene un discurso de integración de mercados, por supuesto, pero por sobre todo vial, de aguas e hidroeléctrico. La Ofensiva al Sur o *Plan Colombia* tiene un discurso antinarcóticos y luego antiterrorista; la Estrategia Andina, un discurso económico y de democracia regional, y la Iniciativa Amazónica, un discurso ambiental, pero el propósito de todos es el mismo: quitar de por medio impedimentos de cualquier género para que, a través de los países, Estados Unidos pueda intervenir y legislar de manera que casi se desterritorializan las decisiones: es decir, que las decisiones se toman en los Estados Unidos.

»Hay muchos procesos que en América Latina ya no son competencia ni de las cortes, ni de los Congresos, ni del Ejecutivo, ni mucho menos de sus respectivas sociedades, sino son decisiones que en el marco de la Organización Mundial de Libre Comercio, o directamente del congreso de los Estados Unidos, se toman sobre las políticas de los países. Por eso va a haber cortes internacionales de tribunales de comercio, tribunales de muchos procesos que ya no se van a resolver en los países sino allá. Creo que Europa también juega ese juego. Por eso uno ve el gran cambio entre la posición que tuvo la Unión Europea cuando surgió el *Plan Colombia* y la debilidad de la posición que tuvo a partir del año 2004».

El primer documento de la Iniciativa Regional Amazónica surgió como un nuevo programa de conservación que apoyará a los gobiernos nacionales y a las sociedades civiles del Amazonas en sus esfuerzos por conservar los recursos únicos y de gran importancia mundial que posee la cuenca.

Nos podemos preguntar cuáles son esos recursos: hay unos evidentes como el agua dulce, los bosques y el potencial genético. Y están los yacimientos de gas en Bolivia y el petróleo ecuatoriano. Y hay otros recursos naturales que los satélites y los estudios de prospección deben tener ya definidos o por lo menos ubicados para hacer las comprobaciones en terreno y que pueden ser estratégicamente útiles en los Estados Unidos a cincuenta o sesenta años vista. En el inmediato se trata de prospecciones petroleras en Colombia y otro tipo de yacimientos minerales de los que se habla mucho, pero de los cuales los países no tienen certeza.

En el documento hay una frase que ilustra mucho el interés de Estados Unidos sobre la Amazonia, aparte de ejercer una influencia ante Brasil. Es esta: la iniciativa de conservación de la cuenca amazónica constituirá el segundo de una serie de planes que tienen como fin *abordar la responsabilidad compartida de los Estados Unidos para la administración de la biodiversidad de importancia mundial.* Esta frase refleja todo el documento. Lo demás es retórica ambientalista, pero ésta es fundamental: responsabilidad compartida de los Estados Unidos.

Esta declaración se plantea frente al pronunciamiento brasileño de que la Amazonia, si bien es un patrimonio de la humanidad por su importancia y los servicios ambientales que presta en la regulación del cambio climático, etcétera, la soberanía es de los ocho países que integran su cuenca y esa soberanía es indiscutible.

Aquí Estados Unidos plantea que se debe administrar en forma compartida la biodiversidad amazónica. Y si se acepta que Estados Unidos es un coadministrador se está aceptando que no hay soberanía sobre el territorio, ni sobre sus recursos.

El documento dice también que Estados Unidos planea hacer una inversión de cincuenta millones de dólares en cinco años, lo cual es una bicoca, es una brizna, es nada frente a lo que piensan conseguir. La Alianza para el Progreso también comenzó con una brizna en los años sesenta. Lo importante es mirar qué actitud tienen frente a eso los países de la cuenca y sobre todo si de los ocho, siete aceptan este discurso de «responsabilidad compartida» para la administración de los recursos estratégicos.

Es importante destacar que la palabra *administrar* también está dentro del discurso de la globalización en el libre comercio.

El segundo punto de este proyecto se centra fundamentalmente en los recursos forestales. Si bien las negociaciones del ALCA colombiano y el ALCA peruano tienen un capítulo sobre recursos genéticos, patentes y biodiversidad, este documento es fundamentalmente forestal: maderas, y eso explica un poco la aprobación de la ley forestal en Colombia —iniciativa del gobierno de Uribe— que fue muy discutida, y que naturalmente coincide en forma prioritaria con los intereses de los Estados Unidos.

Es decir que la comercialización del recurso forestal con ALCA o sin ALCA se hará. Y ese proyecto se llama «Colombia Forestal» y allí se plantea algo que es muy importante: Colombia tiene una territorialidad colectiva negra e indígena muy grande precisamente en zonas donde los recursos forestales existen en selva virgen. Y los territorios colectivos son inembargables, indivisibles e inajenables, lo cual quiere decir que no se pueden vender ni hipotecar ni dividir. Estos son obstáculos legales al libre comercio que imponen los Estados Unidos.

Entonces la Ley Forestal inventa la figura del vuelo forestal: «Está bien, yo no le discuto a las comunidades negras ni a los territorios indígenas, no les discuto su propiedad de la tierra. Pero yo como explotador del recurso sí puedo hipotecar lo que se ve desde arriba, es decir lo que se ve en vuelo sobre la selva. Yo sobre los árboles sí puedo hacer hipotecas y préstamos bancarios y contratos sobre lo que está por encima del suelo». Eso permite la entrada de grandes compañías explotadoras extranjeras y nacionales.

Es indiscutible que el comercio de maderas preciosas está en déficit a nivel mundial porque se acabó en Europa, se acabó en Estados Unidos, se está acabando en Asia y lo que queda está en Suramérica. Ese comercio de maderas preciosas es un interés muy fuerte. Incluso en este documento se pone como ejemplo la Asociación Forestal de la Cuenca del Congo y plantean que se necesita disminuir la pobreza y mejorar la gobernabilidad para que haya una gestión sostenible de los recursos forestales. Eso quiere decir que se deben eliminar primero todos los obstáculos políticos, militares, insurgentes y legales que impiden la explotación comercial de los recursos forestales.

La discusión en Colombia giraba en torno a si había que explotar las plantaciones o explotar los productos del bosque primario y luego entrar en procesos de síntesis de las materias derivadas, etcétera, como lo dice la ciencia.

Pero la Ley Forestal, una de las más absurdas y letales que han sido aprobadas en la historia de Colombia, se sostiene sobre la posibilidad de derribar el bosque primario para comercializar las maderas.

Más adelante en la Iniciativa Amazónica, Estados Unidos vuelve a señalar que va a cooperar *para ser un administrador efectivo de la diversidad biológica y los servicios ambientales de importancia mundial en la cuenca amazónica.*

Como se ve, aquí amplían el concepto. Ya no solamente van a administrar la biodiversidad y el recurso forestal sino los servicios ambientales y allí incluyen el agua dulce y la captura de carbono que entran a jugar con acciones en las bolsas de valores.

Pero hay un segundo documento de la Iniciativa Amazónica y trata de suavizar un poco, diciendo, por ejemplo, que se respetarán la soberanía y otra serie de cosas, ante el impacto inicial que causó el primer documento dentro de algunos de los países de la cuenca que pidieron que por favor «se matizaran» afirmaciones fuertes, aunque se sabe que matizar afirmaciones en el papel no quiere decir que realmente la soberanía se respetará en la realidad. Nuevamente se apela a la piel de oveja.

En el segundo borrador hay ciertos cambios, pero el hecho es que en este pequeño proyecto de 50 millones de dólares están de por medio otros organismos multilaterales en los cuales Estados Unidos pone la mayor parte del dinero. Hay otras formas de injerencia como el Programa Piloto para conservar la selva tropical brasileña de 440 millones de dólares apoyado por Alemania, Canadá, Estados Unidos, Francia, Italia, Japón y el Reino Unido, la Unión Europea, los Países Bajos y Brasil, y otros proyectos.

Hasta hoy Brasil ha discutido problemas de seguridad. Por ejemplo, no deja instalar una sola base estadounidense cerca, pese a lo cual tiene un cinturón alrededor, incluyendo, desde luego, las posiciones claves que les han entregado los gobiernos de Pastrana y Uribe.

En ese campo, Brasil es muy celoso, por ejemplo de los satélites. Ellos poseen el suyo empleado a favor de la seguridad amazónica, y no permiten que Estados Unidos monte otro en la órbita geoestacionaria.

Una respuesta tan sencilla como concreta a la situación planteada por Washington en su ofensiva contra los países amazónicos, surgió en Brasil. El informe especial del IRC realizado por Raúl Zibechi, establece que meses antes una comisión específica de militares brasileños había visitado Vietnam con el objetivo de «hacer intercambios sobre doctrina de resistencia».

La comitiva, integrada por coroneles y tenientes coroneles, visitó Hanoi, Ciudad Ho Chi Min (antigua Saigón) y la provincia de Cu Chi, donde se conservan 250 kilómetros de túneles construidos durante la invasión de los Estados Unidos.

En la página web del ejército brasileño el general Claudio Barbosa Figueiredo, entonces jefe del Comando Militar de la Amazonia, asegura que Brasil va a enfrentar acciones similares a las que sucedieron en Vietnam, y ahora en Iraq, en caso de un conflicto que involucre a la Amazonia.

«La estrategia de la resistencia no difiere mucho de la guerra de guerrillas y es un recurso que el Ejército no dudará en adoptar ante una posible confrontación con un país o grupo de países con potencial económico y bélico mayor que Brasil». Añade que «se deberá contar con la propia selva tropical como aliada para combatir al invasor.

»La noticia obtuvo poco impacto en los medios de prensa, pero pone de relieve que las Fuerzas Armadas de Brasil tienen planes estratégicos propios y que vislumbran a Estados Unidos como enemigo militar potencial».

Hoy Brasil es el único país latinoamericano que tiene un plan estratégico de defensa. También es el único de la región que cuenta con un empresariado nacional con intereses diferentes respecto del empresariado mundial. Fue este sector, apoyado en el gobierno de Lula, el que logró diferir la puesta en marcha del ALCA.

Brasil como nación tiene peso propio en el mundo —es la décima potencia industrial— y logró diseñar su estrategia militar de defensa autónoma, que gira en torno al control de la Amazonia. Es decir, estamos ante un país con intereses estratégicos definidos, con un empresariado y unas fuerzas armadas con vocación nacionalista que no parecen dispuestos a dejarse someter por ninguna potencia.

En buena medida, esa estrategia se apoya en una industria militar importante. Dicho de otro modo, el país desarrolló una industria militar de punta para asegurar la defensa de sus intereses.

Brasil es el quinto exportador de armas del mundo si se considera a la Unión Europea como una unidad. La empresa aeronáutica Embraer, cuarta en importancia en el mundo, proporciona a la Fuerza Aérea la mitad de su material aeronáutico, fabrica aviones de combate, vigilancia, entrenamiento y guerra antisubmarina. La industria militar brasileña ha producido naves de guerra y actualmente construye submarinos nucleares.

En el año 2002 entró en operaciones algo llamado el SIVAM, Sistema de Vigilancia de la Amazonia, anunciado por Brasil en la Eco 92, una década antes.

Este sistema monitorea toda una región de cinco millones de kilómetros cuadrados, que representa el sesenta y uno por ciento del territorio nacional, una tercera parte de la biodiversidad del planeta y alberga poco más de la décima parte de la población brasileña.

En 1994 la licitación del SIVAM fue ganada por el grupo Raytheon de Estados Unidos, en un proceso que fue denunciado por fraudulento.

Las Fuerzas Armadas y el gobierno están empeñados en fortalecer el control del Estado sobre la Amazonia, y la tendencia es que se realice con material bélico, especialmente aeronaves construidas en Brasil, aunque ya en marzo del 2001 un amplio reportaje aparecido en el diario conservador *Zero*, ahora de Porto Alegre, ilustraba la voluntad de Brasil de fortalecer su autonomía militar. La visión que transmite el informe es que entonces el país ya era consciente de que Estados Unidos lo estaba cercando:

«Los Estados Unidos montaron en un territorio suramericano y en islas próximas, en los dos últimos años, un *cordón sanitario* de veinte guarniciones militares, divididas entre bases aéreas y de radar».

Según el informe, desde entonces la relación entre las fuerzas armadas de Brasil y Estados Unidos es de «no cooperación», pues Brasil no permite bases estadounidenses en su territorio, no participa en maniobras conjuntas con Estados Unidos y prácticamente no recibe fondos para combatir el narcotráfico». Todo lo contrario de estados tan obedientes como Colombia.

Pese a este caso particular, Estados Unidos sabe que la supremacía económica requiere mantener la delantera en las nuevas áreas que pueden llegar a permitir un relanzamiento de la economía, y por tanto de las ganancias.

Este objetivo implica el control y posesión de los llamados *territorios complejos*, aquellas zonas de elevada biodiversidad generadora de endemismos, cuyo control puede permitirle a los estadounidenses enfrentar los desafíos que provienen de Oriente, es decir, China, India y Japón.

Pero aprovechar y monopolizar la biodiversidad exige una presencia sobre el amplio terreno que va desde el sur de Suramérica hasta el sur de México, la región más rica en biodiversidad del planeta.

***

De acuerdo con la estrategia de los Estados Unidos, el continente se halla frente a una creciente militarización. Solamente en el último quinquenio se han publicado infinidad de estudios que analizan una especie de avanzada permanente, entre ellos el realizado por el IRC que se cita en el capítulo anterior y según el cual «a grandes rasgos pueden establecerse cuatro razones para el ascenso de un nuevo militarismo».

De acuerdo con ese organismo, «en el año 2000 y poco tiempo después surgieron la Ofensiva al Sur o Estrategia Andina, denominaciones que se intentaron encubrir con la figura del *Plan Colombia* como elemento emergente de la nueva estrategia regional de Washington, que —disfrazado como el combate contra el narcotráfico— busca el control del agua dulce y de la biodiversidad de la región andina desde Venezuela hasta Bolivia.

»Otro factor son las nuevas formas que adopta la guerra en el período neoliberal, o sea la privatización de los conflictos mediante el empleo de mercenarios, y el nuevo papel del Brasil en el continente, única nación del Sur que tiene autonomía estratégica militar.

»El cuarto factor proviene de los intentos de las élites de cada país, impulsados por Washington, para contener la protesta a través de la militarización de las sociedades y la criminalización de los movimientos sociales».

Para afrontar estas tareas, la Casa Blanca le había dado prioridad al Comando Sur con base en Miami.

Según Raúl Zibechi, del IRC, «su creciente importancia hace visible el grado de protagonismo adquirido por la dimensión militar en el reordenamiento mundial a partir del 11 de septiembre. Lo que Brian Loveman califica como *dominio del amplio espectro de amenazas* que implica enfocar los asuntos principales de la sociedad —desde la salud y la inmigración hasta la agricultura y la economía— como cuestiones de seguridad.

»Para algunos analistas, el Comando Sur se ha convertido en el principal interlocutor de los gobiernos latinoamericanos y en particular de la política exterior y de defensa estadounidense en la región.

»El Comando Sur tiene más empleados trabajando sobre América Latina que la suma de los Departamentos de Estado, Agricultura, Comercio, Tesoro y Defensa».

Como complemento, la embajada estadounidense en Bogotá es la segunda más grande de ese país en el mundo. Luego está la de Iraq.

Parte de la estrategia consiste en entregar el manejo de la política directamente a los militares, en deterioro de las democracias, lo cual es perjudicial para el continente, según la misma prensa estadounidense.

A propósito, el 8 de junio del 2004 *El Tiempo* registraba la posición editorial del *New York Times,* según el cual «la administración Bush, inmersa en las guerras de Iraq y Afganistán, ha cedido a los militares el diseño y control de su política hacia

América Latina, "algo poco saludable" de acuerdo con un editorial del diario neoyorquino, en el que previene a Washington de volver a caminar una senda que en el pasado no arrojó buenos resultados.

»La historia muestra que cuando los lazos entre militares domina la relación —como sucedió durante buena parte de la Guerra Fría— los generales en América Latina se sienten con la autoridad para actuar a su libre albedrío siempre y cuando garanticen un semblante de estabilidad», dice el editorial.

«Según el diario neoyorquino, los militares de Estados Unidos están motivando a su contraparte en la región para que asuman roles más significativos en sus países, aunque no se prevé un regreso a las dictaduras que antaño plagaron a América Latina. El *Times* dice que "expandir el papel de los militares sólo debilitará a las incipientes democracias".

»Para ese diario el principal problema consiste en que Washington está tramitando su relación con América Latina bajo el prisma de la lucha contra el terrorismo, al punto de que ha sobredimensionado la amenaza de este flagelo en la región. De acuerdo con el diario, salvo en Colombia y de pronto en Perú, no hay razón para creer que el terrorismo es una amenaza para el continente.

»El matutino advierte también la tendencia que existe a involucrar a los militares en la lucha contra bandas de criminales:

»Hay muy buenas razones por las que Bush no suelta a los marines en Los Ángeles para que controlen a las pandillas. Y lo mismo se debe aplicar en América Latina. Para luchar contra el crimen en estos países lo que se necesita son dinero y entrenamiento para fortalecer a la policía y a las cortes.

Un entrenamiento que debe ser hecho por civiles», concluye el diario.

Dentro de esta estrategia, Colombia hoy representa un punto avanzado de los Estados Unidos en cuanto al control militar de la región. Para los países vecinos, Brasil, Venezuela, Ecuador y Perú —todos ellos amazónicos—, los planes militares estadounidenses en Colombia representan una amenaza para su propia soberanía.

Por ejemplo, en Colombia los Estados Unidos han ido cerrando un arco conformado por brigadas militares, bases y radares instalados frente a sus fronteras. Desde este punto de vista, los gobiernos de Pastrana y Uribe no fueron propiamente los mejores amigos de sus vecinos.

En el campo de la vigilancia aérea, la compañía Northrop Grumman de California, que entrena a militares y paramilitares para «operaciones especiales», instaló en Colombia siete poderosos radares coordinados con un sofisticado sistema de espionaje aéreo... Bueno, esos radares son operados por mercenarios estadounidenses que le dan información a las Fuerzas Armadas de los Estados Unidos, siendo el Estado colombiano el último en obtener alguna documentación. Sin embargo, fueron comprados con el dinero de los impuestos que pagan los colombianos.

En esta forma no solamente se halla cubierto todo el territorio nacional sino porciones de los países vecinos a partir de todas las fronteras en el Caribe, las pampas de la Orinoquia, la Amazonia y el Pacífico.

El círculo se cierra con los 22 radares de la Aeronáutica Civil colombiana, que vigilan el espacio aéreo y le dan información tanto al gobierno de los Estados Unidos como al de Colombia.

En su carrera por militarizar a América Latina —con el fin de controlar sus recursos estratégicos—, uno de los planes de los Estados Unidos ha sido la creación de una fuerza militar hemisférica.

El gobierno estadounidense dijo que un paso importante hacia esa estrategia fue el entrenamiento naval que se llevó a cabo en el Caribe en junio del 2006, «un espectáculo sin precedentes, denominado Operación Sociedad de las Américas», según un diario local.

La operación estuvo encabezada por el portaaviones George Washington con 71 aviones de combate y más de 4.000 *marines* a bordo. Estados Unidos la justificó como «un ejercicio para poner a prueba los sistemas de defensa contra el narcotráfico».

En el crucero no participó ninguna unidad de países latinoamericanos. La fortaleza partió de la base Norfolk en Virginia, bordeó República Dominicana y llegó hasta aguas internacionales muy cercanas al golfo de Maracaibo y Cuba. A su lado navegaron el crucero USS Monterrey (un portamisiles), el destructor USS Stout y la fragata USS Underwood que cumplían tareas de acompañamiento, transporte de material de inteligencia y radares.

Desde luego, la travesía causó inquietud en Cuba y Venezuela donde analistas consideraron una demostración de poder ante dos vecinos incómodos para Estados Unidos que, desde luego, no participaban en este juego de guerra.

Los titulares de los diarios son un reflejo de la importancia que le da Colombia al proyecto.

El Tiempo, primer diario del país, publicó una página completa encabezada por un gran titular: *Colombia hará parte de un entrenamiento militar sin precedentes en la historia de la región*, bajo el cual encabezaba una nota emocionada que explicaba cómo la finalidad de la operación ya no era el narcotráfico sino el *terrorismo*.

Pero, pese al optimismo de quien tituló el diario, Colombia no formó parte de nada, ni fue invitada a nada y su actuación se limitó a ser un espectador de la presencia estadounidense en sus aguas.

El artículo estaba rematado con la frase de un almirante local cuyo nombre no cita el diario: «Hacer parte de este trabajo no tiene comparación con ningún otro porque marcará un hito histórico para las Fuerzas Militares de Colombia y del continente».

No obstante, Estados Unidos ya había dado los primeros pasos para la creación de la fuerza militar hemisférica antes del 11 de septiembre del 2001, pero los cambios mundiales habían aplazado su concreción.

Con este fin, en agosto del 2001 se habían realizado las maniobras *Cabañas 01* en la provincia de Salta, en el norte de Argentina, tras las cuales quedó al descubierto que Estados Unidos tenía planeadas tres bases en territorio de ese país, ubicadas una en la Antártida (Sur), otra en el Delta (Centro) y la tercera en Salta (Norte). Por otra parte, la Agencia Estado de Brasil informó ese año que el gobierno de Fernando de la Rúa estaba negociando la deuda total del país a cambio de bases militares.

En esas mismas fechas Estados Unidos negociaba con Brasil —presidido entonces por Fernando Henrique Cardoso— la cesión de la base militar de Alcántara, en plena selva, cerca de la frontera con Ecuador y de la cordillera andina.

No obstante, los cambios políticos sucedidos en Argentina, Brasil, Bolivia, Uruguay y Venezuela frustraron parcialmente aquellos planes.

Más allá de las relaciones políticas de parte del continente manejadas por los militares estadounidenses y del Ejército de las Américas o fuerza militar hemisférica, otra fase de la estrategia estadounidense es incluir a algunos países de Suramérica en el Tratado del Atlántico Norte, OTAN, como lo dejó saber un mes antes de la operación naval.

Desde luego, el gobierno de Uribe en Colombia y luego el de Santos eran acaso los más interesados en acoger aquella alternativa que, según expertos, significa simplemente justificar la entrada a una carrera armamentista sin precedentes dentro de la región, para hacerle frente a la amenaza *terrorista*, al crimen organizado —dos buenos pretextos— y, desde luego, cómo no, impulsar el abastecimiento de recursos naturales que plantean los Estados Unidos.

Abastecimiento de recursos naturales: con una gran timidez y midiendo cada palabra, la Cancillería colombiana le confirmó a la prensa que en el 2006 se dio un paso crucial ya no en el campo militar sino en su complemento, el Tratado de Libre

Comercio con Estados Unidos, entre otros, en un capítulo sobre recursos genéticos, patentes y biodiversidad.

Lo de la OTAN ha calado tanto en el imaginario del país que, por ejemplo, para un grupo de oficiales de alta graduación, alumnos de la Escuela Superior de Guerra, servirá entre otras cosas para enfrentar una nueva realidad, cual es la del «comunismo disfrazado» que quiere tomarse el país, tal como lo dijo Uribe en su campaña de reelección al calificar de tal manera a todos aquellos que no pensaran como él.

La politóloga Laura Gille dijo a *El Tiempo* que algunos de sus alumnos de la Escuela Superior de Guerra se mostraron entusiasmados cuando escucharon la propuesta.

«Yo les estaba hablando del TIAR (Tratado Interamericano de Asistencia Recíproca) y cuando les dije que ya no era necesario, algunos respondieron que sí porque ahora existía en Colombia "un comunismo disfrazado"».

Otros Estados extra OTAN son Israel, Egipto, Australia, Nueva Zelandia, Corea del Sur y Jordania. Todos ellos estratégicos para los intereses de Estados Unidos.

Y más allá de un ejército de las Américas, y de operaciones navales conjuntas frente a Cuba y Venezuela, y el sueño de una participación en la lejana OTAN, otra fase del plan estadounidense consiste en la ampliación de redes de espías en América Latina anunciada por el director nacional de Inteligencia, John Negroponte.

Sin embargo, según voceros militares, el espionaje está orientado básicamente a lo que llaman la «thriborder», es decir la Triple Frontera, Brasil, Paraguay, Argentina, punto clave del acuífero Guaraní, según la teoría estadounidense, donde el terrorismo islámico tiene organizada una red de apoyo. Luego, según sus prioridades están Maicao y Barranquilla en el Caribe colombiano, desde luego, al frente de la rica zona petrolera venezolana.

***

Gracias a la nueva guerra implantada en Colombia como en Iraq, aquí se mueven hoy mercenarios de todo tipo, desde «simples» combatientes hasta experimentados veteranos, de los Estados Unidos y por lo menos de media docena de países latinoamericanos residenciados allí.

En tiempos de guerra, mientras desempeñan funciones cruciales para el combate, ellos no son propiamente soldados. No están obligados a cumplir órdenes o a seguir los códigos militares de conducta. Su obligación legal depende solamente de un convenio laboral, de unos dólares y no de su país.

El Departamento de Estado y el Pentágono se cuidan de decirles «mercenarios», porque su condición ha sido prohibida y condenada por la legislación internacional y con un cambio de palabra, *contratistas,* enmascaran la violación.

Justamente para quitarse de encima cualquier culpabilidad, los mercenarios estadounidenses crearon un grupo comercial, la Asociación Internacional de Operaciones de Paz, con el objeto de promover parámetros en su industria de violencia privada.

«No queremos arriesgarnos a perder contratos al ser llamados mercenarios» —señala Doug Brooks, presidente de la Asociación—. «Pero con un perfil bajo podemos lograr cosas y mantener la boca cerrada», agrega.

La gran masa de población colombiana aún no está enterada de la invasión de mercenarios estadounidenses que participan en la guerra local. No obstante, una minoría, acaso lo que llaman "opinión pública" ha escuchado de ellos en forma esporádica, unas veces asociados con paramilitares, otras con combates, otras con delitos, otras con sus propios vicios, pero, en general, el país —estupendamente mal informado— no tiene una conciencia clara de que ahora lo han llevado a una guerra «nueva», con intereses ajenos, y que los mercenarios, o «contratistas» como se los han presentado, son un síntoma claro y contundente de ella.

Inicialmente, cuando los mercenarios irrumpían en las páginas de prensa asociados a algo ilegal —porque ellos no cumplen con ninguna legislación, ni son obligados por sus compañías a hacerlo, ni a respetar las leyes de los países en los cuales actúan—, cuando irrumpían, recibían algún despliegue, pero siempre eran calificados con el tratamiento respetuoso de ciudadanos *americanos*. Hoy no. Hoy las autoridades locales se esfuerzan por impedir que sus actuaciones irregulares sean conocidas por los medios de prensa. Y los medios de prensa —dóciles y obedientes en este campo— a su vez se cuidan de dar a conocer sus andanzas.

No obstante, su tarjeta de presentación es suficientemente gráfica para saber quién ha irrumpido en el país en estos últimos años:

El 12 de mayo la policía del aeropuerto El Dorado de Bogotá halló en un paquete de Federal Express diez frascos con 250 gramos de un líquido, que luego de ser analizado en el laboratorio resultó ser una mezcla de aceite y látex de adormidera, es decir, base de heroína.

Cuando todos los indicios condujeron a mercenarios de la compañía DynCorp, la policía local resolvió guardar un prudente silencio. Colombia sabe que esta institución responde a los intereses de los Estados Unidos.

Los datos de una investigación emprendida por el Ministerio de Justicia desaparecieron también en circunstancias que nunca fueron aclaradas. Según *The Nation,* la consecuencia para los traficantes fue su transferencia del país.

Sin embargo, la DEA estableció que los frascos habían dado positivo para heroína, fueron remitidos por un funcionario de DynCorp e iban dirigidos a su casa matriz en la Base Patrick de la Fuerza Aérea de los Estados Unidos en Florida.

Expertos dijeron en su momento que la heroína es soluble en aceite y por consiguiente puede ser extraída nuevamente sin mayor dificultad.

Recién iniciado el *Plan Colombia*, la prensa local anunció que diez mercenarios de DynCorp, diferentes a los anteriores, estaban siendo investigados por tráfico de anfetaminas.

Los datos de la investigación no penal emprendida por el Ministerio de Justicia de Colombia nuevamente desaparecieron en circunstancias «extrañas», según un vocero oficial.

La única consecuencia para los mercenarios fue —como lo acostumbran en estos casos— su traslado del país a otras bases en el exterior.

Por historias como estas, que se cuelan a la prensa a pesar de los rígidos controles militares y políticos, la columnista Leslie Wayne señaló en la revista *Cambio*:

«Los contratistas militares privados están desalojando a los traficantes de drogas en Colombia y transformando a las paupérrimas milicias de las naciones africanas en máquinas de guerra».

El 18 de febrero del año 2001 las FARC derribaron a balazos un helicóptero que acompañaba a las avionetas de fumigación en la selva amazónica del Caquetá, sur de Colombia.

Después de un aterrizaje de emergencia, un grupo SAR de la DynCorp evacuó al piloto y a sus acompañantes.

La prensa dijo después que los cuatro mercenarios estadounidenses armados con ametralladoras de varios cañones habían intercambiado algunos balazos con la guerrilla, y que otros helicópteros, también con mercenarios estadounidenses, les dieron fuego de cobertura, pero luego aclaró que, sin embargo, «ellos no participan en ningún tipo de combate».

El piloto de la DynCorp evacuado del helicóptero derribado, que también era mercenario, y otro miembro de la tripulación usaron pistolas y un lanzagranadas.

«Por lo menos ocho evacuaciones calientes han sido supuestamente efectuadas por los grupos SAR en los últimos años», señaló la prensa en aquella oportunidad.

En abril del año 2002 se conoció que Gir S. A., una empresa filial de la compañía estatal Israel Military Industries Ltda., con sede en Guatemala, había proporcionado un año atrás 3.117 fusiles de asalto AK-47 (Kaláshnikov) y dos millones y medio de cartuchos, a los paramilitares, bandidos que se funden con el ejército colombiano.

Ya la misma empresa le había suministrado 500 fusiles automáticos al cartel de Medellín, que entonces participaba en la formación de grupos paramilitares.

El papel central de todo esto lo desempeñaba el mercenario israelí y comerciante de armas Yair Klein, quien formó también a la Contra nicaragüense en Honduras unos años atrás.

Klein fue de los primeros mercenarios que llegaron a Colombia en la década de los años ochenta. Era un reservista del ejército israelí, fue condenado en su país por exportación ilegal de armas hacia Colombia en 1991 y había llegado al país en 1987 por iniciativa de la Unión de Bananeros de Urabá.

Realmente, el *Plan Colombia* legalizó las actividades que ya realizaban estas empresas, por lo cual vale decir que la presencia de corporaciones militares privadas y mercenarios realmente no son novedad en este medio.

El 13 de febrero del año 2003 unidades de las FARC derribaron un pequeño avión Cessna 208 sobre la selva amazónica, sur del país. La aeronave realizaba vuelos de inspección y espionaje en una región llamada Caquetá, para establecer movimientos y ubicación del frente 15 de esa guerrilla y sus cabecillas.

A la tripulación pertenecían un miembro del servicio de inteligencia militar colombiano y cuatro mercenarios estadounidenses de la corporación privada California Microwave Inc., reclutados por la Oficina de la Administración Regional de la Embajada de los Estados Unidos en Bogotá, una dependencia fachada de la CIA.

Patrullas de búsqueda y rescate hallaron los cadáveres del colombiano y de uno de los estadounidenses. Según informó la prensa, fueron asesinados por los subversivos. Los otros tres mercenarios fueron secuestrados por la guerrilla.

Como respuesta, el gobierno estadounidense envió a cincuenta soldados élite a Colombia sin que se pidiera autorización previa al Congreso de la República como está escrito en algunas leyes, ni tampoco al gobierno local. Más tarde se dijo que los militares fueron enviados «para prestar apoyo al ejército colombiano en la búsqueda de los secuestrados y sus secuestradores».

Asimismo, esta acción violaba los límites establecidos en algún documento del Congreso en Washington que señala cómo «las tropas estadounidenses no deben participar en operaciones militares en el extranjero».

Pero, a pesar de lo que le informen a los diplomáticos colombianos en Washington, la California Microwave Inc. a la cual pertenecían los mercenarios secuestrados ofrece en Colombia servicios militares y de espionaje en el ámbito de la telecomunicación y el control aéreo. Constituye una filial de la Northrop Grumman Inc. que se encarga de las estaciones de radar militares del Estado colombiano, pero operadas por una cantidad desconocida de mercenarios estadounidenses.

Desde el ángulo que se mire, la impunidad en torno a los mercenarios es absoluta en Colombia. Ellos se mueven por el país como quieren, generalmente sin visas y con excepciones están inmersos en el consumo de heroína y cocaína, y en delitos como el narcotráfico.

En septiembre del año 2003 el gobierno local firmó un acuerdo con la Casa Blanca según el cual Colombia se comprometió a no enviar a la Corte Penal Internacional a ciudadanos estadounidenses para ser juzgados por crímenes de lesa humanidad, salvo que Washington lo autorice.

En cuanto a los mercenarios nunca ha estado claro si se someten a las leyes locales, ni quién se encarga de perseguir y de reprimir los crímenes que cometan, puesto que su estatus legal es poco transparente para las autoridades colombianas.

Según diferentes estudios consultados, en el caso del *Plan Colombia* los mercenarios no estaban ligados a las obligaciones, la disciplina, las órdenes y los demás códigos de cualquier ejército regular.

Desde cuando el semanario estadounidense *The Nation* publicó una versión (maquillada) del convenio entre el Departamento de Estado y DynCorp, se conoció que sus empleados reclutados entre antiguos militares estadounidenses y latinoamericanos en Colombia, Perú y Bolivia disfrutaban de protección contra el procesamiento penal por las autoridades locales.

Steven Artergood, de la Federación de Científicos *Americanos*, declara acerca del convenio DynCorp/Departamento de Estado:

«La forma de control "rutinario", al cual estarían sometidas las actividades militares oficiales, es eludida por los comisionados. Este hecho ilustra cómo el fenómeno de la privatización de funciones militares le ha posibilitado al gobierno en una medida impresionante eludir el control público».

En la práctica, en Colombia como en el resto del mundo, se ha comprobado la asociación de mercenarios con alto consumo de drogas, igual que con tráfico de éstas, con redes de prostitución con niñas, arreglos con grupos de exterminio, traficantes de armas, entrenamiento militar mal ejecutado o accidentes trágicos, lo cual despierta duda sobre su utilización. Cuando tales problemas se presentan quedan dudas tan profundas como ¿a quién le rinden cuentas? ¿Quién asume alguna responsabilidad por sus actos? Eso es lo que ha sucedido en Colombia.

Según Hernando Calvo Ospina (*Le Monde Diplomatique*), «el contacto con las compañías militares privadas se hace a través de un funcionario de la embajada estadounidense. Ninguna autoridad colombiana tiene derecho a controlarlas, como tampoco a sus aviones, a sus tripulantes ni a sus cargamentos. Sus hombres ingresan al país con una visa de turismo o sin ella, pero gozan de protección diplomática. Las pocas veces que, en un reato de dignidad, las autoridades colombianas osaron protestar, Washington amenazó con suspender su *ayuda* económica».

Para los estadistas estadounidenses la utilización de mercenarios es preferible que colocar en Colombia fuerzas oficiales. Definitivamente los mercenarios no están sometidos a ningún código de conducta estricto, Washington no responde directamente por ellos y a sus bajas por muerte o captura no se les da gran publicidad.

«Cuando matan a los contratistas privados nosotros simplemente declaramos que ellos no forman parte de nuestras fuerzas militares», admitía Miles Frechette, embajador de los Estados Unidos en Colombia.

Según Leslie Wayne, los contratistas privados van adonde el Pentágono prefiere no ser visto. En los años recientes, han enviado a sus empleados a Bosnia, Nigeria, Macedonia, hoy a Iraq, a Colombia y a otros lugares del mundo que ellos califican como conflictivos.

En Colombia los mercenarios actúan en muchas regiones secundados por los paramilitares —narcotraficantes enemigos de la guerrilla— y, a su vez, la versión local del mercenario.

Un activista de Derechos Humanos del Putumayo —zona amazónica— indica que, momentos antes de la llegada de los aviones que fumigan selvas y cultivos de coca, se puede observar con frecuencia la aparición de patrullas paramilitares cumpliendo con su tarea de «limpieza del terreno», o sea, asesinando a sospechosos de ser insurgentes o a campesinos irritados.

Según un cabecilla paramilitar, «se trata de una medida preventiva para evitar que la guerrilla derribe las aeronaves de fumigación *americanas*».

Muchas de estas fuerzas paramilitares del sur de Colombia están integradas por beneficiarios de los programas de entrenamiento de las Fuerzas Armadas incluidas en lo que fue el *Plan Colombia*. La aparente coordinación entre estos «escuadrones de la muerte» privados con la Sección Antinarcóticos de Estados Unidos, los mercenarios de DynCorp y el Ejército de Colombia —a pesar de ser tajantemente desmentido por funcionarios de Estados Unidos— quizá puede ilustrar un detalle de la realidad «sucia» de lo que es el *Plan Colombia* (Bigwood).

Los mercenarios no aparecen en Colombia solos, ni atraídos por las autoridades locales que, empero, protegen su presencia en el país. Ellos llegan formando parte de poderosas empresas estadounidenses contratadas por el Departamento de Estado y el Pentágono que no desean aparecer como actores activos en esta guerra.

Las corporaciones militares privadas presentes en Colombia pertenecen al grupo de las cien empresas con mayor crecimiento en los últimos años en los Estados Unidos. Son firmas íntimamente relacionadas con los círculos del poder en Washington, dirigidas por generales retirados y antiguos funcionarios de muy alto rango, exejecutivos del gobierno estadounidense que hacen de la guerra su negocio.

Hoy una tercera parte de las funciones del ejército estadounidense está en manos privadas. Las corporaciones militares se están desarrollando más rápido que las de Internet o de biotecnología.

Según una estimación de Peter Singer, analista de la Brookings Institution, estas corporaciones actualmente manejan un negocio de doscientos mil millones de dólares anuales y otros analistas creen que en la próxima década este tipo de empresas duplicará el volumen de sus negocios, que incluirán desde el mantenimiento de sistemas de defensa o modernización de fuerzas armadas en países de los cinco continentes, hasta la protección de minas de diamantes.

Estas empresas también son contratadas y utilizadas por las multinacionales para proteger sus intereses económicos, sobre todo instalaciones de petróleo en Colombia, y por Estados, algunas veces criminales, para evitar la implicación directa de sus efectivos militares.

De esta forma logran ocultar su participación en diferentes guerras sucias y evitar ser considerados como responsables directos. Jugando un ajedrez con la legislación, en Estados Unidos evitan controles del Congreso y también límites presupuestales.

Colombia es un ejemplar laboratorio de pruebas de las nuevas guerras o «guerras privatizadas» —que han irrumpido en el mundo con la llegada del tercer milenio— por ser lo que se cataloga hoy como un «Estado fallido». Es decir, un país cuyos gobiernos no han logrado mantener el monopolio del poder y cuyas fuerzas armadas y policiales han sido incapaces de garantizar a sus habitantes un nivel mínimo de seguridad.

En este país los diversos grupos de narcotraficantes violentos, paramilitares, guerrilleros y el crimen organizado, según Estados Unidos, crean una situación inestable que los está llevando a imponer la demanda de servicios de seguridad privada, cada día más amplia a partir del *Plan Colombia.*

Se trata del fortalecimiento, como nunca antes había ocurrido, del fabuloso negocio de la guerra, pero ahora en proporciones insospechadas.

Por ejemplo, sólo una de las 16 compañías estadounidenses que han operado con el *Plan Colombia* (Lokheed-Martin), en el año 2004 —pico de las inversiones estadounidenses en esta guerra— declaró utilidades por 34.500 millones de dólares... ¡Treinta y cuatro mil quinientos millones!

Esa sola cifra es un parámetro que permite calcular hasta qué punto a los empresarios de la guerra no les interesa que un país como Colombia logre superar un conflicto de más de medio siglo en su última fase.

Estas compañías —alrededor de 35 en Estados Unidos—, favorecidas tanto por oportunistas como por políticos, necesitan permiso del Gobierno para competir en el negocio. Algunas tienen nombres familiares, como Kellogg Brown & Root, una sucursal de la compañía Halliburton que opera para el gobierno estadounidense en Guantánamo, Cuba, y en Asia Central.

Otras tienen nombres más crípticos como DynCorp; Vinell, una sucursal de Trw; Saic; Ici de Oregon, y Logicon, unidad de Northrop Grumman. Una de las más conocidas, MPRI (Military Profesional Resources Inc.), se jacta de tener «más generales por pie cuadrado que el Pentágono».

Según Pascual Serrano, mediante la subcontratación a multinacionales de la guerra, Estados Unidos parece haber descubierto el modo de burlar cualquier control sobre sus actividades militares en el exterior. El mundo, y en especial América Latina, se convierte así en el campo de operaciones de unas compañías militares que sólo han de responder ante quienes les pagan.

A su juicio, «Toda norma de derecho internacional, respecto a los derechos humanos o soberanía de cada país deja de tener sentido para estos profesionales de la guerra y, desde luego, de la muerte».

De acuerdo con analistas, si son tenidos en cuenta los problemas que ha afrontado Estados Unidos para intervenir en sitios geopolíticamente importantes para ellos, es posible entender por qué no han pensado en enviar una fuerza militar a Colombia, lo cual hoy —aun después de lo de las Torres Gemelas y el Pentágono— sería impracticable desde su punto de vista militar. Enviar sus hombres a unas selvas, donde saben que pueden ser golpeados, ha sido descartado. Por eso tratan de tener sus objetivos cumplidos a través de mercenarios. Hoy políticamente no pueden arriesgar a sus fuerzas.

De ahí el tema de las compañías de mercenarios y el del fortalecimiento del Ejército colombiano dentro del *Plan Colombia* y el Plan Patriota, que implicaron darle capacidad para que pudiera cumplir unos objetivos que le interesan a los Estados Unidos, desde luego, sin que ese país aparezca interviniendo.

Por eso el tema de la *vietnamización* de Colombia, tal como ocurrió en Vietnam, resulta imposible en las condiciones actuales de la política estadounidense.

No en vano el presidente Bush dijo refiriéndose al *terrorismo*, dentro del cual su gobierno enmarcó a Colombia: «Haremos que se maten entre ellos».

Pero, por otro lado, refiriéndose a las corporaciones militares privadas, se parte de la base según la cual la consecuencia directa para el Estado que permite la utilización de mercenarios es la pérdida absoluta de su soberanía.

Según Anna Kucia, «el interés de procurar seguridad como un bien público de un pueblo entero está enfrentado con el interés de un negociante con una sola línea de conducta: la acumulación de ganancias».

***

La historia de un grupo de treinta y cinco mercenarios colombianos en Bagdad permitió no solamente revelar cómo se mueve en Colombia una parte de las empresas militares privadas, sino también dejó ver en pequeña escala la dimensión del negocio que resulta para ellas la privatización de la guerra.

Durante el segundo mandato de Uribe, los exmilitares colombianos metidos a mercenarios se hallaban atrapados en Iraq por una urdimbre de compañías estadounidenses que parecían cubrirse unas con otras para eludir responsabilidades.

Su historia fue señalada por ellos mismos como un delito igual al de la trata de blancas, que comienza por llevarlos a la guerra en voz baja y, una vez allí, sin conocimiento del idioma ni del medio, quitarles sus pasaportes y sus pasajes. Luego vienen el secreto, la reserva, el mutismo impuesto a la fuerza y la venganza si lo violan.

Hasta entonces hablar con mercenarios reclutados en Colombia parecía un disparate y aquellos que llegaban a aceptar un diálogo lo hacían temerosos, las historias no rompían, los recuerdos se negaban. Se trataba de exmilitares dispuestos a jugarse la vida por una paga en dólares, pero a la vez presas de temor frente a quienes los han comprometido con la guerra a través de unos papeles fechados en el exterior.

Sin embargo, finalmente fue tan ostentoso el atropello cometido con un contingente que del grupo salieron un teniente y un capitán retirados del Ejército quienes resolvieron romper el silencio: pedían que no los engañaran con la paga. Pero haber abierto la boca les valió ser confinados a trabajos forzados. Luego los expulsaron de allí y fueron enviados de regreso.

Pero el capitán y el teniente llegaron a Colombia y contaron la historia, y la historia se hizo pública, y a pesar del gran despliegue de prensa jamás hubo respuesta alguna en la medida de la magnitud del escándalo.

Este caso demostró una vez más cómo realmente uno de los secretos de las compañías militares privadas es utilizar mecanismos que les permitan violar leyes, normas y disposiciones sin ser llamadas a responder por ello.

La historia había comenzado cuando una compañía que se da a conocer en Colombia como *I.D.System* hizo una selección de candidatos: fueron escogidos oficiales, suboficiales y soldados profesionales con experiencia en la lucha contra la guerrilla, y los envió a un curso en la Escuela de Caballería del Ejército colombiano, dictado por mercenarios estadounidenses que generalmente no tienen permisos ni para ingresar al país, ni para trabajar en él.

La Escuela de Caballería. El Ejército de la República de Colombia. ¿Quién los ha autorizado para convivir con empresas extranjeras de mercenarios? Una consulta al Congreso de la República reveló que ni siquiera los senadores sabían de la asociación de oficiales colombianos con mercenarios extranjeros. Todo se hace en silencio, por fuera de las leyes, a escondidas del país.

En la medida que fue emergiendo la historia del atropello fueron saliendo a flote cosas que no se habían dicho públicamente hasta entonces, como que el negociante que se esconde tras *I.D.System* se llama José Arturo Zuluaga, y que quien algunas veces da la cara es el capitán de comunicaciones retirado, Gonzalo Guevara.

«Todo bien, todo bien. Todo legal. Aquí no violamos los derechos humanos», le había dicho Guevara a la revista *Semana* en agosto del 2005, cuando denunció la colaboración del Ejército con compañías de mercenarios extranjeros, y el excapitán minimizó la existencia de *I.D.System* pero dejó vislumbrar la presencia en el baile de una segunda organización: Blackwater USA.

En agosto, el relato del capitán y del teniente —pidieron que sus nombres fueran omitidos «porque en *I.D.System* tienen nuestras direcciones, saben de nuestros hijos y de nuestras familias»— fue escueto. Hablaban por ellos y, desde luego, a nombre de quienes habían quedado atrapados en Bagdad:

«Como siempre, el curso se desarrolló en la Escuela de Caballería en Bogotá, bajo una ley del silencio tan drástica como la de las cárceles. Desde el primer día allí nos dijeron que quien tomara fotos o que *por casualidad* se dejara entrevistar de algún periodista o medio de comunicación, inmediatamente sería expulsado del programa de instrucción.

»Más tarde, en Iraq, nos amenazaban de frente: que si le contábamos a los familiares o a alguien cuál era nuestra situación, pagaríamos las consecuencias al regresar a Colombia».

«El día que nos engancharon hablaron de un sueldo mensual de 7.000 dólares. Eso era más de lo que cualquiera de nosotros ganaba en ese momento en Colombia… ¿Siete mil dólares? Dios mío, repetíamos».

Dos meses antes yo había hablado con un par de oficiales retirados del Ejército que también fueron a Iraq, pero ellos trabajaron en un lugar apartado de Bagdad que se llama Al Hillah.

No obstante, a pesar de habernos tomado todo el tiempo en dos sesiones, fue realmente poco lo que ellos quisieron revelar. Estaban nerviosos, se veían preocupados porque yo dejara conocer sus nombres, dieron rodeos, ofrecieron explicaciones que no venían al cuento y finalmente confesaron que tenían miedo a represalias por hablar:

«—El gancho para atraernos a una compañía que se llama Blackwater es decirle que a uno le van a pagar 7.000 dólares mensuales, pero eso no es verdad, eso es falso —comenzaron diciendo.

»—Es que todo allí es misterioso, yo diría que sospechoso…

»—¿Por qué?

»—Porque no son claros ni para decir con quién íbamos. Mire: al comienzo hablaban de Blackwater, después de otra compañía gringa, pero más tarde descubrimos que nuestro trato terminó siendo con una tercera que tiene sede en Panamá, pero que no es panameña...

»—En Bogotá fuimos a hablar con un capitán retirado, creo que se llama Gonzalo Guevara y así comenzó un proceso largo, tal vez de ocho meses. Al comienzo había que llamar por teléfono para que le dijeran algo a uno, como motivándolo, como haciéndolo antojar cada vez más. Hoy me doy cuenta de que todo es preparado… ¿Cómo dicen?

»—A mansalva y sobreseguro.

»—Sí, a mansalva y sobre seguro. Bueno. Yo llamaba cada ocho días, pero algunos llamaban todos los días y el capitán decía que había que esperar hasta diciembre.

»—Bueno. Lo cierto es que a la hora de comenzar vino la primera entrevista con un gringo que dijeron, se llamaba Rob Owen —él fue quien licitó con Blackwater para llevar suramericanos a Iraq—. Owen estaba con un traductor».

La historia del capitán y del teniente continúa:

«El curso de entrenamiento consiste en trabajo de cinco de la mañana a seis de la tarde durante dos semanas, dirigido por tres instructores *americanos*».

La primera semana recibieron clases en las aulas de la Escuela de Caballería. Tema: Iraq y el enemigo que iban a encontrar.

La segunda semana se dedicaron al manejo de armas y ejercicios de polígono. «Parte de la munición es traída de Estados Unidos. ¿Cómo? No nos pregunte... Otra parte es de la industria militar de Colombia».

La labor silenciosa de las empresas de violencia privada es siempre igual. Se trata de que no las vean, que no sepan nada de ellas: perfil muy bajo, ganancias enormes.

«Terminado el curso ya no hablaron de un sueldo mensual de 7.000 dólares, sino de 4.000 dólares. Qué decepción, pero de todas maneras era un buen dinero. Luego nos dijeron que debíamos estar listos para partir en cualquier momento y nos invitaron a una reunión con nuestras familias para decirles que viajaríamos en muy buenas condiciones, que íbamos con un buen salario, con todos los seguros médicos, odontológicos... Y además, un seguro de vida por un millón y medio de dólares para casos de invalidez o muerte. Como si fuera poco, dijeron que por los primeros tres meses de trabajo tendríamos uno de descanso en Europa y, ¿sabe?, 1000 dólares de viáticos».

LOS OFICIALES DE AL HILLAH:

«Al comienzo, en Bogotá el capitán Guevara habló de un seguro de vida y alguien más dijo que era de un millón de dólares, pero a la hora de la verdad no apareció ni seguro ni nada. Otra mentira para embarcarlo a uno. Cuando allá nos dimos cuenta del engaño todos hablaron de protestar pero inmediatamente nos dijeron que si lo hacíamos íbamos a tener problemas graves...

»Pero, además, el mismo capitán había hablado de un descanso en Europa con todos los gastos pagos cuando cumpliéramos tres meses de trabajo en Iraq, y una prima de mil dólares como viáticos. Luego volveríamos a Iraq y eso era muy atractivo. Pero ¿qué sucedió? Que pasaron los tres meses y cuando dijimos que el descanso en Europa era un compromiso formal de la empresa, nos respondieron algo así como *¿Formal? Aquí no hay compromisos formales para hacer turismo...*

»Y uno allá, sin conocer a nadie, sin saber el idioma...».

EL CAPITÁN Y EL TENIENTE:

«La reunión social de fin de curso fue el mismo viernes a las ocho de la noche, día en que finalizamos labores. Íbamos con nuestras esposas, algunos con sus hijos... Gran orgullo; nos entregaban diplomas, certificados de honor y tal. Habló el excapitán Gonzalo Guevara, que es como el segundo al mando o, mejor dicho, el que da la cara ¿Qué dijo? Ah. Que nos esperaba una gran experiencia… Pero nunca llegaron ni el whisky, ni los vinos, ni la selección de licores que Zuluaga había mandado decir unos días antes. Un detalle pequeño, pero de todas maneras el comienzo de toda esta mentira.

»La reunión busca subirle la moral a las familias, pero al poco tiempo eso también es mentira, porque las familias la pasan muy mal. La verdad es que ya están enteradas de lo que sucede a pesar de que normalmente allá se ocupan de no dejar filtrar ni un comentario. Allá existe una forma de represión sistemática, calculada.

»Semanas después de la comida, una noche a las once y media nos avisaron que saldríamos al día siguiente. Debíamos estar en el aeropuerto a las ocho de la mañana. Pero nos tuvieron allí hasta la una de la mañana siguiente con el pretexto de que no habían llegado unos uniformes caqui con los que debíamos salir.

»En ese momento nos entregaron un contrato de 23 páginas con párrafos apretados y una letra muy pequeña y nos dijeron que el sueldo ya no serían 4.000 dólares al mes sino 2.700, y la verdad es que ya no había nada que hacer. A esas alturas ninguno de nosotros tenía trabajo, habíamos renunciado con la ilusión de mejorar.

»Tres horas o menos para preparar semejante viaje. Usted en ese momento no tiene tiempo para pensar en nada más que en ir a comprar los útiles de aseo, ir a alistar la maleta. Muchos no teníamos maletines o bolsos, pero a la vez estábamos pensando en despedirnos de las familias... Entonces, ¿en qué momento, en qué momento alcanza uno a leer ese contrato tan largo? Hoy todos entendemos que la presión del tiempo es una estrategia a la que recurren para que uno se vaya ciego en cuanto a las condiciones reales de trabajo».

LOS OFICIALES ENVIADOS A AL HILLAH:

«La víspera de partir todo fue una sola carrera porque nos entregaron los contratos después de la medianoche y teníamos que madrugar al aeropuerto, de manera que nadie pudo leer nada, ni enterarse de las condiciones en que realmente nos llevaban. Apenas en el vuelo algunos empezaron a leer y a comprobar que nos habían tramado. Mejor dicho, nos engañaron en muchas cosas, primero en el sueldo que ya no era de 7.000 dólares, ni mucho menos de 4.000 dólares sino de 2.700».

EL CAPITÁN Y EL TENIENTE:

«Observe bien esto: no hubo tiempo para estudiar el tal contrato, pero más tarde en Iraq vimos dos cosas que ponían a pensar a cualquiera. Primero: una cláusula, la 19.24, que dice: "Tienen oportunidad para consultar con un consejero"».

La compañía —ahora figuraba una tercera, esta vez panameña— garantiza que le ha aconsejado al contratista buscar la asesoría de un abogado de su propia escogencia que le explicara los términos contenidos en el acuerdo. Ojo: ya no hablaban de contrato sino de *acuerdo*.

Al final el papel anota una vez más que el contratista ha tenido la oportunidad de consultar con un abogado independiente antes de firmar el... acuerdo.

«Segundo: la compañía que figura en los papeles es panameña. Ya van tres. Ahora nuestro contrato no era ni con *I.D.System*, ni con Blackwater, sino con una que llamaban *Psic Sarl Inc.* que tiene en Panamá una representante llamada Angelika Dabrowska. Ella es quien firma como contratante.

«En ese momento —y luego en Iraq— nos dimos cuenta de que en este negocio juegan con compañías y más compañías, unas que van reemplazando a las otras, de manera que van escabullendo las responsabilidades en medio de la maraña de nombres, para que finalmente quienes pierdan sean los demás. ¿Ellos? Ellos nunca pierden.

»¿Alguien entiende qué buscan estas compañías con la confusión? Como ya dije, en Colombia hicimos contacto con algo llamado *I.D.System* pero la que nos iba a contratar era Blackwater USA. Pero quienes manejan en Iraq algunas cosas se llaman Greystone... Mejor dicho, Blackwater le cedió, le endosó, le traspasó, le transfirió los papeles a Greystone y Greystone subcontrató a *I.D.System* y la *I.D.System* extendió unos contratos que no son contratos sino "acuerdos" a nombre de otra cosa que se llama *Psic Sarl Inc.*, como en el caso de los traficantes de cocaína, una empresa de fachada en Panamá. Por eso los contratos no tienen en cuenta la legislación colombiana, ni la soberanía colombiana. Por tanto no hay ningún respeto por este país. Así de claro.

»El enredo es tan grande como lo dice el contrato que no es contrato»: *La compañía está actuando bajo un subcontrato para una compañía que tenga contratos con varias entidades que tengan que ver con el reclutamiento y el manejo de personal profesional de seguridad para conducir la seguridad y operaciones de alta protección en varios sitios de alto riesgo alrededor del mundo...*

«Total, la madrugada del viaje a Iraq nadie tuvo tiempo de leer nada —eso ya está perfectamente calculado por José Arturo Zuluaga y su carnal, el excapitán de comunicaciones Gonzalo Guevara —pero no contaban con que uno de nosotros llega a la casa, se acuesta a dormir un par de horas y mientras tanto la mamá se ocupa de leer lo que llaman “contrato”, y preciso: da en el punto donde decía que el muchacho iba a ganar 34 dólares diarios. Eso son mil dólares al mes, y ella inmediatamente lo despierta y le dice:

»—Vea, mijo: lo engañaron. Lo están estafando. ¡Todo lo que le prometieron son mentiras!... ¿Usted cómo se va a ir por eso? Si usted está ganando más aquí en Colombia. Además, aquí, en ningún párrafo dice nada del mes de descanso en Europa, ni lo del seguro de invalidez o muerte por un millón y medio de dólares. Aquí lo que dice es esto —le explica ella y luego lee»:

Al contratista se le aconseja tener su propio seguro personal para cubrir estos y todos los demás riesgos...

«El muchacho lee y cuando realmente ve que allí no figura nada de lo que nos han dicho, ¿qué hace? Toma el teléfono celular, llama al capitán Gonzalo Guevara, y le dice:

»—Vea, mi capitán, yo por 34 dólares diarios no me voy para Iraq. No me voy para un país donde voy a estar lejos de mi familia y voy a estar en una situación de guerra permanente —y el capitán se pone como él sabe:

»—Usted es un hijueputa, ¿cómo así? ¿Cómo me viene a decir eso a estas alturas si ya los pasajes están comprados?

»—Pues más hijueputa es usted que nos quiere engañar —y le tira el teléfono.

»Pasados diez minutos lo llama el capitán Gonzalo Guevara:

»—Mire, hermanito, no discutamos, entiéndame, fresco, hermano, ese es un contrato que nosotros tenemos que guardar aquí como base. Sencillamente usted habla y allá le renuevan el contrato. Ustedes llegan a Bagdad y allá van a tener un curso de *Phd* y se van a ganar entre seis mil y siete mil dólares mensuales.

Esto es simplemente una base, un requisito que toca llenar. Fresco, hermanito, que allá van a arreglarles todo.

»El muchacho le pregunta:

»—¿Pero, eso sí es cierto? —Y Gonzalo Guevara muy mansito:

»—Sí, hermano, tranquilo, fresco que yo le doy mi palabra. En esto no hay problema.

»Y esta es la hora que ese muchacho está en Bagdad ganándose treinta y cuatro dólares al día, mil al mes, prestando turnos de doce horas diarias y es uno de los que se quieren venir… Pero no lo dejan.

»Y otra parte del personal no es que ahora quiera, sino que a base de presión y amenazas le han cambiado la voluntad. Ya está aceptando lo que venga».

«Lo del dinero es parecido a lo de esa maraña de compañías que se esconden unas detrás de las otras, de manera que llega un momento en el cual uno no comprende para quién realmente está trabajando, o quién es quién, o qué buscan con semejante enredo:

»Estas compañías siempre llevan las de ganar. Siempre. En Iraq se aprovechan de que uno esté allá, porque allá uno es indefenso, no tiene ni el idioma, ni conoce nada, ni hay un representante del país… Mire: a nosotros nos maltrataron los puertorriqueños, que al fin y al cabo son estadounidenses, y nos maltrató el excapitán de infantería de Colombia, Édgar Ernesto Méndez, frente a los gringos de la Blackwater que permanecían callados».

«Bueno, llegamos a Iraq: en el aeropuerto de Bagdad nos esperaba un hombre con un cartel que decía Blackwater. Nos llevaron a la ciudad, una ciudad gris, una ciudad en ruinas, calles desiertas, uno que otro vehículo, ¿dónde estará la gente? Luego a una base donde almacenan armamento de los Estados Unidos.

»Íbamos a reemplazar a un grupo de rumanos. Y cuando les contamos a ellos que nos pagarían mil dólares se cogían la cabeza a dos manos, se reían y decían, "ustedes son unos estúpidos, ¿cómo se van a regalar por mil dólares en un país tan peligroso como es Iraq?". A ellos les pagaban cuatro mil dólares al mes. En adelante, en aquella base dejaron de hablarnos, nos miraban y se burlaban. Nos decían "regalados".

»Nuestro trabajo consistía en prestarle seguridad a la base. Lo que pasara al interior era nuestra responsabilidad. Nosotros teníamos al comienzo ocho puestos, cuatro de ellos móviles. Básicamente se trataba de que nadie se acercara al muro, que no dejaran paquetes por allí, mucho menos que trataran de pasarlo».

«Los grandes seguros: cuando llegamos allá había más de uno enfermo y en ese momento nos dimos cuenta de que ni existen seguros médicos ni nada para la salud. A alguien que lo atacó un dolor de muela casi no lo atienden. Con esa pauta empezamos a averiguar lo del seguro de vida y encontramos que la mamá del muchacho tenía toda la razón: ¿Cuál seguro? Todo era una completa falsedad.

»Pasa el primer día y la primera contrariedad porque desde un principio nos dimos cuenta de que el sueldo que nos iban a pagar no era el que nos habían dicho y comenzamos a buscar que nos arreglaran lo justo. Pero ante el descontento, el grupo nos eligió como líderes para que habláramos a favor de todos. Entonces lo que hicieron con nosotros fue apartarnos de los demás en forma brusca, porque primero intentaron entregarnos a la policía iraquí que ellos llaman *La Federal*.

»Lo que sucedió: en el momento en que el grupo nos nombra como líderes para que exijamos los derechos ante los representantes de la Blackwater, de la Greystone y del capitán Édgar Ernesto Méndez, enlace de la *I.D.System* y coordinador de los colombianos, se efectúa una reunión. Decimos que nos sentimos estafados porque el sueldo no es el que nos prometieron, y Méndez Édgar Ernesto dice lo único que sabe decir para presionar a la gente: "Ustedes están lejos de sus familias. Están en un país desconocido donde hay una guerra. Ya están aquí. Ahora les tocará aguantarse". Y luego otra frase que repite para excusar a sus patrones:

»—Es mejor pájaro en mano que cien volando, así que se aguantan. —Así nos dijo esa vez y así nos dijo el día que le hablamos del inconformismo de la gente.

»—Pero es que yo necesito que me entreguen ya los pasajes aéreos que tiene cada uno —gritó después.

»Muchos respondimos que no los entregábamos hasta cuando nos resolvieran algo a favor, pero él volvió con lo suyo:

»—Es que los pasajes de avión me los tienen que entregar ya, y el que se quiera devolver para Colombia, pues paga de su bolsillo —sabiendo que el que más tenía en ese momento eran cincuenta dólares. Luego repitió:

»—Si se quieren ir, se van por sus propios medios, porque la compañía no les va a pagar nada.

»¿Irse cómo? La ruta al aeropuerto es la vía de las explosiones y las emboscadas y hay que transitar por allí en carros blindados».

Los oficiales enviados a Al Hillah:

«La última escala de nuestro vuelo a Iraq fue en Ammán, Jordania. Una vez nos subimos al avión para continuar, nos quitaron los pasaportes y los pasajes. Un sargento que no quería entregarlos, decía: "Esto es lo mismo que hacen los traficantes con las mujeres que se llevan para los prostíbulos de Venezuela y de Aruba. ¡Qué tristeza!"».

EL CAPITÁN Y EL TENIENTE:

«Al día siguiente se hace otra reunión y nos ponen un altavoz a través del cual el negociante José Arturo Zuluaga, que parece ser la cabeza de *I.D.System* en Bogotá —él se esconde detrás del capitán Gonzalo Guevara y nunca da la cara—, responde a lo de los sueldos y a lo del engaño diciendo que ese es un negocio y que él tiene que ganar algo por cada hombre, que ya por el grupo, pues claro que le queda mejor dinero, pero que si a alguien no le gusta el sueldo que se regrese a Colombia.

»En ese momento todos entendimos que esto es algo igual a lo de la trata de blancas.

»Después hicimos cálculos de lo que se gana José Arturo Zuluaga traficando con seres humanos:

»Mire: para hacer una operación sencilla, en ese momento había 35 de nosotros en Bagdad y 34 en Al Hillah: son 69. Menos dos a los que nos iban a expulsar, 67. Calculando que se meta en el bolsillo (teniendo en cuenta la diferencia entre 2.700 que fue lo penúltimo que nos dijeron y 1.000 que nos pagaban), ¿cuánto le queda? Mínimo le quedan 114.000 dólares al mes.

»Pero si lo que le da la Blackwater al último intermediario que es él, son 4.000 dólares, le quedan 200.000 dólares mensuales. Y si realmente lo que le dan son 7.000, que fue la primera cifra que escuchamos, el tipo se baja 400.000 dólares cada mes a costa de los que van a Iraq a jugarse la vida.

»Deje aparte lo que se embolsilla la Blackwater manejando lo que le da por cada hombre el Departamento de Estado de los Estados Unidos. En Bagdad, hablando con gringos y con rumanos, supimos que el Departamento de Estado le da a la Blackwater 30.000 dólares por cada colombiano. Entonces la Blackwater y su enredo de compañías se quedan con 23.000 dólares por colombiano. Y según eso, como en este caso somos 69, le quedan un millón seiscientos mil dólares al mes, en un negocito que para ellos significa un grano de arena.

»Por eso la ley del silencio de estas compañías y la presión para que la gente que trabaja con ellos no abra la boca, ni tome fotos, ni se asome a la Internet, ni diga jamás que estuvo en Iraq trabajando con la Blackwater, o para la Greystone, o para *I.D.System*, o por lo menos para ese cuento de Panamá que llaman *Psic Sarl Inc.*».

«Bueno, volviendo al cuento de Iraq, al día siguiente de haber hecho la primera protesta por los sueldos, nosotros pensamos en irnos. La gente no quería trabajar. Dijimos: "Si no nos arreglan, no recibimos los turnos de guardia". Pero como nosotros éramos los líderes, dijimos: "Ante todo somos profesionales, recibamos de todas maneras la guardia y mañana se aclarará qué va a pasar".

»La gente lo aceptó y empezamos a prestar servicio.

»Nosotros habíamos salido a las ocho de la mañana porque recibimos a las doce de la noche. Fuimos a descansar y a las nueve y media nos llamó a los dos el capitán Édgar Ernesto Méndez: "Alisten sus maletas que ustedes se van para otro lado", comentó.

»Cuando los del grupo se dieron cuenta, dijeron: "No podemos dejar ir a los líderes o aquí nos joden".

»Entonces, ¿qué hace el grupo? Inmediatamente se viste de civil y saca sus maletas: "Si se van los dos oficiales, nosotros también nos vamos. Y si es para Colombia, pues bien: todos para Colombia".

»Allá hay un gringo *pueltorriqueño* de apellido Lugo, jefe del área de seguridad. Él dice:

»—Nadie se puede ir. De aquí no saldrá nadie que esté a cargo de la seguridad. Únicamente se van el teniente y el capitán.

»Ese día llegaba a Iraq el presidente de Estados Unidos y tratamos de tomar contacto con él para hablarle del engaño, pero cuando Lugo y el capitán Édgar Ernesto Méndez se dan cuenta, ahí mismo nos dicen al teniente y a mí:

»—Inmediatamente se suben a esa camioneta que después les mandamos sus maletas. A la camioneta. A la camioneta.

»Y nosotros:

»—Hasta que no nos entreguen las maletas, no.

»Entonces en una situación ya forzada nos obligaron y nos tocó subirnos a la camioneta, nos llevan a un sitio que llaman Pym House, una casa de paso, y nos mantienen allí.

»Tan pronto llegamos al sitio nos obligan a devolver todo el material que nos habían entregado, casco blindado, chaleco antibalas, un impermeable... Hasta las botas, y nos quedamos en el uniforme caqui que teníamos.

»Inmediatamente un señor gringo de la Graystone que permanece allí con un chileno, nos dice que si no hacemos lo que ellos ordenen, pues sencillamente tendremos que dormir afuera, con comida de ración y tomar agua de un tanque porque no nos darán de la de beber. Nos dicen eso sabiendo que afuera estamos expuestos a que nos secuestren o a que un francotirador nos mate.

»No nos queda otra opción. Entonces decimos:

»—De acuerdo, dígannos qué hay que hacer.

»Y ellos, claro: en primer lugar nos ponen a lavar carros, a hacer trincheras, a abrir huecos para la basura y todo el día es así, castigados a trabajos forzados. Era una clara situación de venganza por haber hablado.

»En ese momento nosotros desconocíamos si íbamos a salir o adónde nos iban a mandar porque nos tenían dentro de un cerco bajo esa amenaza permanente, que si no hacen esto y lo otro, que si llegan a hablar, que si llegan a decir algo… Dijimos, ¿Qué van a hacer con nosotros?

»Inclusive llegó un momento en que le dije al teniente: "Hermano, preparémonos aquí para lo peor. Éstos no demoran en esposarnos".

»El día que llegamos, el teniente había reunido algunos dólares con ayuda de varios compañeros y compró un celular que siempre tuvo escondido.

»Ahora, ante aquella presión, el teniente logró comunicarse con su hermano, él lo hizo con la esposa de mi capitán y ya las dos familias llamaron a *I.D.System*, oficina del capitán Gonzalo Guevara, y le preguntaron qué estaba sucediendo con nosotros.

»Eso fue el cuarto día de trabajos forzados y gracias a la presión de las familias, el quinto nos llevaron al aeropuerto, allí nos devolvieron los pasaportes y los pasajes y logramos salir para Colombia.

»Pero... Esta es la misma situación que siguió viviendo el grupo. El simple hecho de que no puedan expresarse libremente, esa angustia permanente de que los estén espiando les impide hablar con libertad. Bueno, es que allá no se puede hablar con libertad... En el momento en que uno llega allá, el excapitán Édgar Ernesto Méndez, cumpliendo con lo que le mandan los *americanos*, nos dice: "Ustedes, cuidado con lo que hablan. Y cuidado con lo que escriben en Internet. Aquí hay controles y el que empiece a escribir o a contar lo que pasa aquí, o a tratar de mandar fotos, sencillamente eso se queda en nuestros filtros, y a ustedes los jodemos"».

El documento de la Blackwater y sus firmas de fachada es similar al de todas las compañías de mercenarios de los Estados Unidos:

Cláusula 15.1 - *El contratista no deberá, en ningún momento durante el servicio y por un período adicional de cinco años, divulgar, publicar, revelar o comunicar a cualquier persona o personas, firma u otra entidad, cualquier información confidencial relacionada con el trabajo de la Compañía y debe usar sus mejores esfuerzos para prevenir la publicación o revelación de todos los acuerdos de confidencialidad firmados por el contratista a favor de la Compañía...*

Cláusula 15.7 - *El contratista reconoce y acepta que sus deberes de trabajo lo exponen a información altamente sensible cuya revelación pueda causar daños irreparables a la Compañía, sus oficiales, directores, afiliados, agentes, contratistas, proveedores, clientes. Como condición del empleo, el Contratista acuerda que durante el término de este acuerdo y por un período de diez años posteriores, que sin expreso permiso por escrito de la Compañía: 1) No copiará, descargará, grabará en una cámara, fotografiará, o de cualquier forma documentará en algún medio cualquier información sensible… 3) No revelará cualquier información sensible a terceros... 4) No usará o revelará cualquier información para preparar libros, artículos, entrevistas, televisión o producciones de cine o cualquiera otra creación pública...*

«El excapitán de infantería Édgar Ernesto Méndez insistía en la influencia que tiene Blackwater, *I.D.System* —y todas las compañías que están detrás de ellos—, en el Ejército colombiano, de manera que podían cerrarnos las puertas para que nadie nos diera trabajo en el país.

»La verdad, nunca entendimos la actitud tan antipatriótica de ese señor.

»Por otra parte, sabemos que a quienes quedaron en Bagdad los dividieron en grupos. Mejor dicho, los *compartimentaron* como acostumbran en la guerrilla, y ellos están haciendo lo que les imponen en todo sentido.

»Ese contrato o, bueno, acuerdo o como se llame, es una mentira completa, es un montaje y eso es lo que debe salir a la luz pública: que esta empresa es una farsa frente a grupos capaces, con gran experiencia y bien entrenados como nosotros».

El capitán retirado del Ejército Gonzalo Guevara fue asesinado a balazos en una calle de Bogotá nueve meses más tarde.

***

Blackwater: una de las compañías de mercenarios estadounidenses que hace la guerra en Colombia.

El nombre Blackwater se escuchó en el mundo asociado a la guerra el 31 de marzo del año 2004 a raíz de la muerte de cuatro de sus mercenarios en la localidad de Fallujah, en Iraq. Sus cuerpos fueron vistos en la televisión cuando, desnudos, eran arrastrados por las calles en medio de una manifestación de júbilo iraquí que finalmente los colgó de lo alto de un puente.

Ese día un convoy de estadounidenses fuertemente armados entró a Fallujah y un poco después cayó en una emboscada con granadas propulsadas que atacó tres vehículos, uno de los cuales logró escapar. Los otros dos fueron acribillados. Cesado el fuego hubo celebraciones que se vieron en todo el mundo.

Tras las imágenes de Fallujah, los periodistas estadounidenses controlados por su ejército —la gran derrotada en Iraq es la prensa— aseguraban que los caídos eran norteamericanos civiles que se hallaban cumpliendo con una misión de entrega de alimentos. En una de las cadenas de televisión un experto militar aseguraba que como la resistencia no había podido ante las fuerzas armadas, ahora atacaba a civiles y misioneros, que resultaban ser los blancos más fáciles.

No obstante, días después la opinión mundial supo que los estadounidenses linchados realmente eran comandos de unidades especiales de Blackwater contratados como mercenarios, cuya misión todavía no está del todo clara.

Según los periodistas, la multitud que bailaba en torno a los vehículos quemados en las calles de Fallujah no pasaba de ser «una horda de bárbaros».

Después se escuchó el eco de Washington, registrado por la prensa estadounidense y recopilado por la organización Rwor:

«Somalia fue terrible, pero podíamos retirarnos. En ese entonces la seguridad de *América*, la seguridad nacional, no estaba en peligro. Pero esta vez no podemos retirarnos»: John McCaing, senador republicano.

«Hay mucho en juego, no vamos a dejarnos intimidar»: Scott McClellan, vocero de la Casa Blanca.

«Unidos por la tristeza y unidos por la resolución de que estos enemigos no prevalecerán»: John Kerry, candidato presidencial por los demócratas.

«Esto no quedará impune»: Paul Bremer III, administrador estadounidense de Iraq ante un desfile de nuevos policías locales.

«Regresaremos a Fallujah, pero será en el momento y lugar que nosotros escojamos. Cazaremos a los criminales y los mataremos o capturaremos, pero vamos a pacificar a Fallujah»: Mark Kimmitt, subdirector de operaciones de las fuerzas de ocupación.

Según la agencia citada, la violencia ejercida por los estadounidenses antes del linchamiento y exhibición de los mercenarios de la Blackwater es desconocida por el mundo:

El 26 de marzo, cuatro días antes de la emboscada, la Primera Fuerza de Expedición de los Marines ocupó la localidad con tanques y carros blindados. Esa división acababa de reemplazar a la Aerotransportada 82 del Ejército que desde noviembre del año anterior no había logrado entrar a Fallujah y que antes, en abril, dio muerte a decenas de personas desarmadas.

Los *marines* cercaron a dos comunidades y la televisión mostró en forma muy parcial el derribamiento de puertas para efectuar arrestos. En cierto momento la comunidad intentó defenderse con fuego de fusiles y pistolas y los *marines* respondieron con artillería pesada. El bombardeo duró buena parte del día pero no hay registros porque la prensa fue mantenida *a prudente distancia.*

El *Washington Post* entrevistó a algunos vecinos heridos. Ahmed Yasuf dijo: «¿Así piensan controlar la ciudad? Lo que van a lograr es convertirla en una zona de guerra».

En los cuatro días siguientes las fuerzas de ocupación bloquearon las carreteras de Fallujah y apuntaron los cañones al barrio obrero de Al Askari.

El lunes 29 de marzo la agencia The Associated Press informó que un convoy de *marines* entró al barrio y, por medio de altoparlantes y en árabe, amenazó con convertir toda la ciudad en un campo de batalla a no ser que cesara la resistencia.

Khaled Jamaili, 26 años, le dijo a la misma agencia de noticias: «Si en un hogar hay más de dos hombres, se llevan a uno. *Los marines* nos están destruyendo».

Blackwater es una de las grandes suministradoras de mercenarios —o, como dicen oficialmente los estadounidenses, de «soldados privados»— a las guerras del planeta, como Afganistán, Colombia, los Balcanes, Oriente Medio, África Central e Iraq. Se calcula que en Iraq hay dos de estos soldados privados por cada diez del ejército regular, proporción nunca vista en los conflictos modernos y que llena las arcas de empresas que mueven un negocio inverosímil de dólares, cifra que podría duplicarse en pocos años.

En su tarjeta de presentación, Blackwater sostiene:

«Tenemos una presencia global y ofrecemos entrenamiento y soluciones tácticas para el siglo veintiuno.

»Entre nuestros clientes figuran agencias policiales federales, el Departamento de Defensa, el Departamento de Estado, el Departamento de Transporte, entidades locales y federales de todo el país, corporaciones multinacionales y países amigos de todo el mundo».

Por su parte, Gary Jackson, presidente de esa corporación, dice: «Sueño con tener el ejército privado más grande y más profesional del mundo» y sostiene cómo tiene contratos tan secretos que él no puede decirle a una rama federal que está trabajando con otra rama federal...

Barry Yeoman, autor de *Soldiers of Good Fortune*, realizó con él una entrevista transmitida en el programa *Democracy Now*, en el cual sostuvo que la corporación y sus mercenarios estaban orgullosos de formar parte de misiones secretas del gobierno estadounidense.

Buena parte de la entrevista se realizó en un ambiente de omisiones y secretos, aunque se reconoció una vez más que luego de la muerte de los «contratistas civiles» en Fallujah, se dio a conocer que realmente no eran «civiles» sino comandos y que tres fueron miembros de unidades especiales de las fuerzas armadas.

«Eran mercenarios de la corporación Blackwater USA. Todos estaban fuertemente armados y uno tenía un carné del Departamento de Defensa. ¿Qué hacían en Fallujah?».

Aún, casi tres años después, no se sabe.

Como ya se dijo, el cuento oficial es que estaban «distribuyendo alimentos», pero ese día no hubo ningún traslado de alimentos. Los *marines* acababan de realizar redadas y arrestos, y se sospecha que los mercenarios estaban allí para detener o dar de baja a presuntos miembros de la resistencia.

Cuando los periodistas le preguntaron a la corporación Blackwater USA sobre la misión de sus empleados, los mandaron a hablar con los abogados de la firma. La Convención de Ginebra prohíbe contratar mercenarios, y por eso las corporaciones privadas dicen oficialmente que no están en zonas de combate para pelear o asesinar, sino para ofrecer servicios de seguridad y entrenamiento y, tal vez, proteger envíos de alimentos. Entre otras cosas, por eso les dicen «contratistas».

Blackwater es una corporación de mercenarios muy bien conectada, con sede en Carolina del Norte y oficinas en McLean, Virginia, cerca de la CIA. En Great Dismal Swamp, Carolina del Norte, tiene un campo de entrenamiento de 5.200 acres con el equipo más avanzado. Es una base militar privada donde entrenan a militares y policías.

En el 2002 la compañía obtuvo un contrato de cinco años con la marina por 35,7 millones de dólares para capacitar personal en tareas de protección, seguridad para abordar buques, técnicas de búsqueda y encautamiento, y misiones de vigilancia.

Sin embargo, su principal trabajo es despachar su propio ejército de mercenarios, reclutado en las unidades especiales de las fuerzas armadas, unidades Swat de la policía y *soldados de fortuna* internacionales.

En febrero del año 2004 entrenó a comandos chilenos, muchos de ellos provenientes de las filas durante el largo mandato de Pinochet, que hoy alternan con los mercenarios colombianos llevados a Iraq.

Blackwater es una de las empresas militares privadas más recientes y con un crecimiento más rápido. En el año 2012 tuvo ingresos anuales superiores a los 2.500 millones de dólares.

Estos «expertos en soluciones», como se denominan las compañías de mercenarios, tienen mucho interés en no ser percibidas como tales, de tal manera que recurren a una solución típicamente estadounidense: disfrazar nombres y anteponer en todos sus comunicados las palabras defensores de derechos humanos.

Deseosas de evitar la mala imagen, las actuales empresas de guerreros privados se anuncian como patriotas, respetuosas de la ley —no dicen de la de cuál país—, garantes de la paz y defensoras de la libertad, que tras haber recibido un gran entrenamiento de su gobierno desean seguir ayudándolo en su lucha. A cambio, claro está, de altos honorarios.

Igual que Blackwater, las corporaciones militares privadas permiten al gobierno estadounidense distanciarse y crear lo que llaman *denegación verosímil,* dice Daniel Nelson, exprofesor del Marshall European Center para estudios de seguridad del Departamento de Defensa.

En tanto, Barry Yeoman, en la revista *Mother Jones,* sostiene cómo «en los últimos años han operado mercenarios en Liberia, Colombia, Pakistán, Ruanda, Bosnia e Iraq. Protegen al presidente de Afganistán, Hamid Karzai, construyeron el centro de detención en Guantánamo para supuestos miembros de Al Qaeda y son una pieza clave de la guerra contra la droga en Colombia».

El representante por Illinois, Jan Schakowski, cree que «un velo de secreto ampara misiones militares de Estados Unidos con individuos que no tienen el mismo nivel de supervisión que las mismas fuerzas gubernamentales».

Hoy en Iraq hay más de 15.000 «contratistas» militares al servicio de docenas de corporaciones, un número mayor que el contingente de soldados ingleses. Se calcula que en el 2010 había de cinco a seis mercenarios por cada diez militares de las fuerzas de ocupación. Las empresas militares privadas se encargan de los comedores militares, la vigilancia de bases, los equipos de guardaespaldas, el entrenamiento de soldados y el mantenimiento de sistemas de armas.

Estos «contratistas» tienen luz verde para amenazar y matar a iraquíes. Un exmiembro de las fuerzas especiales le dijo al *Washington Post* el 6 de octubre que los contratistas militares que vigilan los ministerios matan iraquíes con toda impunidad. Entre ellos se encuentran contingentes de colombianos.

Desde el punto de vista del Pentágono y la CIA, hay buenas razones para privatizar las operaciones más polémicas:

primero, como no cuenta a los mercenarios como soldados y no cuenta esas bajas como bajas militares, el Pentágono puede dar la apariencia de que tiene menos tropas en un conflicto.

Hoy el gobierno estadounidense está llevando a cabo varias intervenciones militares y miniguerras «por debajo del radar». Usar mercenarios le permite *denegación verosímil* cuando se cometen violaciones de soberanía y atrocidades.

Otra ventaja: es una bonanza para los militares. Ellos se retiran de la nómina del gobierno federal, pero con sus conexiones obtienen enormes contratos para llevar a cabo las mismas operaciones de logística, entrenamiento y ataques que venían cumpliendo. Se vuelven millonarios haciendo lo mismo, pero ahora desde el sector privado y sin tener que responder ante un examen político y de presupuesto oficial.

En los primeros años, luego de la caída del Muro de Berlín, las potencias militares iniciaron una reducción del tamaño de sus fuerzas armadas. Por ejemplo, durante la guerra del Golfo en 1991, los Estados Unidos tenían un pie de fuerza de unos 700.000 soldados. Hoy este número se ha reducido a 500.000, algo así como el treinta por ciento menos.

Según Reto Slider, aquel proceso emprendido por otros países trajo como consecuencia una disminución notoria de la cantidad de combatientes que pasó de 10 millones en 1990 a 5,3 millones en 1998.

«Como resultado del desarme, el mercado internacional no sólo se vio inundado por una ola de materiales militares sino también por un sobrante de mano de obra desocupada».

Simultáneamente, con su experiencia en diversas guerras y conflictos, excomandantes y jefes del Pentágono y generales y altos oficiales de unidades élite «tuvieron a su disposición los conocimientos claves que podrían ser puestos en el mercado de la guerra.

»Ellos crearon compañías de "seguridad" que se encargaban de vigilar empresas, derrocar gobiernos y crear o instruir ejércitos en todo el mundo y, desde luego, al cabo de pocos años aquel concepto de negocio registró tasas de crecimiento muy elevadas, de manera que las empresas pequeñas y medianas llamaron la atención rápidamente y fueron compradas por grandes consorcios, en muchos casos pertenecientes a la industria de armamentos.

»En Estados Unidos existen numerosos vínculos entre funcionarios del Departamento de Estado, el Pentágono y las empresas militares privadas, ya que muchas personas de estas empresas en posiciones claves han ocupado en su vida profesional pasada un cargo en los servicios de inteligencia o en los ministerios correspondientes.

»La influencia de las compañías militares privadas se extiende también a las comisiones de expertos, en las cuales los miembros veteranos de la industria militar privada regularmente se presentan con una experiencia mayor que los representantes de las instituciones públicas. A esto hay que sumarle los millones de dólares utilizados en el *lobby* que desembolsan durante los períodos de elecciones».

Definitivamente la danza de millones que se mueve en la guerra privatizada hoy parece una barrera que se levanta frente a Colombia para impedirle una posible búsqueda de la paz.

Pero, por otro lado, no parece una decisión aislada, ni ocasional, ni independiente del conflicto, la política intervencionista de Estados Unidos frente a la guerrilla de las FARC, en contraste con corrientes de la opinión pública en Colombia que presionan desde hace varios años por una solución pacífica del conflicto.

Estos sectores piensan que de acuerdo con la experiencia sólo se podrá llegar a la paz mediante una negociación. Por este motivo habían pedido al gobierno de Colombia que buscara una paz negociada, pero la respuesta fue dada en Washington en diferentes oportunidades:

El Tiempo, 23 de marzo, año 2006:

«Estados Unidos declara la guerra a las FARC

»El fiscal general de los Estados Unidos Alberto Gonzales declaró ayer públicamente que se abre la puerta para tomar cualquier tipo de acción con el fin de capturar a los jefes de las FARC. "Todas las opciones están sobre la mesa", indicó el funcionario.

»A diferencia de otras ocasiones, ahora la acusación no está individualizada sino que apunta directamente a la organización.

»La decisión de la Fiscalía de Estados Unidos prácticamente convirtió al grupo guerrillero colombiano en el más grande cartel de la droga.

»Este es sin lugar a dudas el proceso por narcotráfico más grande que se ha abierto en toda la historia de los Estados Unidos», dijo el fiscal general al anunciar ayer la apertura de un proceso judicial contra 50 miembros de las FARC, incluida la cúpula, es decir, el Secretariado y el Estado Mayor.

»Esa sería la tercera estrategia contra la guerrilla luego del estancamiento de las fumigaciones y la lentitud del Plan Patriota puesto en marcha por los Estados Unidos luego de la Ofensiva al Sur».

El estudio de Anna Kucia para Indepaz tiene un capítulo dedicado a las compañías militares privadas de los Estados Unidos contratadas bajo el *Plan Colombia*. Esta fracción del documento está basada en el único informe que se ha hecho público, rendido por el Departamento de Estado al Congreso de ese país en el año 2003.

Según el informe, el Congreso aprobó la *ayuda* de 500 soldados de sus fuerzas armadas en territorio colombiano y la presencia de 300 mercenarios. Pero mercenarios estadounidenses. El plan no habla de los de otras nacionalidades contratados por sus propias empresas, con lo cual su número en Colombia es absolutamente mayor que la cantidad que se hace figurar en documentos oficiales.

Al año siguiente la cifra en relación con los mercenarios estadounidenses fue elevada a 400, «pero se pudo observar que el papel de esos *contratistas* se expandió automáticamente».

En el 2006 la cantidad de efectivos militares de que hablaban los documentos era de 800, y 3.500 la de mercenarios.

Tan sólo en el 2002 cerca del cincuenta por ciento de los 370 millones de dólares dedicados como *ayuda* a Colombia para financiar operaciones militares y policiales cayeron en manos de las empresas militares privadas de los mismos Estados Unidos.

Las autoridades que manejan la mayoría de los contratos con las compañías de mercenarios son el Departamento de Estado, el Departamento de Defensa y algo llamado Agencia Estadounidense para el Desarrollo Internacional, USAID, a través de los cuales Washington creó en Colombia el principal conflicto privatizado del mundo, además del de Iraq.

Los detalles sobre esas compañías habían permanecido en la oscuridad por mucho tiempo, hasta cuando el Congreso le ordenó por primera vez al Departamento de Estado presentar un informe que especificara las funciones de los mercenarios, las cantidades que reciben por su trabajo y los riesgos que deben afrontar los combatientes.

Como se señala atrás, ese informe del año fiscal 2003 es el único que se ha hecho público y, tal como lo dice su título en inglés (*Certain Counternarcotics Activities in Colombia*), solamente rinde cuentas de «ciertas» actividades antinarcóticos, advirtiendo que aparte de la información publicada allí sí existen otras operaciones confidenciales que desconoce el Congreso estadounidense. Y si aquella institución ignora asuntos tan importantes, ¿qué se puede esperar del gobierno colombiano?

Según el informe, hasta el año 2003 prestaban servicio en Colombia 16 empresas militares privadas, algunas de las cuales realizaron subcontratos con empresas colombianas y a otras les asignaron multitud de contratos.

Se trata de compañías que operan en diferentes partes del mundo como Bosnia, Iraq y Afganistán, y entre cuyos empleados se encuentran no solamente militares de grupos élite retirados, sino exagentes del FBI y la CIA.

De acuerdo con la información parcial del informe, la actividad de los mercenarios va desde entrenar pilotos y soldados, ejercer espionaje y montar radares, hasta fumigar cultivos de coca y vigilar las selvas desde el aire.

En el siguiente resumen del informe nos hemos detenido especialmente en las cifras de lo que se quedó en las arcas de las empresas estadounidenses de mercenarios de la anunciada *ayuda* de los Estados Unidos a Colombia, solamente en el año fiscal 2003.

El cuadro resumido significa, sin embargo, cuál es el verdadero interés de los militares de los Estados Unidos en que no se acabe la guerra en Colombia.

Grupo Rendon - Tiene que ver con la manipulación de los medios de prensa. Asesoramiento al Ministerio de Defensa en el manejo y desarrollo de su estrategia de comunicación pública para el *Plan Colombia*. El contratista no debe producir materiales sino aconsejar a los periodistas en su trabajo diario mientras producen sus propias comunicaciones al público. Valor, 2.400.000 dólares. Contrata directamente el Ministerio de Defensa de Colombia.

Lockeed-Martin - Realizó ocho contratos con el Departamento de Estado y el Departamento de Defensa de los Estados Unidos:

1. - Mantenimiento y apoyo de una flotilla de helicópteros Black Hawk entregados a la Policía. Valor, 2.128.663 dólares.
2. - Instalación de equipos para detectar intrusos en las bases de Villa Garzón y Guaymaral. Valor, 3.525.077 dólares.
3. - Personal para mantenimiento y logística de aviones del Servicio Aéreo de la Policía. Valor, 3.133.431 dólares.

4. - Apoyo logístico para operaciones de cuatro aviones de transporte de tropa C-130B y dos de transporte pesado C-130H. Valor, 4.216.748 dólares.
5. - Instructores para entrenar pilotos del Ejército. Valor, 813.000 dólares.
6. - Instructores para entrenar pilotos del Ejército. Valor, 3.600.000 dólares.
7. - Instructor para entrenamiento de un equipo de asistencia técnica. Valor, 1.700.000 dólares.
8. - Instalación y mantenimiento de simuladores de vuelo. Valor, 7.500.000 dólares.

Total, 26.616.919 dólares.

DynCorp Aeroespace Technologies, Inc.

1. - Pilotos, personal técnico y de mantenimiento para apoyar a la Brigada Antinarcóticos del Ejército y al programa de erradicación de la Policía. Valor, 79.200.000 dólares.
2. - Entrenamiento de pilotos del Ejército en el uso de visores nocturnos para misiones en helicóptero. Valor, 1.292.000 dólares.

Total, 80.492.000 dólares.

DynCorp Aeroespace Operations, Ltd.

1. - Asesoramiento en el programa de entrenamiento de personal de especialistas en el área antinarcóticos. Valor, 4.975.017 dólares.

Arinc, Inc.

1. - Mantenimiento y apoyo logístico para avión C-26 de la Policía y para equipos de inteligencia asociados con el avión. Valor, 1.146.826 dólares.

2. - Entrenamiento y apoyo logístico para interceptación de vuelos del narcotráfico. Valor, 3.557.929 dólares.
3. - Sistemas para aprovisionamiento de gasolina en seis pistas de aterrizaje de la Policía. Valor, 1.549.309 dólares.
Total, 6.254.064 dólares.

Arinc Engineering Services, Llc
1. - Mejoramiento de las capacidades operacionales antidrogas de la Fuerza Aérea. Valor, 11.000.000 de dólares.

Trw - Adquisición, instalación, integración, ensayo, documentación y apoyo en un sistema de radar para el procesamiento de datos y un sistema de comunicaciones de voz. Valor, 4.000.000 de dólares.

Matcom - Coordinación de actividades entre las Fuerzas Aéreas de Estados Unidos y Colombia. En particular misiones de inteligencia antidrogas. Valor, 120.000 dólares.

Cambridge Communications - Traslado y reinstalación de radares y equipos desde Leticia hasta la base Tres Esquinas. Valor, 450.000 dólares.

Virginia Electronics Systems, Inc. (*Ves*) - Instalación de equipos en botes de la Armada que patrullan ríos. Reparaciones, entrenamiento. Valor, 150.000 dólares.

Air Park Sales and Service, Inc. (*Apss*) - Entrega e instalación de equipos de comunicaciones para aviones de la Armada. Valor, 1.100.000 dólares.

Integrated AeroSystems, Inc.

1. - Entrenamiento a la FAC en uso de avión Schweizer SA 2-37B, avión con sistema de supresión de sonido al volar (Lanas). Valor, 560.000 dólares.
2. - Provisión de repuestos y componentes Lanas. Valor, 50.000 dólares.
3. - Entrenamiento a pilotos FAC en el manejo aviones AC-47. Valor, 35.000 dólares.

Total, 645.000 dólares

Northrop Grumman California M. S. - Equipos, aviones y mantenimiento, pilotos y expertos para la introducción de un sistema aéreo para recolectar imágenes de inteligencia y comunicaciones de inteligencia. Valor, 8.600.000 dólares.

Alion, Llc - Consultores para mejorar capacidad del Ejército para recolectar y procesar información de inteligencia. Valor, 20.000 dólares.

ACS Defense

1. - Apoyo logístico y asesoría al personal estadounidense de la Embajada que participa en el Plan Colombia. Valor, 517.035 dólares.
2. - Apoyo logístico a un funcionario de alto nivel en el gobierno de Estados Unidos dedicado al *Plan Colombia*. Valor, 237.810 dólares.

Ins - Apoyo logístico y asesoría operacional para la Embajada de Estados Unidos. Valor, 196.000 dólares.

Saic - Análisis de imágenes de inteligencia relacionado con la seguridad de la Embajada de Estados Unidos y su personal. Valor, 255.335 dólares.

Mari Tech - Manejo de bases de información de diferentes agencias involucradas en la Ofensiva al Sur o *Plan Colombia.* Valor, 2.146.692 dólares.

Para dar una idea de lo que significa hoy el negocio de la guerra privada y de los poderosos intereses políticos y económicos que la hacen cada vez más decisiva para los Estados Unidos, el estudio hace un perfil breve de cuatro de las principales compañías que actúan en Colombia.

Pero antes señala cómo, previamente a la aprobación del *Plan Colombia*, Estados Unidos entró al conflicto por la puerta de atrás cuando el conjunto de las compañías militares privadas, las fábricas de armas y las empresas petroleras que se mueven en Colombia, gastaron cerca de seis millones de dólares en un *lobby* para que los congresistas estadounidenses aprobaran el *Plan*, es decir, votaran «sí» en favor de nuestra propia guerra.

«Una vez lograda la aprobación» —continúa el estudio—, «los contratos permitirían a las empresas recuperar con creces la inversión ya que del total de los fondos del *Plan Colombia* las entidades colombianas no recibieron nada».

Realmente de los 1.300 millones de dólares, 1.130 fueron invertidos, una parte en la industria de los Estados Unidos y otra absorbidos por las compañías de violencia privada de este mismo país.

Según Hernando Calvo Ospina («Colombia como el de Iraq un conflicto privatizado», *Le Monde Diplomatique*), «Se sabe que incluso ha habido dinero del Banco Mundial asignado a Colombia que fue canalizado por Washington para remunerar a estas compañías».

He aquí un perfil del poder político y económico que representa la privatización de la guerra para las compañías militares:

Lockheed-Martin - Es la primera en la lista de las cien mayores contratistas de Estados Unidos en el año 2010 (según millones de dólares).

En el 2010 obtuvo contratos con el gobierno estadounidense por 46.619 millones de dólares (46.619.693.002).

Un año antes los contratos de la Lockheed con el gobierno de su país habían ascendido a 47.213 millones de dólares (47.213.000.000).

Tiene 130.000 empleados y actúa en 56 países en todos los continentes.

Su presidente, Robert J. Stevens, prestó servicio en la Marina de Estados Unidos; graduado en el *Departament of Defense Systems Management College Program Management Course.*

En el año 2001 fue miembro de la comisión sobre el futuro de la industria aeronáutica de Estados Unidos, convocada por el presidente de la República; director adjunto de la compañía Monsanto, la única ganadora en la guerra contra la coca y la consecuente destrucción de Colombia, pues el país viene siendo fumigado desde 1970 con sus herbicidas.

Vale la pena preguntarse una vez más: ¿Monsanto estará interesada en que se acabe esta guerra?

Northrop Grumman California M. S. (Antes Vinnell Corp.) - Tercera contratista más grande del gobierno de los Estados Unidos en el año 2010, cuando obtuvo contratos por 26.627.067.499 millones de dólares.

Un año antes también había sido la tercera más grande. Entonces obtuvo del gobierno 23.512 millones de dólares (23.512.346.000). Hasta entonces sus ganancias eran de 30.700 millones de dólares (30.700.000.000), de los cuales 23.332 millones correspondieron exclusivamente a servicios militares.

Tiene 125.000 empleados en 25 países.

Science Aplications International Corp. (SAIC) - Décima contratista militar de los Estados Unidos en el año 2010, en el cual obtuvo contratos con el gobierno estadounidense por 3.210 millones de dólares (3.210.604.531).

Su sede está en San Diego, California. Presidente, Ken Dahlberg, miembro, entre otras, de la Asociación de las Fuerzas Armadas de los Estados Unidos y de la Liga Naval de Estados Unidos.

Tiene 43.000 empleados en 17 países.

Computer Sciencies Corporation - (Conformada hoy por DynCorp, Dyncorp International, Dyn Marine Services of Virginia, Information Technology Solutions y Welkin Associates Ltda.). Undécima contratista militar del gobierno de Estados Unidos en el año 2006.

Ese 31 de diciembre había obtenido 2.884 millones de dólares en contratos (2.884.071.371).

Presidente Van B. Honeycutt.

Tiene 78.000 empleados en 80 países.

Es importante tener en cuenta el enriquecimiento que estas compañías le están procurando a altos mandos militares transformados ahora en empresarios, que han encontrado un filón fabuloso utilizando sus contactos para conseguir los contratos millonarios con los ejércitos privados.

Vinnell Corp, Armor Group, Global Risk, Kroll Security, Meteoric Tactical Solutions, Blackwater se reparten el gran pastel y algunas de ellas —como se anotó antes— se jactan de tener más generales contratados que el Pentágono.

Luego están satélites tipo *Red Táctica y Oficiales Retirados del Ejército* —como sucede en Colombia— que funcionan a manera de subcontratistas, y otros independientes y oportunistas que buscan tipos fogueados en distintas guerras y dictaduras, los cuales ven en Iraq la posibilidad de hacer más rentable un oficio mal pagado en los ejércitos regulares y que se encuentran de brazos cruzados en sus países.

Esta dispersión preocupa a los grandes tiburones. El director de *Vinnell Corp* se quejó en la BBC de tanto advenedizo que apenas lleva en este negocio dos o tres años y que recluta personal no adecuado. Y es que ellos son verdaderamente potentes.

La empresa *Military Professional Resources* afirma que dispone de 12.500 excombatientes con experiencia nuclear y en submarinos.

¿Alguna de ellas estará interesada en la paz de Colombia?

***

Lograr información sobre las corporaciones militares privadas de los Estados Unidos que actúan en el conflicto colombiano resulta imposible a través del gobierno local, sencillamente porque ningún alto funcionario ni ninguna agencia estatal —no militar— conoce ni sospecha siquiera las dimensiones de la presencia de mercenarios estadounidenses en el país.

Aquí los militares que cuentan con datos parciales han sido instruidos sobre el silencio que exige el gobierno de los Estados Unidos en torno al tema.

Según el estudio de Indepaz, «el contacto con las compañías de mercenarios se hace a través de una persona designada por la embajada de los Estados Unidos. La Dirección Antinarcóticos del Pentágono en Washington es la que decide qué aviones ingresan a Colombia y cuáles salen a las bases aéreas de Estados Unidos para su revisión.

»En cambio, no existe una sola autoridad colombiana que disponga de un mecanismo de control propio, ya sea para el personal, las aeronaves o los cargamentos de las empresas. Muchos mercenarios llegan en aerolíneas comunes e ingresan a Colombia con una visa de turismo. Otros sin visa en los aviones de transporte que van directamente a las bases militares.

Sin embargo, todos cuentan con una protección igual a la del cuerpo diplomático».

De acuerdo con el *Miami Herald*, el Tribunal de Cuentas de Estados Unidos tenía que confesar que el mismo Pentágono no estaba en capacidad de indicar con exactitud cuántas personas han sido contratadas por las empresas que realizan trabajos para el *Plan Colombia*. Esa falta de transparencia llevó a Human Rights Watch a afirmar que el gobierno de Estados Unidos utiliza a esas compañías para violar los topes de tropas exigidos por el Congreso estadounidense.

En febrero del año 2003 el director de Estupefacientes calculó que en Colombia participaban en diferentes actividades de la guerra 4.500 mercenarios estadounidenses y al año siguiente su sucesor prefirió guardar silencio.

—Es necesario consultar con la Policía Antinarcóticos —se limitó a decir.

En la Policía Antinarcóticos un oficial señaló:

—Esa información sólo la sabe la embajada *americana*.

Y más tarde:

—La embajada dice que son cien.

Al dejar su cargo el ministro de Defensa de Uribe, había hablado de 800, pero cuando le preguntaron al siguiente, guardó silencio.

En el año 2002 el abogado Adalberto Carvajal, ciñéndose a las leyes, realizó una petición a treinta entidades del Estado colombiano en la cual les preguntaba cuántos mercenarios y cuántos *asesores* militares estadounidenses había en el país, qué legislación cumplían, quién los controlaba.

En la lista estaban desde el Ministerio de Defensa Nacional y la Dirección de Impuestos hasta el Ministerio de Trabajo. Ninguno supo responder a lo que se planteaba en el Derecho de Petición, lo que indica que ninguna autoridad sabe qué hacen los estadounidenses en Colombia.

Por ejemplo, en lo laboral, para burlar los controles locales, inicialmente DynCorp contrataba pilotos por intermedio de una empresa de servicios temporales en Bogotá, llamada Manpower de Colombia.

En junio de 1999 se accidentó un avión fumigador y murió el piloto colombiano. Cuando la familia intentó cobrar el seguro de vida en la Policía, se lo negaron: «Él sabía que este trabajo es peligroso, así lo aceptó», le respondieron. Sobre los pilotos extranjeros, la misma Policía dice que como son pagados con dinero *americano* el gobierno colombiano no puede intervenir, ni puede controlarlos.

Según Human Rights Watch, «las leyes de Estados Unidos disponían el despliegue en Colombia de un máximo de 500 efectivos estadounidenses y 300 personas contratadas en cualquier momento, salvo en caso de emergencia. Pero como reflejo de la tendencia mundial a subcontratar la guerra, algunos analistas estiman que 2.000 particulares estadounidenses salidos de las Fuerzas Especiales, del Pentágono y de la CIA estaban presentes en Colombia a mediados del 2002 trabajando para empresas civiles estadounidenses, contratadas por los Departamentos de Estado y Defensa».

Entre tanto, como lo ha sostenido varias veces ante el Congreso de Estados Unidos Janice Schakowski, del Partido Demócrata, «las compañías contratistas de la guerra y sus funcionarios tienen un interés creado en prolongar y profundizar la injerencia de los Estados Unidos en Colombia. Tal vez se arriesguen, pero también están ganando mucho dinero».

A comienzos del 2006 Human Rights Watch calculaba en 2.000 el número de mercenarios estadounidenses que operaban en Colombia, cifra estimada como «tímida» por exmilitares colombianos de alto rango que en ese momento los calculaban entre 3.500 y 4.000, sumando los que actúan en el sector petrolero y con la industria multinacional extranjera.

Durante la elaboración de este trabajo, la Presidencia de la República, el Ministerio de Defensa Nacional y la Cancillería se negaron a dar cualquier información alegando lo mismo de siempre: «Es a la embajada *americana* a la que le corresponde».

¡La soberanía nacional!

La embajada dice lo contrario.

Por ese motivo, para tener por lo menos una idea vaga de lo que realmente está ocurriendo en Colombia es necesario acudir a estudios realizados en el exterior o a informaciones de instituciones especializadas de los mismos Estados Unidos.

Tanto para acercarse al negocio que significan miles de muertes de colombianos cada año, cuanto para saber más concretamente en manos de quiénes y bajo qué negocios está la guerra en Colombia, esa idea vaga toma forma acercándose, por ejemplo, al perfil de DynCorp, la corporación militar privada con más mercenarios en nuestro conflicto.

La entidad se halla en el país desde finales de 1993, pero se asentó a partir del año 2002 gracias a un acuerdo con Estados Unidos en el marco del *Plan Colombia, con el fin de ayudar al gobierno de Colombia en lo que respecta a su desarrollo nacional y a sus esfuerzos por alcanzar el progreso económico y social...*

Ni la Aeronáutica Civil, ni el Ministerio de Defensa o la Policía Nacional reconocen tener conocimiento de cuántos contratistas extranjeros operan en el país, y menos saben de sus actividades. Sin embargo, varios documentos de inteligencia dan cuenta de que la DynCorp administra por lo menos dos programas en Colombia, COLAR (*Colombian Army*) y HELAS (*Helicopter Assimilation-UH-IN*). En su labor ha contratado a un centenar de pilotos.

Para evitar inicialmente el desarrollo de cualquier tipo de controles colombianos incluidos los fiscales, DynCorp contrató originalmente a los pilotos por intermedio de una tercera empresa, esta vez colombiana.

DynCorp figura en Colombia registrada como una sociedad originaria de la Gran Bretaña, con sede en Aldershot Hampshire, desde luego, sujeta a las leyes inglesas.

En el contrato celebrado con el Departamento de Estado aparece registrada como una sociedad estadounidense y sujeta a sus leyes. El contrato S-Opraq-98-C-051 relaciona a la *Patrick Support Division de DynCorp Technical Services*, que tiene sede en una base militar de la Florida, con la operación en Colombia.

Sus mercenarios rocían campos de coca con herbicidas producidos en Estados Unidos y vendidos a Colombia, operan aviones y helicópteros del Departamento de Estado, reparan los aviones y asesoran en materia de *inteligencia* al Ministerio de Defensa colombiano. Este mini-ejército estadounidense proporciona además pilotos, técnicos y casi cualquier clase de personal requerido para realizar su fabuloso negocio que es la guerra en Colombia, incluyendo empleados administrativos.

Para participar en fumigaciones y habitualmente en la guerra contra la guerrilla, DynCorp tiene a su disposición 88 helicópteros y aviones del gobierno estadounidense, pero la misma empresa oculta la cifra total de sus mercenarios en el país.

Otras fuentes hacen cálculos diferentes, pero coinciden en que menos de un tercio serían ciudadanos estadounidenses y el resto de otros países de América Latina y el resto del mundo, residentes en los Estados Unidos. En el año 2008 un exempleado declaró: «Cuando yo trabajaba en Colombia, nuestra cifra aumentó de 120 a 650 en poco tiempo».

Desde 1991 la empresa ha obtenido más de 300 millones de dólares en el marco de la campaña militar de Estados Unidos en Colombia.

La sede principal de las operaciones andinas de la DynCorp se encuentra en la base de la Fuerza Aérea Patrick en Florida y, según la misma compañía, no son pocos los aspirantes que se postulan para ir a Colombia. Después de todo, un piloto estadounidense gana aquí alrededor de 90.000 dólares al año, unas diez veces más que un colombiano.

La sede en Colombia está en el aeropuerto El Dorado de Bogotá. Otras ocho bases militares colombianas hacen las veces de «Puntos Operativos de Protección Delantera» (*Fol* en inglés).

Además de fumigar, acompañan las operaciones mixtas con la Policía colombiana con grupos especiales de helicópteros artillados. Estos Grupos de Búsqueda y Rescate generalmente están compuestos por mercenarios, exsoldados élite del ejército estadounidense.

No obstante, un veterano de la DynCorp informó que son utilizados también en misiones de combate contra la guerrilla, como lo anota Jason Vest en un ensayo titulado *States Outsources Secret War.*

En julio del año 2008, el diario *El Espectador* publicó una entrevista extensa con el expiloto militar peruano Pedro Carlos Arias Weiss, en la que declaró:

«Con la DynCorp yo fui mercenario en Colombia, porque era un trabajo a sueldo, para librar una guerra que no es mía [...]. Se trataba de una operación típica militar [...]. Cuando trabajamos para el Ejército de Colombia la cosa es así».

Como ya se ha anotado, un punto muy importante es que las fumigaciones con defoliantes destruyen todo tipo de cultivos y causan daños severos y enfermedades, llegando hasta la intoxicación y algunas veces la muerte de campesinos y sus animales domésticos, extinción de fauna en ríos, bosques y praderas. Incluso se fumigan regiones sin cultivos de coca.

Según el estudio encabezado por Anna Kucia, DynCorp fue creada en 1946 por un grupo de pilotos estadounidenses que habían decidido dedicarse al transporte de carga. Al principio se llamó *California Eastern Airwais Inc.*, y en 1987 tomó el nombre de DynCorp.

En la principal línea de trabajo que desarrolla hoy comenzó sus actividades en la guerra de Corea, 1950-1953. Luego participó en la de Vietnam, 1960-1975. Prestó sus servicios en las guerras del golfo Pérsico y trabajó en la de El Salvador. Operó en Bosnia y posteriormente en la Ofensiva al Sur o Estrategia Andina o *Plan Colombia*, igual que en Iraq.

DynCorp evolucionó a una de las grandes empresas privadas del mundo que se ocupan de la seguridad y defensa. En el 2002 su facturación anual fue de 11.400 millones de dólares, y en marzo del 2003, cuando ocupaba el rango 13 entre las 100 primeras empresas globales de servicios militares, fue comprada por la Computer Science Corporation, por 950 millones de dólares.

La entidad aparece como una empresa versátil que presta múltiples servicios a los militares estadounidenses repartidos en unas 1.500 bases alrededor del mundo. Hoy varios analistas la acusan del reclutamiento y contratación de mercenarios para el desarrollo de operaciones de guerra que, por diversas circunstancias, no pueden ni deben ser ejecutadas por las fuerzas regulares de los Estados Unidos.

DynCorp no sólo desarrolló un *software* propio protegido frente a controles mediante el secreto empresarial, sino que también lo implementa y lo tutela como administradora de sistemas.

En esta función, la DynCorp trabaja para algunas áreas del Ministerio de Finanzas y de Justicia, del Pentágono, del Ministerio de Relaciones Exteriores, para la Agencia Nacional de Impuestos, para la Security and Exchange Commission (control de la Bolsa), para la Bolsa de Valores de Nueva York, para la organización de satélites climáticos, NOAA, para el control de telecomunicaciones y medios electrónicos, FCC, y para bases estratégicas y puestos de comando del Ejército de Estados Unidos, para la Agencia Antinarcóticos, DEA. Además, suministra el *hardware* para la coordinación mundial de la tecnología de información del FBI.

En esta forma la corporación ha logrado acceso directo a toda la información importante y a la vez confidencial del sector político y militar de Estados Unidos.

Un informe del grupo Harvard Watch, que analiza en forma crítica las actuaciones de la elitista universidad de Harvard, señala cómo «esta primacía de DynCorp constituye una invitación a su mala utilización».

Los autores y autoras hacen referencia a extensos «negocios internos» de la Universidad de Harvard (privada) con acciones de Enron. Se prestó particular atención al antiguo presidente de DynCorp, Herbert Pug Winokur, pues él era el enlace de las prácticas ilegales.

***

A raíz de DynCorp haberse visto involucrada en el tráfico de base de heroína en Colombia en mayo del año 2000, el senador Schakowsky, uno de los pocos congresistas estadounidenses conscientes de la magnitud de esta problemática, expresó públicamente:

«Todas estas preocupaciones refuerzan mis puntos de vista sobre la necesidad de que los Estados Unidos deberían, de manera inmediata, rescindir el contrato con DynCorp y todas las demás compañías privadas que llevan a cabo operaciones "sensibles" y de carácter militar en Colombia.

»Informes según los cuales, empleados de DynCorp se han visto implicados en acusaciones de tráfico de drogas, cuando precisamente se les paga por ayudar a erradicarlas, únicamente refuerzan mi convicción de que la falta de información es una política equivocada.

»Es frustrante para los periodistas, pero ultrajante para los miembros del Congreso, el no tener acceso a la información sobre la implicación de Estados Unidos en Colombia y de cómo se gastan los dólares de los contribuyentes».

En 1999 mercenarios contratados por DynCorp en Bosnia habían sido acusados de comprar y traficar con niñas para utilizarlas como esclavas sexuales.

Como consecuencia, se presionó a los sospechosos para que renunciaran, pero ninguno de ellos fue procesado ya que el personal de DynCorp goza de inmunidad tanto en Bosnia como en Colombia.

Luego, en el 2001, Ben Johnston, un exmecánico de los helicópteros tipo «Apache» y «Black Hawk» en Kosovo inició un proceso contra la empresa en Inglaterra, acusando a los supervisores y empleados de estar comprometidos con un comportamiento perverso, ilegal e inhumano, en la compra de armas prohibidas por la ley, igual que en el tráfico de mujeres, pasaportes falsificados y por la participación en otros actos inmorales.

Otro estudio realizado por el experto Dieter Drüsel señala cómo, —bien sea la lucha con herbicidas contra el cultivo de coca en Colombia, la capacitación de policías en Bosnia Herzegovina, la administración de cárceles en Estados Unidos o el desarrollo de programas informáticos altamente sensibles para aparatos de seguridad y administración del Estado—, las empresas privadas de seguridad o empresas militares privadas desempeñan funciones que hasta ahora eran parte de la esfera de acción del aparato estatal. Sin embargo, raras veces todas las tareas antes mencionadas están concentradas en manos de una sola corporación, como es el caso de la DynCorp.

La empresa pudo convertirse en líder del ramo de la industria privada de la seguridad que ofrece como servicios control social y represión. Veintitrés mil empleados en 5.500 lugares del mundo trabajan directamente para la empresa.

El portafolio de misiones del consorcio va desde el mantenimiento de los cuarteles de la fuerza aérea estadounidense en las repúblicas centroasiáticas hasta la seguridad y refuerzo de la defensa contra la migración en las fronteras de Estados Unidos con México y lo que llaman «la lucha contra la cocaína en Colombia».

Igualmente construye sistemas de telecomunicaciones en las zonas de guerra africanas, suministra el combustible y el servicio terrestre de la flota presidencial estadounidense Air Force One, y desde aquel 11 de septiembre es responsable de la instalación de una red inalámbrica de conexión telefónica del gobierno de Estados Unidos para casos de emergencia.

Las tropas de DynCorp protegen al presidente de Afganistán, Hamid Karzai, colocado por la «comunidad internacional», y a principios del 2003 comenzaron el «re-traslado» de municiones y bienes de armamento para la guerra de Iraq, por encargo del ejército estadounidense.

Desde el derrocamiento de Saddam Hussein, DynCorp asumió la capacitación de unidades policiales locales en Iraq.

Observado con preocupación por los especialistas, DynCorp desarrolla vacunas contra la viruela o el carbunco, controla los adelantos en la eliminación de armas de destrucción masiva en Rusia, asume la inspección de todas las personas que requieren de un certificado de seguridad para el Defense Security Service del Pentágono y administra las reservas petroleras estratégicas de Estados Unidos.

Por otra parte, en el Ministerio de Justicia, DynCorp administra también el *Asset Forfeiture Program* para la confiscación de propiedades obtenidas en forma criminal, por ejemplo en el marco de «la guerra contra la droga».

IMPUNIDAD FÁCTICA

La DynCorp logró la mayor atención de la opinión pública hasta ahora con sus misiones en el marco de la participación privada de Estados Unidos en la guerra de Colombia.

En el marco de la Ofensiva al Sur o *Plan Colombia*, financiado en una parte por Estados Unidos, la empresa colocó aviones y helicópteros para la destrucción de cultivos de coca y, según se ha denunciado públicamente, cultivos de subsistencia mediante fumigaciones con el famoso pesticida *Glifosato*, de la transnacional estadounidenses Monsanto. No se sabe de otros.

La utilización de DynCorp en Colombia acarrea un problema fundamental planteado por las llamadas compañías militares privadas: éstas no sólo sirven a una política exterior privatizada, con la cual los gobiernos esconden su influencia directa, sino que además crean un espacio de impunidad fáctica, dentro del cual pueden actuar. Eso puede observarse en el comportamiento de las legiones de mercenarios enviados al país en guerra.

Empleados de DynCorp en Colombia han sido repetidas veces involucrados en narcotráfico y consumo de drogas. Un oficial colombiano de alto rango en la Policía describe a los mercenarios extranjeros de la siguiente manera:

«El trato con ellos es muy difícil. Algunos consumen grandes cantidades de cocaína. La experiencia me dice que algunos se inyectan heroína antes de los vuelos».

¿La paz en Colombia podrá ser algún día importante para la economía bélica de los Estados Unidos?

***

Como ya se ha anotado, el 12 de mayo del año 2000, la Policía colombiana descubrió dos botellas de heroína diluidas en aceite de motor dentro de un paquete enviado por un empleado de DynCorp a la central de misiones en la Patrick Air Force Base, en Florida.

Este caso fue publicado a espacio en *Con las manos en alto*, junto con el de otro mercenario de la misma empresa, muerto en las selvas del Sur por una sobredosis de estupefacientes que la entonces embajadora de los Estados Unidos, Anne Patterson, intentó desmentir agrediendo a algunos medios que lo insinuaron.

La prensa local calló y en adelante jamás volvió a utilizar el término mercenarios. Ahora repiten: «contratistas *americanos*».

La nota del libro:

«No parecía normal que la prensa colombiana, tan respetuosa, hablara de mercenarios estadounidenses. Pero no de mercenarios, simplemente mercenarios, como había sido habitual hasta entonces, sino de mercenarios traficantes de heroína, y de mercenarios que morían en las bases militares colombianas donde justamente se refugian como luchadores contra la droga, llevándose las venas llenas de droga.

»El tema tampoco fue iniciativa de la dócil prensa colombiana frente a los *americanos*, sino que saltó a sus páginas desde las columnas de *The Nation*, un diario del Canadá, y del *Saint Petersburg Times,* de la Florida, y del *Miami Herald* y del *Nuevo Herald*, y frente a ese caudal de tinta que resultaba imposible detener, o "distraer" como dicen los directores locales, un editor en *El Tiempo* aceptó la realidad en julio del 2001:

—No podemos callarnos, esto es mundial. Pero aclaremos que no es nuestro. Copiemos...

—Transcribamos —corrigió otro.

—Sí, transcribamos lo que dice *The Nation*... Pero sin comentarios.

—Nos van a matar los gringos, digo, los *americanos* —opinó un tercero, pero el líder volvió sobre sus pasos:

—No nos pueden hacer nada: estamos copiando lo que dice un diario canadiense al que nadie ha rectificado.

—Adelante, pero esto no me gusta, sería como decirle a los *americanos* que son la sal, decirles que la sal se ha corrompido. Y si la sal se corrompe... Eso no está bien —insistió el segundo.

Transcribieron:

«DynCorp trafica con heroína dentro del *Plan Colombia*».

Hablando de la gente común y corriente, que son casi cuarenta millones de colombianos, nadie había escuchado antes aquel nombre, pero el diario lo aclaró bajo el título: «Es una firma contratada por el gobierno de los Estados Unidos para manejar buena parte de las operaciones de fumigación de cultivos ilícitos dentro del *Plan Colombia*».

Oh, el editor:

—No copien todo lo que dice *The Nation*, dejen únicamente lo que nosotros consideremos prudente.

Lo prudente:

«Según el diario *The Nation*, el más leído del Canadá, bajo el título *El problema de la droga en DynCorp*, en mayo del año 2000 la policía de Colombia encontró rastros de heroína en un paquete que iba a ser enviado por operarios de la firma en Colombia a una de sus sedes en la Florida.

»El informe se fundamenta en un documento interno de la DEA que se hizo público luego de que el diario apelara al Acto para la Libertad de Información que permite desclasificar algunos documentos de Estado requeridos por la opinión pública.

»Según el documento, la policía interceptó el 12 de mayo del año 2000 en el aeropuerto El Dorado de Bogotá, un paquete de Federal Express conteniendo botellas con un líquido parecido a aceite de motor. Peso 250 gramos. El líquido, según la DEA, dio positivo para heroína y las botellas habían sido enviadas por un funcionario de DynCorp e iban dirigidas a su casa matriz en la Base Patrick de la Fuerza Aérea de los Estados Unidos en Florida.

»Expertos dicen que la heroína es soluble en aceite y por consiguiente puede ser extraída nuevamente sin mayor dificultad».

The Miami Herald señaló que «en la sustancia se camuflaron 250 gramos de heroína».

Ni la embajada en Bogotá ni mucho menos la Policía colombiana quisieron hablar del caso, pero según *El Tiempo,* transcribiendo al diario canadiense, «existe interés en Estados Unidos porque este caso no trascienda al público, pues podría ponerse en peligro el futuro de las operaciones de DynCorp en Colombia».

Sólo en 1998, DynCorp había obtenido un contrato de 170 millones de dólares para fumigar (Revista *Prospect*, USA, junio del 2001) y según *Corpwatch* de San Francisco en el año 2000 había cobrado 635 millones.

Nuevamente los canadienses: «Tanto la embajada de los Estados Unidos en Bogotá como la policía antinarcóticos de ese país han mantenido en completo secreto las verdaderas actividades que realiza esta empresa en Colombia».

The Miami Herald, crónica de Gerardo Reyes: «Las actividades de DynCorp en Colombia se realizan bajo el más absoluto secreto y no cuentan con ninguna supervisión directa de los organismos de vigilancia y control del Estado colombiano. Lo anterior quedó demostrado con dos incidentes recientes:

»El despido —a comienzos del 2001— de 58 empleados colombianos para no pagarles de acuerdo con la ley, y la solicitud de la Dirección de Impuestos para que la compañía legalizara la importación de repuestos.

»A pesar de su importancia, el despido masivo se mantuvo en secreto. Según uno de los afectados, obedeció a que la empresa se negó a pagarle seguros de vida al personal colombiano, mientras mantuvo altas pólizas a los estadounidenses».

Descorchado el frasco comenzaron a saltar aceitunas diariamente en la prensa extranjera, y algunas veces la colombiana repetía «lo prudente», de manera que la opinión pública fue enterándose de que, por ejemplo, los mercenarios de DynCorp colaboran en Colombia con soldados estadounidenses de Fort Bragg, Carolina del Norte, que llegan silenciosos cada vez en mayor número y se refugian en dos bases selváticas del ejército colombiano cercanas de Florencia, llamadas Tres Esquinas y Larandia. Allí conviven con efectivos del Grupo Séptimo de Fuerzas Especiales del ejército estadounidense.

Además de fumigar, DynCorp realiza espionaje para la CIA en Colombia y Perú, según lo dijo James Woolsey, director de esa agencia, durante las audiencias del Senado sobre su nombramiento.

Y esa opinión pública famélica aprendió también que DynCorp había sido relacionada por la revista *Fortune* como una de las quinientas empresas más poderosas de Estados Unidos. Desde luego, su negocio es la guerra y la guerra ha sido el mejor negocio de la historia... Y supo que DynCorp es una de las mayores contratistas del gobierno estadounidense, gracias a sus fuertes lazos con la CIA y el Pentágono, lo cual les ha permitido operar donde hay conflictos, desde Bosnia hasta el golfo Pérsico.

Pero a medida que la prensa colombiana transcribía, la gente fue sabiendo que el país estaba invadido por mercenarios estadounidenses y empezó a escuchar nombres de empresas que también tienen intereses en esta guerra.

Así supieron de la existencia de Air Scan, que realiza reconocimientos aéreos, y de Air América, que también trabajó para la CIA en el Asia Suroriental durante la guerra de Vietnam. Los nuevos comerciantes con mercenarios son firmas independientes con su propio criterio de base.

Más tarde aparecieron en público la MariTech, TRW, de la Matcom o Alion, que utilizan avanzadas tecnologías para fotografiar desde el espacio e interceptar las comunicaciones y analizarlas. Esa información es transmitida al Sistema de Reconocimiento del Comando Sur de Estados Unidos (Southcom) y a la CIA, que la tratan y la redistribuyen a las instancias que ellos eligen.

Como se dijo, en estos casos también las Fuerzas Armadas colombianas son las últimas en ser informadas.

Es el verdadero negocio de la guerra, puesto que detrás de cada incursión de carácter militar están por lo menos una empresa y un grupo de inversionistas que se lucran con la muerte de colombianos.

Con los nombres de las compañías emergió parte del nuevo lenguaje de una guerra ajena. Por ejemplo, anteriormente la información sobre mercenarios se cubría con la clave secreta, «seguridad nacional». Hoy no se dice así. Se dice, «confidencialidad corporativa». Y si a los ciudadanos les hablan aquí del «*Plan Colombia*», como ya se ha repetido, en el Pentágono la clave de la guerra es «Ofensiva al Sur».

Gracias a la prensa extranjera, Colombia supo también que tenía en casa a la Eagle Aviation Services and Technology Inc., que también se presenta como East Inc.

En los años ochenta, Eagle o East y su fundador, Richard Gadd, volaron aviones del Departamento de Estado en la operación Irán-Contras, en apoyo al hoy exgeneral Oliver North, entonces funcionario del Consejo Nacional de Seguridad.

En aquel momento, la CIA traficaba con cocaína del cartel de Medellín —la coca buena— para ser convertida en *crack* y minar a los negros de California. Luego, con el dinero de la venta, compraban armas para entregarle a la contra, enemiga del gobierno nicaragüense.

El general North, experto en estos temas, dice que «hoy nadie en Washington ni en Bogotá quiere admitir que el *Plan Colombia* no detiene cultivos, transporte o tráfico ilegal de drogas. (*The Washington Times*, 11 de junio del 2001).

Hoy en Colombia, Eagle o East es subcontratista de DynCorp Aeroespace Technology. La representante a la Cámara de Estados Unidos, Janice Schakowsky, dijo: «El antecedente cuestionable de haber estado involucrada en misiones encubiertas no aprobadas, añade otro nivel de interrogantes: ¿Quién es esa gente y ante quiénes son responsables?».

Y el presidente de East, coronel (r) de la Fuerza Aérea, Thomas Fabyanic, respondió:

—East es una compañía privada y no está obligada a difundir ninguna información a ese respecto.

Como las demás, la East opera libremente en Colombia sin que el Congreso ni las autoridades civiles del país conozcan sus actividades.

Pero además, ni la Aeronáutica Civil, ni el Ministerio de Defensa, ni la Policía Nacional reconocen tener conocimiento sobre cuántos contratistas extranjeros operan en el país y menos saben de sus actividades.

Schakowski, congresista demócrata por el estado de Illinois, reaccionó ante el secreto en torno a los mercenarios de su país que reciben millones de dólares cada año: «Estamos empleando a un ejército secreto. Estamos enredándonos en una guerra secreta y el pueblo norteamericano necesita que le digan por qué», dijo públicamente en Washington.

Unos días después, la opinión pública colombiana —tan ignorante como estupendamente mal informada— escuchó hablar de la MPRI, Military Profesional Resources Inc., cuando se anunció su salida del país.

En el rincón de una página interior, bajo un título insignificante, *El Tiempo* decía que la MPRI abandonaba a Colombia porque el Pentágono no renovó con ellos el contrato de entrenamiento a soldados colombianos, pues «los contratistas no entienden una palabra en español, no saben nada de América

Latina y sus cartillas de entrenamiento se basan en operaciones como la guerra del golfo Pérsico que nada tiene que ver con la realidad colombiana ni con la naturaleza del conflicto».

«Por su mediocre trabajo en el país» —así lo describe una fuente del Comité de Relaciones Internacionales del Senado— «la MPRI recibió 6 millones de dólares en el año 2.000 y posteriormente otros 4,3 millones del *Plan Colombia*».

Engarzando algunos antecedentes, la revista *James Intelligence Review* dijo que, aunque MPRI describió su trabajo con el gobierno de Croacia en 1995 como «simples labores de escritorio», contundentes éxitos militares contra los serbio-bosnios, posteriores a su aparición en el escenario, mostraban a un ejército muy superior que empleaba tácticas hasta ese momento no registradas.

Posteriormente la MPRI ayudó a los bosnios musulmanes a formar un ejército que hiciera frente a la maquinaria bélica de Slodoban Milosevic.

Según ONG defensoras de Derechos Humanos y algunos congresistas demócratas, lo más grave del papel de la MPRI en Colombia era que no estaba sujeta a vigilancia por parte del Congreso de los Estados Unidos.

La revista *Semana* le preguntó al entonces ministro de Defensa Luis Fernando Ramírez —el presidente los cambiaba cada año— por qué había salido esa firma de Colombia, y él respondió ruborizado:

—Incompatibilidad de caracteres.

¿Dijo «incompatibilidad» O «contabilidad»?

Para algunos, hablar de esa gran porción de las aceitunas que se guardan en la bolsa los mercenarios estadounidenses fue apenas un rasguño periodístico a la contabilidad del *Plan Colombia*, plan de guerra elaborado en inglés, con el pretexto de la cocaína y de la guerrilla más peligrosa del planeta, de acuerdo con Washington.

***

Conatos de información a los que no está acostumbrada la opinión pública colombiana. Sin embargo, las últimas burbujas de aquel *Alka Seltzer* democrático en torno a los mercenarios surgieron en la revista *Semana* a mediados del mes de julio del año 2001 bajo un gran titular en la portada: «Mercenarios» y debajo de las letras mayúsculas destacadas de un extremo al otro de la hoja: «Los gringos que fumigan en el *Plan Colombia* son una banda de Rambos sin Dios ni ley que incluso se han visto involucrados en un escándalo de tráfico de heroína».

La crónica comenzaba explicando que, «pese a la extrema gravedad del asunto», Colombia apenas se había enterado un año después, gracias a la revelación hecha por un diario canadiense, y luego contaba la historia del documento de la DEA en torno a la heroína hallada en las dos pequeñas botellas untadas con aceite de avión.

Pero lo que los estadounidenses de la embajada consideraron como *un exceso de libertad de expresión* fue un aparte del informe según el cual ésta no era la primera vez que la firma DynCorp se veía involucrada con asuntos judiciales en Colombia, a pesar de que en algunos casos «los documentos que la señalan desaparecen misteriosamente. Así ocurrió con la investigación que se adelantaba en Florencia por la muerte por sobredosis de drogas de uno de los funcionarios de DynCorp el año pasado.

»Las primeras informaciones decían que se trataba de Michael Demmons, miembro de un equipo de DynCorp asentado en la base militar colombiana de Tres Esquinas, quien tras sufrir un ataque cardíaco fue trasladado al hospital de la ciudad de Florencia, donde falleció.

»Sin embargo, las pruebas realizadas por los médicos forenses colombianos demostraron que la causa de la muerte del estadounidense había sido una sobredosis de cocaína».

Tres días después de esta crónica, última publicación sobre el caso en la prensa colombiana (fin de la efervescencia democrática), la embajadora de los Estados Unidos Anne Patterson le disparó una carta a la revista en la cual les decía que mentían: *Me opongo especialmente a que se hubiera puesto en tela de juicio la entereza de un miembro fallecido de DynCorp. Un empleado de DynCorp murió por un ataque de corazón en Florencia. La afirmación de* Semana *referente a su muerte por una sobredosis de cocaína es mentirosa. Esta declaración sin fundamento ni una fuente atribuible por parte de la revista es un insulto al empleado y a su familia.*

La embajadora tenía razón porque el mercenario no murió por sobredosis de cocaína sino de morfina y heroína a la vez.

Según el Instituto de Medicina Legal, «en la muestra de orina recibida como perteneciente al occiso Michael Demmons se detectaron morfina y codeína».

El documento oficial está firmado por la perito Constanza Moya, código 202-7, radicado el 18 de agosto del año 2000 a las tres de la tarde bajo el número 8401.2000.RS, análisis 1159 y 1159A.

La necropsia del cadáver había sido realizada la víspera al amanecer por el doctor Néstor Forero quien tomó muestras de orina, sangre y humor vítreo en intestinos, hígado y pulmón. Las muestras fueron enviadas al laboratorio de toxicología del Instituto de Medicina Legal en Neiva mediante una rigurosa cadena de custodia y acompañadas por el oficio 1984, 2000.08.16.

Luego de realizar la necropsia, el doctor Forero expidió un dictamen previo según el cual Michael Demmons falleció por causa de un paro cardiorrespiratorio «por posible intoxicación por causas exógenas».

En el mismo dictamen dice que Demmons presentaba rastros visibles de pinchazos con aguja hipodérmica en su brazo izquierdo.

Las muestras, según los documentos oficiales, fueron analizadas con las técnicas de inmunoanálisis y cromatografía de gases NPD.

Con esa base, en Florencia el doctor Guillermo Barrios Maldonado, director de la Seccional de Medicina Legal, concluyó que «Michael Demmons falleció por *shock* cardiogénico debido a paro cardiorrespiratorio por intoxicación exógena, secundario a probable sobredosis de morfina y codeína».

Un forense consultado dijo que la codeína es un analgésico potente, moderadamente narcótico, derivado del opio. Una tableta de codeína potencializa cincuenta veces el acetaminofén... Y ¡ojo! Agregó: «Una vez dentro del organismo se convierte en morfina».

—El muerto era un vicioso de grandes ligas —dijo luego.

—¿Por qué?

—Hombre, porque, como se ve en los exámenes forenses, se aplicaba doble dosis. A ese tipo no le bastaba una sola: primero el pinchazo y la morfina por la vena para sentir pronto sus efectos y luego lo hacía oral: se tragaba las pepas para gozar la narcosis posterior. Es decir, para alargar la traba.

Luego viene la historia en el hospital de Florencia.

Lo que sucedió aquella madrugada del 15 de agosto lo cuentan algunos médicos, algunas enfermeras, un camillero, un portero, quienes se hallaban en aquel momento en la sección de Urgencias. Todos quieren recordar y todos quieren contar, pero ninguno desea que se publique su nombre. Tienen temor.

¿De quién?

—De los mercenarios gringos de la base y de los militares colombianos que los cuidan. Todos ellos son tan peligrosos como la mafia.

El cadáver de Demmons llegó allí a las cinco de la mañana. A esa hora, sombras. Hospital solitario.

—¿Sabe una cosa? —pregunta un médico que, como se acostumbra a decir en los diarios, pidió no revelar su nombre—. El asunto es que casi nadie se enteró de la llegada de ese muerto. Un par de militares colombianos y unos gringos de civil con pistolas a la vista lo traían de la base militar de Larandia, no de Tres Esquinas. Gente agresiva y a la vez temerosa: el tipo se les murió en el helicóptero volando entre la base y el hospital, a diez minutos de camino. Una vez en Urgencias ordenaron que todo el mundo se largara de allí y para que no quedara duda de su exigencia uno de los gringos le quitó el seguro y luego levantó la pistola y, al verlo, los militares colombianos lo remedaron ¿Armas en un hospital? Al frente sólo estábamos nosotros, gente que se dedica a salvar vidas...

—«Así son ellos.

—»Bueno, pues no lo dejaron ver, no lo dejaron tocar. ¿Por qué diablos se les ocurrió cumplir con la ley y aceptaron que al cadáver le hicieran la necropsia? Hombre, porque no esperaban que se les muriera en el viaje y una vez aquí, pues resultaba muy ostensible oponerse a cumplir con un requisito tan elemental.

»Ya amanecido el día se lo llevaron. Los que lo trajeron decían que ese cadáver debía salir pronto para los Estados Unidos y luego todo el hospital supo y todo el pueblo supo que era un morfinómano, pues, porque el brazo izquierdo era un panal de cicatrices que mostraban el lugar donde se pinchaba para meterse la droga».

Luego el cadáver desapareció del país sin cumplir los requisitos mínimos que establecen las leyes. Ninguna de las autoridades que debían autorizar su inhumación o su salida de Colombia fue informada, ni se pidieron las autorizaciones de rigor, ni se dejó saber a nadie del Estado que el cadáver había sido trasladado a los Estados Unidos.

La ruta para llegar a esta pequeña historia se volvió un cuento kafkiano por tratarse de uno de los estadounidenses que achicharran con herbicidas desde hace décadas las plantas buenas y las plantas malas, los ríos y las selvas colombianas, en algo que llaman en Washington «nuestra guerra nacional». No obstante, el área de los cultivos crece en el sentido casi geométrico de su vicio.

Cinco días después de la voz amenazante de la embajadora estadounidense, el fiscal general de la Nación en Bogotá hizo ingresar en su despacho a dos señoras fiscales, una con la arrogancia de una pequeña autoridad policial de provincia. La otra, callada.

—Las señoras son la cúpula en este tema —explicó.

Desde luego la de provincia hacía el papel de ruda. O no lo hacía. Era ruda. La cara cuadrada, los ojitos desafiantes flotando dentro de unos espejuelos anaranjados —eran la moda—, su piel de pergamino, las manos atenazando unas hojas de papel que temblaban con el ritmo de su agitación reprimida. Estaba a punto de salirse de casillas: «Aquí no tenemos ningún resultado que diga positivo. No es cierto que los *americanos* de DynCorp trafiquen o consuman heroína. Eso no es cierto. ¿Los periodistas y la verdad? ¡Hay que ver lo que inventan los... periodistas!», dijo, pero con la rapidez que volteó la espalda ingresó otra señora que parecía complementar ese viejo truco de los interrogatorios a dos hierros en las comedias policíacas. Su actuación se basaba en voces bajas, movimientos suaves, caras de prudencia, parlamentos breves y pausados. Tomó asiento, sonrió:

—No conozco nada sobre la muerte del *americano* en Florencia. Déjeme averiguarlo. Le informaré después.

Luego dijo que no, que la Fiscalía no tenía conocimiento de ningún muerto, ni de ninguna necropsia. ¿Sobredosis? ¡Por favor!

En *Semana* uno de los periodistas que escribió la crónica de los mercenarios comentó mirando por encima de sus pequeños anteojos: «La embajadora de los Estados Unidos habló con el director de la revista: estaba furiosa y, hombre, con una amabilidad forzada le recordó la visa estadounidense que su gobierno le había concedido generosamente a él, y la que le habían otorgado a su padre... Con la generosidad que se las dieron podrían cancelarlas, y algo más. Mucho más que no quiero decirle».

Independiente del tratamiento que reciben sus ciudadanos, Colombia está dividida en dos clases sociales: la alta, distinguida por la visa *americana,* como dicen ellos... Y los ciudadanos de segunda a los que se la han negado.

Tres días después en Florencia, una ciudad en la selva no lejos de las bases estadounidenses, un fiscal subalterno de la mujer ruda dijo que sí, que realmente allí se hallaba el expediente por la muerte del mercenario pero que él no podía hablar del caso y se alejó con pasos nerviosos.

En los pasillos del Palacio de Justicia, los secretarios y los ayudantes y las secretarias hablaban del caso en voz baja. Uno de ellos me dijo que perdería el tiempo si intentaba que me dejaran mirar el documento, pero que sí: que allí había muerto un mercenario por sobredosis.

(Apareció el muerto).

—¿Por qué no es posible leer el expediente? Se trata de un documento de archivo. El caso se ha cerrado ya. Es absolutamente público. Yo soy un ciudadano colombiano —dije nuevamente.

—Todo eso es cierto pero ni siquiera puede mirarlo. Es una orden de Bogotá. El expediente lo guardan los jefes dentro de una caja fuerte en el archivo y sé que la orden es entregárselo a alguien de la embajada de los Estados Unidos esta misma semana... Cosas de Bogotá.

Sin embargo, «las cosas de Bogotá» eran allá, en Bogotá. Nosotros estábamos en una ciudad en la costa de la selva.

De acuerdo con lo que anotó en el expediente el doctor Forero antes de empezar la necropsia, Michael Demmons tenía cuarenta años, gordo, un metro con ochenta y cinco, el pelo castaño claro, la barba incipiente, casposa como el cabello, pero una semana después, un mercenario compañero suyo que dijo llamarse Timothy Gibson y a quien conocí en el *Doctor Zhivago* —el bar donde se reúnen los mercenarios cuando van a Bogotá—, antes de regresar a Miami a tomar su descanso de una semana por cada tres de guerra, me disparó un correo electrónico desde un café Internet:

«Michael», decía, «era un místico que se elevaba del suelo seis pies y dos pulgadas y en el momento de marcharse pesaba unas 230 libras. La madrugada que murió, las blancas estrellas irrumpían a través de una espesa neblina, pero aun así, el helicóptero se elevó de la base de los Estados Unidos de América en Larandia. Cuando llegamos con él a Florencia estaba muerto. El Señor sabe cómo hace sus cosas, pues me pareció que el hospital estaba manejado por salvajes ignorantes que tal vez lo hubieran transformado en un vegetal...

»Michael decidió irse a Colombia, porque, como siempre lo decía, el Señor le había dado hambre por la justicia, y realmente la "guía" fue hacia la verde y espesa selva colombiana.

»Usted me preguntó en Bogotá cómo era Michael y yo lo único que puedo decirle es que físicamente tenía un amplio pecho, abundantes cabellos castaños y una ancha frente, pero en el momento de su asunción se había convertido en un hombre tostado por el sol, con un rictus amplio y francos ojos azules, para quien Colombia significó un sendero de obediencia a la palabra de Cristo que nos envió a todos nosotros, militares y expertos *americanos*, como a ovejas en medio de lobos».

Pero, además, él me había dicho en Bogotá, acaso por la ansiedad en torno a tanta parábola y tanto salmo y tanta quimera empleada por Satanás, «objeto del deseo de los Gentiles», que cuando el muerto tenía doce años empezó por fumarse las hojas de papel cebolla de la Santa Biblia, que utilizaba como «sábanas» para envolver la marihuana que cultivaba en una alacena de su casa su amigo Bob Davis.

La comunicación de Gibson decía también que «la lucha de Michael en la jungla siempre hizo bullir su sangre porque sabía que se enfrentaba a las castas inferiores y sin ley que habitan ese vasto océano de verdes copas de árboles que se extiende hasta un borroso horizonte…

»Él era un hombre rígido como su sólida mandíbula. Cuando cumplió dieciocho conoció a una tal Mary Jo. Una semana antes de casarse con ella le dijo por escrito: "De aquí a siete días habrás perdido toda tu libertad y estarás sujeta a mi férreo gobierno y a mi ley inconmovible. Tienes una semana para pensarlo". Mary Jo desapareció».

El caso de este enviado de Cristo no es el único en aquellos territorios de guerra. Un paramédico contratado por la base militar de Larandia a raíz de la *asunción* de Michael Demmons aquella madrugada de agosto, y quien pidió proteger su identidad *porque pueden asesinarme,* aseguró que «en los cuatro meses que siguieron a la muerte de Demmons atendí en la misma base seis casos de sobredosis de heroína y de cocaína, pero los gringos argumentan otros cuadros para ocultar la narcosis, pues creen que somos ignorantes. Aun así, logré salvarlos de la muerte… Mire una cosa: se trata de exmilitares que no solamente vuelan sus aviones y sus helicópteros la mayoría de las veces drogados. Es que en estas bases, la mayoría de los mercenarios, no todos desde luego, pero sí la gran mayoría son viciosos. Viciosos y pendencieros como pocos. Ellos también participan en operativos, acompañados por policías y militares colombianos y cuando encuentran las cocinas de la droga, lo que incautan es para ellos y en eso no se atreven a meterse ni la Policía ni el Ejército de Colombia que son sus ayudantes. Aquí todos los yanquis andan armados y les dan bala a los campesinos de la zona y los matan o los dejan malheridos y luego dicen que se trataba de narcos, para justificar la droga que agarran para ellos y luego traen a la base.

»En la base de Larandia, los gringos acumulan la droga que agarran en cada operativo en la selva, y la guardan en la primera casa de la Plaza de Armas, frente al antiguo Comando de Larandia. Me dicen que lo mismo sucede en la base de Tres Esquinas. Lo que sucede en una sucede en la otra. Aquí en Larandia ellos tienen libre acceso a esa casa que es de ellos y, desde luego, no tienen ninguna supervisión ni del mismo comandante del Ejército ni de la Policía antinarcóticos de Colombia. ¿Cómo la van a tener si estos son sus subalternos? Uno le pregunta al comandante del Ejército, por qué no entran a esa casa y tratan de investigar qué hacen los gringos con tanta droga almacenada, y él responde: "No podemos por aquello de la diplomacia; las leyes internacionales nos lo prohíben".

»Los gringos hacen lo que quieren con la droga: sacan de aquí la que no se inyectan o no se meten por las narices y se la llevan en sus aviones. En Colombia nadie los controla. Y si usted se lo dice más de una vez a los del Ejército va a tener problemas muy graves: que yo sepa, en las bases de Larandia y Tres Esquinas los gringos y los militares colombianos impusieron la ley del silencio... Como en cualquier cárcel del mundo.

»Desde luego, en la Policía y en el Ejército a lo mejor se puede encontrar algún oficial con dignidad que podría contar cientos de historias como ésta, pero habría que buscarlo con lupa».

Un coronel de la Policía le confesó a la revista *Semana*: «Ninguna autoridad, llámese Aeronáutica, Aduana, Impuestos, Policía o Ejército, está autorizada para revisar las aeronaves de DynCorp que vuelan en Colombia. La NAS, una dependencia en la Embajada de los Estados Unidos en Bogotá, es la que decide qué aviones ingresan al país y cuáles salen para su revisión a las bases aéreas en Estados Unidos. Nadie sabe qué llevan en sus aviones, porque ellos son intocables».

Y otro oficial le dijo a la misma publicación: «Los pilotos de DynCorp son mercenarios a sueldo. Gente difícil de manejar, la mayoría altos consumidores de droga. Muchos se inyectan heroína. Otros se sorben la cocaína por la nariz antes de volar. Algunos de nuestros oficiales han tenido enfrentamientos abiertos con esos mercenarios porque ellos no respetan la disciplina en las bases militares y nuestros oficiales no aceptan que esos hombres, por más experimentados que sean en el campo de la guerra, estén consumiendo droga dentro de las instalaciones militares y policiales».

«Entonces, en esta selva los campesinos son los que "llevan del bulto"; mejor dicho: los que pagan los platos rotos. Uno les pregunta a algunos mercenarios gringos: "Dash, John, Duncan: ¿Ustedes por qué matan gente inocente? Los campesinos trajinan con la hoja de coca para no morir de hambre. Ellos no son narcos", y la respuesta siempre es igual:

»—¿A ti qué te importa? Tú eres sospechoso. Tú debes ser el narco y tratas de protegerlos.

»Por este "componente social" del *Plan Colombia* el campesino pobre y jodido y muerto del hambre que tiene que sembrar coca para vivir como un miserable cada vez se refugia más en la guerrilla, pensando que lo va a proteger de tanto asesino a sueldo».

The Guardian Weekly: «El contrato con DynCorp es un tratado de vaguedades y eso le permite a tal compañía evitar el control de autoridades de Colombia y de los Estados Unidos. El contrato también faculta a la empresa para desarrollar en territorio colombiano labores militares que van mucho más allá del simple asesoramiento y asistencia a labores de fumigación».

Para Adam Isacson, del Centro de Política Internacional de Washington, «la utilización de firmas privadas como DynCorp por parte del Pentágono puede ser una cortina de humo para camuflar operativos contrainsurgentes. Si eso ocurre, la responsabilidad del gobierno de los Estados Unidos sería menos directa: se trata de una empresa privada y si alguien llega a morir habrá menos presión sobre la Casa Blanca».

David Adams y Paul de Garza, del *Saint Petersburg Times*, sostienen que «la tendencia a usar contratistas privados y asesinos a sueldo para adelantar la política exterior de los Estados Unidos no es nueva».

Simultáneamente con *Semana*, a propósito de los mercenarios y el caso de la heroína de DynCorp, *El Espectador* inició una serie de crónicas.

Justamente el día que comenzaron a escucharse las voces estridentes y balbuceantes de la embajadora Patterson por su lamentable castellano, el diario encabezaba una segunda entrega con la entrevista a un piloto que había trabajado para DynCorp. La nota terminaba con un anuncio:

«Próxima entrega: los contratos de DynCorp en Colombia».

Pero la serie fue suspendida por el diario sin explicación alguna y, desde luego, la crónica no fue publicada jamás, a pesar de que la embajadora había dicho en su carta:

La declaración de trabajo de cien páginas de DynCorp se encuentra en la página de Internet de la Embajada, así como una hoja informativa sobre los contratistas del gobierno americano (incluyendo personal de la DynCorp) que trabajan en Colombia. El documento se puede consultar en: http://usembassy...

Tres días después, *El Espectador* se había pasado a la orilla opuesta y en una nueva serie en la que ya no hablaba de mercenarios, «término vulgar y despectivo», ni de muestras de heroína, ni de muertos por sobredosis, aseguró desde un comienzo que resultaba sospechoso que las voces de protesta contra la pretendida actuación sin control de los contratistas estadounidenses y las fumigaciones con herbicidas sobre la selva, se escucharan en el preciso momento de la recolección de cosechas de coca y amapola.

El jueves siguiente en la Casa Galán de Bogotá, ante sesenta periodistas, Jerry McDernot, corresponsal de la BBC de Londres, dijo:

«Hay evidencias según las cuales el Gobierno y el Ejército de Colombia han prohibido parcialmente el acceso de los periodistas a las fuentes de información. Sin embargo, no he sabido de ninguno a quien le hayan vetado totalmente el ingreso a esas fuentes, porque aquí la única entidad que maneja una lista negra de corresponsales y periodistas es la Embajada de los Estados Unidos».

Las palabras aparecidas en *El Espectador* en su segunda ronda son las mismas de los estadounidenses y de los militares colombianos. Filosofía enseñada por los *americanos* y bien aprendida por los de abajo. Recuerde usted: «Al oponente antes que eliminarlo hay que deshonrarlo».

Eso mismo dijeron a raíz de la crónica de *Semana*, y unas horas después lo repitió un general del Ejército llamado Ramírez Mejía refiriéndose al defensor del Pueblo, al contralor general de la República, a algunos senadores y a algunos periodistas independientes que habían cuestionado el peligro de la guerra química contra plantaciones de coca y marihuana:

Los amigos de la delincuencia y quienes están comprometidos con ésta son quienes obviamente atacan esta actividad.

(¿Recuerdan también? Primero calumniar. Luego agredir físicamente).

En Colombia, un país de generales pero donde hay más leyes que generales, los militares, además de manejar las armas, deliberan en la televisión y citan a conferencias de prensa para dictar sus propias doctrinas en desafío abierto de lo que llaman en otros países Estado de derecho.

Por eso mismo, en las horas de la noche declaró algo similar el jefe de la Policía, pero al ver tal cantidad de cámaras ante su cara, se excitó y resolvió adornarse aún más:

Durante los veinte años que hemos fumigado a Colombia, no se me ha enfermado ni un solo agente.

A palabra de policía, columnista de prensa: Erana Von der Walde, en un acto de valentía, le respondió en *El Tiempo*:

El piloto del Enola Gay tampoco sufrió los efectos de la bomba que arrojó desde su avioncito el 6 de agosto de 1945 sobre Hiroshima.

Esfuerzos solitarios y estériles por que en Colombia se permita algún día debatir las ideas. Somos una sociedad en la cual nadie se atreve a cuestionar, a discutir, a intercambiar puntos de vista porque, si lo hace, primero es calumniado, y luego agredido físicamente. En ese silenciar por cualquier vía a quien piensa distinto son iguales los militares, los guerrilleros, los policías y los paramilitares. En nuestra historia nunca hemos tenido la posibilidad de resolver nuestros propios problemas por las vías de la civilización.

***

El capital extranjero es el gran actor detrás de la nueva guerra. Con el argumento de la seguridad para proteger sus inversiones, por lo menos en la segunda mitad del siglo veinte las grandes compañías multinacionales asentadas en el país y el Ejército de Estados Unidos participaron directamente y en forma muy activa, en colaboración con las Fuerzas Armadas de Colombia, mercenarios extranjeros y bandas de paramilitares financiados con dineros del narcotráfico.

En el libro *Paramilitarismo de Estado 1988-2003,* publicado por el CINEP, se establece el nacimiento de las bandas de paramilitares y la instauración de la tortura oficial en Colombia, aconsejados por miembros de las fuerzas armadas de los Estados Unidos:

«En febrero de 1962 se realizó una visita a Colombia por parte de miembros de la Escuela de Guerra Especial de los Estados Unidos. Con tal fecha está clasificado el informe de esa visita, elaborado por el general Yarborough, director de investigaciones de esa escuela en Fort Bragg, Carolina del Norte.

»El informe está acompañado por un "Suplemento Secreto" en el cual se lee»:

Debe crearse ya un equipo en dicho país para seleccionar personal civil y militar con miras a un entrenamiento clandestino en operaciones de represión, por si se necesitaren después. Esto debe hacerse con miras a desarrollar una estructura cívico-militar que se explote en la eventualidad de que el sistema de seguridad interna de Colombia se deteriore más.

Esta estructura se usará para presionar los cambios que sabemos van a ser necesarios para poner en acción funciones de contra-agentes y contra-propaganda y, en la medida en que se necesite, impulsar sabotajes y/o actividades terroristas paramilitares contra conocidos partidarios del comunismo. Los Estados Unidos deben apoyar esto.

En ese mismo informe el general Yarborough incluía recomendaciones al Ejército y a la Policía de Colombia para que mejoraran la inteligencia y el control de la población. En particular sugería *un programa intensivo de registro de los civiles [...] De modo que todos sean eventualmente registrados en archivos del gobierno, incluyendo huellas digitales y fotografías.*

«También recomendaba procedimientos y técnicas de interrogatorios que incluyeran *sodio, pentotal y uso de polígrafos [...] Para arrancarles información a pedazos.*

»No deja de suscitar interrogantes de fondo el hecho de que estas recomendaciones imperativas hubieran sido hechas justamente en una época en la cual no existía insurgencia armada. Para ese momento se habían extinguido lo que llamaron *guerrillas* liberales y aún no había nacido la verdadera guerrilla semimarxista que apareció en 1964.

»Tres años después de aquellas recomendaciones el gobierno colombiano expidió un decreto (el 3398) según el cual,

"El Ministerio de Defensa Nacional por conducto de sus comandos autorizados, podrá amparar, cuando lo estime conveniente, como de propiedad particular armas que estén consideradas como de uso privativo de las Fuerzas Armadas"».

A quien recorra los documentos de las reuniones bianuales de la Conferencia de Ejércitos Americanos no le quedará duda de que el marco de dichos certámenes es la Doctrina de Seguridad Nacional, donde las estrategias del paramilitarismo criminal colombiano encuentran un contexto de aprobación absoluta.

Pero cuando se evidencian estrechas relaciones entre el paramilitarismo y el narcotráfico, el discurso de los Estados Unidos se va transformando en una condena formal del paramilitarismo. No obstante, en diversos momentos se ha ido revelando que detrás del discurso condenatorio, en la realidad persiste un apoyo básico a aquellas estructuras (paramilitares).

Un ejemplo contundente es la serie del *Philadelphia Inquirer* publicada a partir del 12 de noviembre del año 2000 con los resultados de una investigación de dos años, según la cual varias unidades élite de los Estados Unidos, como la Delta Force del Ejército, las Seal de la Armada, la CIA, el FBI, la DEA y la Agencia Nacional de Seguridad, estuvieron involucradas en la persecución y muerte de Pablo Escobar, en unidad de acción con el Bloque de Búsqueda de la Policía colombiana y con la organización *Los Pepes* comandada por el paramilitar Carlos Castaño, organización que asesinó a más de 300 personas cercanas a Escobar.

Tal colaboración de las diferentes agencias del gobierno de los Estados Unidos con el grupo paramilitar *Los Pepes*, dirigido por el delincuente Carlos Castaño a sabiendas del gobierno estadounidense, está documentada por el periodista Mark Bowden en su libro *Killing Pablo.*

El libro recuerda también cómo el 22 de diciembre de 1999 fue divulgada por varias redes de Internet una entrevista concedida por el militar estadounidense Stan Gofe, quien sirvió por más de veinte años en tareas de entrenamiento de fuerzas especiales de países latinoamericanos.

Gofe dice en ella que el comandante del Ejército de Colombia intervino en un proceso judicial para proteger a Carlos Castaño, entonces el jefe paramilitar más poderoso, y afirma:

La organización de Castaño está en contacto directo para inteligencia y operaciones con las fuerzas de seguridad. Esa red fue organizada y entrenada en 1991 bajo la tutela del Departamento de Defensa de los Estados Unidos y de la CIA.

Esto se cumplió al abrigo de un plan de inteligencia militar colombiano llamado Orden 200-05/91. La estrecha relación entre el ejército colombiano y Castaño hace nacer otro problemita para justificar la guerra contra la cocaína. Castaño es un conocido barón de la droga; no alguien que se aprovecha de los impuestos de la droga, sino un capo de la droga.

También hay preocupación en el gobierno de los Estados Unidos de estar luchando con —no contra— los narcotraficantes. En realidad, la CIA parece tener una afinidad irresistible con los capos de la cocaína.

La misma estrategia paramilitar de los Estados Unidos entonces es quizá la creación ahora de compañías militares privadas, la cara rentable de la guerra en países como Colombia e Iraq.

Yendo atrás, el primer caso conocido en la organización de grupos paramilitares con el auspicio de la industria multinacional es el de la petrolera Texas Petroleum Company en la zona de Puerto Boyacá a partir de 1983.

No obstante, la contratación de mercenarios internacionales para entrenar y apoyar en algunos casos a los paramilitares marcó un auge a finales de la década de los ochenta.

Según el libro citado anteriormente, existen relatos de gestores del paramilitarismo que hablan de la presencia de mercenarios israelíes, ingleses y australianos, especialmente las confesiones del mayor Óscar Echandía Sánchez y del capitán Antonio Meneses Báez.

Apartes salidos de un documento elaborado por el Departamento Administrativo de Seguridad, DAS, en febrero de 1990 con la confesión del mayor Óscar Echandía Sánchez, cofundador de Muerte a Secuestradores, MAS, en Puerto Boyacá (1982) y retirado del Ejército para ingresar de lleno a las «autodefensas» paramilitares.

Según el mayor, fue el capitán Meneses quien contactó en Panamá al mercenario israelí Teddy Melnick, y a través de él a Yair Klein y a Abraham Tzedaka, pero ya antes ACDEGAM, una asociación de ganaderos y narcotraficantes del Magdalena Medio, había hecho contacto con mercenarios británicos a través del capitán Luis Guillermo Tarazona.

El capitán aceptó haber asistido en marzo de 1989 al curso dado por los israelíes Klein y Melnik, y otro a quien le decían Mike, al parecer de origen polaco y todavía funcionario oficial de Israel.

El curso tuvo lugar en «La isla de la fantasía» en Puerto Boyacá; asistieron 22 personas (entre ellas Pablo Escobar) y versó sobre técnicas de fabricación de bombas incendiarias y otros tipos de explosivos; técnicas de control remoto con cables, radiofrecuencias, relojes acumuladores de energía o altímetros (método este utilizado en el derribamiento del avión de Avianca HK-1803); defensa antiaérea, inspecciones con rayos X, etcétera.

Según él, el curso fue financiado por los narcotraficantes Pablo Escobar, Gonzalo Rodríguez Gacha, Henry Pérez y Ramiro Guzmán, con un costo de 75.000 dólares. El testigo afirmó que *siempre que personas extranjeras visitaban Puerto Boyacá, especialmente mercenarios, éstos llegaban escoltados por agentes del F-2 de la Policía o por personal civil del Ejército.*

Según el testimonio del capitán Meneses, *el Ejército Nacional a través del coronel Velandia contrató al coronel Yair Klein, jefe de operaciones del Ministerio de Defensa de Israel... Junto con el jefe de policía antiterrorista de Israel y hombre del Servicio de Inteligencia Israelí y a un traductor de nombre Teddy Melnick, por la suma de 80.000 dólares.*

La instrucción comenzó a principios de 1988 en Cimitarra, junto al batallón de dicha localidad. El armamento empleado era de propiedad de los paramilitares y del Ejército de Colombia.

Un informe de la Policía (Dijin) luego de la captura del capitán Meneses está acompañado de un informe del Departamento Administrativo de Seguridad, DAS, (27 de noviembre de 1989) dirigido al procurador general de la Nación en el cual se identifica a los mercenarios que les dieron instrucción a los paramilitares. Entre ellos estaban los ingleses Brian David Tomkins, Stuart McAleese, Alexander Lennox; los israelíes Yair Gal Klein, Arik Picciotto Afec, Izhak Shoshani Meraiot, Uraam Tzedaka y el australiano Terrence John Tangney.

El coronel Klein concedió una entrevista al diario israelí *Maariv*, algunos de cuyos apartes publicó *El Colombiano* de Medellín. Allí afirma:

Estuve en Colombia por invitación de los estadounidenses... Si me callo no me harán nada, si abro la boca terminaré como Amiram Nir (uno de los compañeros en el adiestramiento de comandos armados en Colombia, que fue asesinado) y la entrenadora de delfines que encontraron muerta con un alambre de púas alrededor del cuello en el centro de Tel Aviv, y créanme, no se suicidó...

Nunca quise hablar con la verdad sobre el episodio de Colombia. Puedo decir sólo una cosa que hasta ahora no he dicho: estuve en Colombia por invitación de los estadounidenses, y punto. Todo lo que Estados Unidos no puede hacer, porque le es prohibido intervenir en asuntos de gobiernos extranjeros, lo hace, por supuesto que sí, pero por medio de otros. Obré con licencia y permiso en Colombia.

Cuando en el año 2002 el Tribunal Superior de Manizales condenó a Klein, a Tzedaka y a Melnick a diez años y ocho meses de prisión por entrenar a paramilitares, la revista *Semana* lo entrevistó, y él dijo:

Mi equipo solicitó autorización del Ministerio de Defensa Israelí y nos informaron que no había necesidad alguna de autorización, dado que los entrenados serían civiles en defensa de sus propiedades y lugares de trabajo, y no fuerzas militares...

El Ejército y la Policía estaban informados de lo que andábamos realizando y el lugar se hallaba rodeado por bases militares. Durante los fines de semana los alumnos jugaban al fútbol con los soldados. Desde una de esas bases llegó una vez una solicitud de ayuda de uno de los cursos con el fin de contener un ataque de la guerrilla. Yo no sentí que hacía nada contra la ley...

Según *El negocio de la guerra,* a principios de la década de los años noventa, los sindicatos acusaron a la firma suiza Nestlé de haberse servido de paramilitares para liquidar a sus oponentes en las negociaciones por el contrato colectivo de trabajo.

La misma acusación fue levantada también en contra de la Drummond Coal que en el año 2005 exportó 15 millones de toneladas de carbón.

Se acusa a esta compañía «de haber suministrado a los paramilitares dinero, víveres, combustible, armamento y tierras para campamentos. A cambio de ello los paramilitares ejercen violencia extrema y dan muerte a sindicalistas para evitar que éstos se filtren en la compañía».

En el 2003 el senador estadounidense Patrick Leahy, en una carta al secretario general de Justicia John Ashcroft, señala cómo esta multinacional «ha suministrado dinero, víveres, combustible, armamento y tierras para campamentos a los paramilitares de las AUC (Autodefensas Unidas de Colombia). A cambio de ello las AUC ejercen una violencia extrema, torturan y asesinan a sindicalistas para evitar que éstos operen en tales empresas».

Un año antes de su desaparición el jefe paramilitar Carlos Castaño dijo: «Asesinamos a los sindicalistas porque no dejan trabajar a la gente».

Siendo un proveedor de petróleo de Estados Unidos, Colombia adquiere un papel importante en la política exterior de Washington. La corporación privada estadounidense de servicios secretos Stratford afirma que «la mayor prioridad para el gobierno de Bush es la protección de las regiones petroleras de Colombia y la seguridad de otras regiones rurales en donde se presuma la existencia de yacimientos de crudo, para que así las empresas estadounidenses puedan iniciar su exploración bajo condiciones seguras».

Una parte importante del petróleo colombiano es extraída en el campo Caño Limón, en las llanuras del Oriente en la frontera con Venezuela, y es bombeado a través de un oleoducto hasta un lugar llamado Coveñas, en las costas del Caribe. Por lo menos la mitad del crudo va hacia Estados Unidos.

Las empresas que manejan los pozos y el oleoducto son la multinacional estadounidense Occidental Petroleum Company, y la empresa del Estado colombiano Ecopetrol.

Allí se encuentra también la reserva indígena de los U'wa cuyos habitantes se han resistido durante más de una década a la exploración que realiza la Occidental, que los presiona a través del Ejército y los paramilitares.

Debido a que durante los últimos años el oleoducto ha sido saboteado con cientos de atentados de la guerrilla, el gobierno estadounidense concede millones de dólares para su protección militar. Sólo en el año 2008 la cifra fue de 188 millones de dólares, más helicópteros para la Décima Tercera Brigada del Ejército, construcción de búnkeres y la capacitación de tropas colombianas. En el 2010 la cifra ascendió a 210 millones.

La vigilancia de los campos de extracción de petróleo y del oleoducto fue contratada con la compañía militar privada Air

Scan de Florida, que vuela aviones Cessna 337 (Sky Master) con cámaras de vigilancia (video) e infrarrojo. Las tripulaciones compuestas por mercenarios estadounidenses informan al Ejército sobre presencia de guerrilleros, y aunque en un principio lo negaron, posteriormente se comprobó que participan directamente en acciones militares:

Sábado 18 de diciembre de 1998:

Según lo registró la prensa local, helicópteros de la Fuerza Aérea Colombiana atacaron «a presuntas unidades de las FARC» ubicadas en un pequeño poblado en la Orinoquía —Oriente de Colombia— llamado Santo Domingo a unos cincuenta kilómetros de distancia del oleoducto.

Sin embargo, dieciocho habitantes del poblado, entre ellos siete niños, murieron bajo el fuego de las ametralladoras o cayeron por la acción de unos explosivos llamados «dispositivos Cluster», o «bombas-racimo» como los bautizó la prensa del momento. Sin embargo, el Ejército responsabilizó a las FARC por este hecho.

Esta es una visión parcial de la historia íntima de algunas secuencias de los combates ocurridos allí:

Santo Domingo eran entonces diecinueve casuchas de madera que habían ido apareciendo sobre los costados de una carretera que atraviesa esta llanura sin cercas, ni montañas, ni colinas. Llanura de dunas y terrazas y más abajo de las terrazas, vegas en medio de las cuales se acomodan ríos gigantescos, y caudales menos abundantes, y arroyos. A los arroyos les dicen «caños».

Santo Domingo nació cerca de Caño Verde, un arroyo transparente...

Aquella carretera con rectas que se pierden en la reverberación es la mejor pista de aterrizaje en centenares de kilómetros a la redonda.

Antes del mediodía del 12 de diciembre del año 1998, un sábado, alguien le dijo a los de la ley que un pequeño monomotor aterrizó cerca de las casuchas, dejó algunas cajas y volvió a elevarse.

Una vez escuchó el mensaje, un oficial de inteligencia del Ejército —les dicen «Dos»— anunció:

—Mi general, es un monomotor, vuela sin autorización y según El Virrey (base de la Occidental Petroleum Company) se detectó el descargue de unas cajas que a lo mejor pueden contener cocaína o, a lo mejor... tal vez explosivos para los bandidos.

—Que le echen mano a ese pájaro hijueputa —ordenó el general.

Finalmente agarraron al avión sospechoso y se llevaron al piloto para el calabozo y una vez se lo llevaron, «Dos» le dijo al general:

—El Virrey advierte que además de las cajas, el pájaro dejó en Santo Domingo al *terrorista* Chancho.

A la voz de Chancho, el general envió un par de helicópteros con tropa, pero los de abajo los recibieron a balazos.

—¿Qué más ordena, mi general?

—Unidades contraguerrilla. Vámonos con todo sobre esos malparidos —respondió, y comenzaron a elevarse helicópteros llevando patrullas que se identificaban a través de la radio como Águila Cinco, Cascabel Seis, Dragón Ocho, Mapaná Doce,

Víbora Trece del Batallón Comuneros, y Alacrán Catorce, Cobra Quince, Pantera Veinte del batallón de contraguerrillas Número Veintiuno del Ejército de Colombia.

Aquella fauna combatió el resto de la tarde.

Cinco de la mañana siguiente. Pronto amanecería un domingo, el trece. Día tibio a esa hora.

Tanto los diarios como la televisión la noche anterior desplegaban el titular del día: «Acorralada la guerrilla».

Pero además, fue anunciada la captura clave de Narda Cabezas, amante de un cabecilla apodado Grannobles, «*terrorista*, asesino de misioneros *americanos*, que se encuentra acorralado y sin salida», dijo otro general en la televisión.

Domingo de optimismo para la patria. La chica de la televisión encabezó las noticias con una frase escrita por el director del informativo: «Este es el principio del fin de la guerrilla».

Antes de que amaneciera, en la base desde la cual había sido lanzada la operación, fue dada la orden para que uno de los helicópteros de velocidad mediana, conocido familiarmente como *Centella Negra*, cuya misión era transportar soldados y abastecimientos para las tropas de superficie, fuera armado con un artefacto que llaman «dispositivo Cluster»: bombas viejas y herrumbrosas que no siempre hacen explosión, por lo cual la guerrilla recicla las que caen en silencio y fabrica explosivos y con ellos destruye poblados de gentes pobres y casas de pobres y escuelas de pobres. Son bombas que sobraron de la guerra en Vietnam.

Realmente nada parece inverosímil en una guerra artesanal como esta. Un año antes, el Departamento de Estado de los Estados Unidos ordenó enviar a manera de, bueno, ellos le dicen «ayuda»... Le enviaron como ayuda a Colombia, diecisiete millones de proyectiles inservibles para ser utilizados en unas ametralladoras (GAU-19/A) varias de ellas también inservibles, emplazadas en parte de los viejos helicópteros Halcón Negro (UH-60), que también habían llegado como ayuda.

Cuando la noticia de aquella munición fue publicada en el *Washington Times* y reproducida en voz baja, la cabeza gacha, las mejillas enrojecidas, por la prensa colombiana, páginas interiores, pequeños titulares, letras pequeñas y pequeñas columnas, los militares desconocían que, «según los documentos del gobierno *americano*, la munición fue aprobada por la Oficina de Policía y Leyes Internacionales contra Narcóticos del Departamento de Estado, a pesar de una advertencia escrita por el fabricante, según la cual su utilización puede lesionar a quien la dispare».

Se trataba de balas para la guerra de Corea, hechas a mediados del siglo pasado por la fábrica Twin Cities Arsenal, de la firma General Dynamic Arnmaments Systems.

¡Diecisiete millones!

Un poco antes de aquello, en aguas del Pacífico colombiano, el comandante del *Sebastián de Belalcázar*, un remolcador de mar de la Armada Nacional, dijo, «guerra es guerra», luego de intentar durante medio día que el cañón disparara. Yo me encontraba a bordo tratando de rehacer la historia de *El Karina*, un barco con armas para otra guerrilla, y del único combate naval sostenido por la Armada colombiana en la era moderna, realizado con cargas de fusilería y disparos de pistola, luego de que el buque de la Armada se pegara un cañonazo él mismo. Al final de aquel combate quien hundió al pirata no fue la unidad de la Armada sino los mismos guerrilleros que perforaron a balazos el casco de *El Karina* buscando morir como héroes.

Pero no murieron. Terminaron encadenados y de cabeza dentro de un barril con agua salada.

Ahora, cuatro años después del combate, yo buscaba tomar una fotografía del cañón escupiendo humo pero la escena se logró finalmente dos horas más tarde, a las cinco, gracias a que la penúltima bala salida de la Santa Bárbara —donde almacenan el arsenal— fue la única que explotó.

«Al parecer se trata de munición alterada por la humedad del ambiente» dijo el capitán, la voz baja, la cabeza gacha, las mejillas enrojecidas, pero el segundo de a bordo examinó el culote de la vainilla de uno de los proyectiles, y dijo: «Señor, es de 1950. Increíble que todavía exista material fabricado para la guerra de Corea».

—Es ayuda, y a bala regalada no se le mira el... culote, —replicó el comandante.

Santo Domingo: seis de la mañana del domingo trece, segundo día de combate. Cuando amaneció, en la base militar de la llanura dijeron que la visibilidad para volar era mayor a diez kilómetros, cielo con nubes escasas y viento en calma. Los helicópteros volaron hasta un campamento de la Occidental Petroleum Company, en un punto llamado Caño Limón, desde el cual la compañía decía que bombeaba en ese momento ciento veinte mil barriles diarios de petróleo, a lo largo de mil kilómetros de oleoducto hasta la costa Caribe.

La infraestructura petrolera es regularmente saboteada por la guerrilla que extorsiona al Estado colombiano a través de las empresas multinacionales, con la fórmula de que aquéllas saquean los recursos del país. El exvicepresidente y excandidato presidencial de los Estados Unidos, Al Gore, es socio de la Occidental.

A las seis y quince los pilotos fueron concentrados en el campamento de la petrolera estadounidense. Allí... Bueno, digamos que les dijeron, no que tres mercenarios estadounidenses les estaban dando órdenes... Les dijeron que durante todo el día transportarían tropas que serían desembarcadas en lugares que uno de los mercenarios había determinado previamente, de manera que ellos se limitaron a escuchar las órdenes.

La de *Centella* era asalto aéreo, transporte de tropas y abastecimientos —una operación Delta—, y algo llamado misión Charlye: dejar caer el dispositivo Cluster o racimo de granadas de fragmentación, que llevaba atado a la percha derecha de su helicóptero, aunque realmente no existía un procedimiento para lanzarlas, puesto que ninguna nave de la familia de Centella llevaba habitualmente ese tipo de armamento, por viejo y por oxidado... Y por obsoleto, pero los mecánicos de los helicópteros fueron creando toda una metodología casera para manejarlo.

A esa misma hora, sobre la llanura, cascabeles, águilas, dragones, víboras, alacranes, panteras, cobras, se hallan trenzados en combate con la gente de Chancho.

Un poco antes, con las primeras luces del día, ellos habían visto al final de una larga recta en la carretera una multitud de personas con armas largas que les hacían señas:

—Vengan, hijueputas, que aquí los esperamos —gritaban.

Los contra-guerrilleros estaban armados con fusiles israelíes, ametralladoras M60, morteros de 60 milímetros, lanzagranadas de 40 milímetros, granadas de fusil, y los guerrilleros con fusiles estadounidenses M16 venidos del Panamá de Noriega a través de la selva y el mar, y Kaláshnikov sobrantes de las guerras en Nicaragua y El Salvador, y otros AK 47 —que son los mismos

Kaláshnikov—, procedentes de Honduras, desde donde el almirante Poindexter y el general Oliver North armaban a la contra nicaragüense con fusiles que ellos mismos cambiaron por cocaína colombiana.

Los de las FARC disparaban también con otros Kaláshnikov, caídos del cielo en un punto llamado Barrancomina, en la selva, gracias a la CIA y a Vladimiro Montesinos el agente que se movía detrás del presidente del Perú Alberto Fujimori, alias *El Chino.*

Mañana cálida. Un poco después de las nueve, *Centella* se elevó con un grupo de soldados y el técnico de vuelo informó a través del *intercom* de sus cascos que «en el momento de desembarcar la tropa no podrán proteger la nave, ni proteger a los soldados, ni disuadir a Chancho, puesto que la ametralladora de a bordo, una M60 dotada con varias arrobas de cartuchos, no trabaja»:

Otra «ayuda».

La Cluster, que a pesar de su color siena opaco parecía brillar con el sol del Llano, no es más que una varilla de acero y sujetas a ella seis granadas, cincuenta kilos de trinitrotolueno, TNT, un explosivo sólido cristalizado, antiguo pero poderoso.

Para lanzarla desde 2.500 pies de altura, el tercer hombre de a bordo hala un cable de acero que la desconecta de la percha, con el fin de que la espoleta de las granadas tenga tiempo de armarse a medida que van cayendo. Si el viento está calmo, como lo estaba aquel domingo trece, las seis deberían chocar contra el mundo a manera de cuñas y explotar en una zona concentrada, cercana una de la otra, primero las tres de adelante, luego las restantes.

A las nueve y treinta y cinco el copiloto volvió a confirmar el estado del tiempo: azul ilimitado, temperatura cálida aumentando en forma rápida, viento en calma. El aparato *Palo y Bola* —un instrumento básico y elemental— indicaba cómo *Centella* se hallaba dentro de su centro de gravedad en condiciones óptimas para cada viraje.

El objetivo indicado a través de la radio por aquella voz con acento gringo que sonaba sin detenerse desde la víspera, *La Voz* —es decir el jefe de los mercenarios estadounidenses de la Occidental— dijo que el objetivo era una mancha de bosque señalada por él como «la número Cinco».

Centella describió tres órbitas luego de las cuales la tripulación reconoció el punto, y cuando estuvieron seguros del blanco a batir, iniciaron un viraje por la derecha alejándose hacia el «Eco» —Este de las casuchas— para enfilar luego en dirección del lanzamiento.

—Bola dentro del Palo —dijo una vez más el copiloto.

En ese punto, el piloto comenzó a sostener la nave de tal manera que pudiera enmarcar la mancha de bosque con la mira pintada en el piso, sobre el *flexiglass* transparente, bajo sus pedales.

Como todo en esta guerra, la mira es rústica: dos círculos, uno dentro del otro con líneas punteadas en sus ejes. La unión de las X, o de las Y, o de la X-Y, como usted lo prefiera, señala el punto de paso sobre el blanco.

—Velocidad, setenta nudos. Altura, dos mil quinientos —anunció el copiloto. Le dicen «maniobra de acercamiento» al blanco.

Cuando *Centella* inició la pierna final para el lanzamiento, «Altura, dos mil quinientos... Velocidad, setenta… Viento calmo...», la mancha de bosque se hallaba en la rectitud de sus ojos.

A las nueve y cuarenta y cuatro las ramas de un *guarataro* comenzaron a entrar dentro de los círculos. En la mancha de bosque, los penachos de una palma real sobresalían inmóviles, brillantes por el sol, y cuando la mira se llenó de vegetación, cuando tuvieron el bosque atrapado dentro de los círculos, el comandante dijo a través del *intercom*:

—Tres, dos, uno... ¡Ya!

En la parte trasera de la nave, el tripulante de vuelo haló la cuerda de acero y vio que el racimo de bolas que ahora parecían negras en el contraluz del cielo, se desprendía libremente y caía tras el blanco en el aire limpio de la mañana.

Dentro de *Centella* se escuchaba el ruido de la turbina y el de las aspas rebanando el viento, y cuando iniciaron un viraje en busca de la zona indicada para tomar tierra escucharon la voz de mando del mercenario diciéndole a otra nave:

—«Error, error. No ser allí; equivocación, nosotros cagarla. Salir de ahí».

Al parecer el mercenario les había dado coordenadas que marcaban algún área crítica y la nave a la que le ordenó la barrió con su ametralladora.

Una de la tarde. En la llanura se escucha la voz del mercenario diciendo que ha cedido el fuego lanzado por los de la mata «Cinco», pero ahora habla de otra. La llama «Nueve», dice que allí se halla agazapada una jauría de bandidos y exige más acción. Se le escucha excitado.

—«Haber muchos bandidos» —repitió, y le dio a las aeronaves las coordenadas del nuevo blanco, siete kilómetros al oeste de las casuchas y tan fácil de reconocer en la planicie como la anterior.

Una vez en el teatro de operaciones identificaron el blanco señalado por la voz del mercenario.

A las dos de la tarde la brisa, la temperatura y la visibilidad eran similares a las de las diez, por lo cual la tripulación estableció las condiciones de vuelo y dejó caer el segundo racimo.

El general superior del superior del superior les había dicho a los periodistas que «la guerrilla huye replegándose hacia la República Independiente del Caguán, donde ahora gobierna *Tirofijo*».

(Indicio de que la guerrilla se les había escabullido, pues el cerco de seis mil hombres no era tan atenazante).

Continuaron los combates. Dos días más tarde comenzaba a diluirse aquello de «el principio del fin del terrorismo».

En la base militar dos noches más tarde se produjo algo inesperado para la gente que cenaba en el casino de oficiales. El informativo de televisión dejó escuchar fanfarrias. La chica de las siete dijo que un helicóptero de la Fuerza Aérea había dado muerte a veinte niños, quince mujeres y siete ancianos con una bomba llamada *Closet*, pero la de las nueve enmendó las cifras:

—No son veinte sino dieciocho los niños que desintegró la bomba *Monster* de moderna tecnología, lanzada por uno de los helicópteros del Ejército que tenía cercados a dos mil guerrilleros en los Llanos. La masacre ocurrió en una ciudad conocida como Caño Verde.

Dos años y medio de silencio, pero el viernes 15 de junio del año 2001, el *San Francisco Chronicle* irrumpió con la revelación de algo que los superiores de los superiores de las Fuerzas

Militares de Colombia habían logrado mantener controlada, silenciada, callada:

La identidad de *La Voz* correspondía a tres mercenarios estadounidenses que, a bordo de un avión Sky Master al servicio de la Occidental Petroleum Company, les habían indicado a los militares locales las coordenadas de los blancos y los instantes en que debían castigar con cohetes y ametrallar los alrededores de aquel caserío de ranchos miserables controlados por la guerrilla, y más tarde bombardear la llanura y las manchas de bosque. Ellos eran quienes habían pedido durante varias mañanas y atardeceres y noches, más acción contra *Chancho* y su horda de bandidos. Más decisión. Más arrojo:

—*Go, go, go*!

Luego vino el silencio de los... ¿Inocentes? No. De las operaciones sicológicas militares, roto cuando el diario extranjero reveló que *La Voz* eran Joe Orta, Charlye Denny y Dan McClintock de una compañía privada de vigilancia aérea con base en Rockledgef, llamada Air Scan International.

En ese momento, Orta, Denny y McClintock se hallaban libres de cargos en algún lugar del mundo, mientras la tripulación del *Centella Negra* que recibió órdenes e indicaciones de los mercenarios estadounidenses y luego dejó caer dos racimos Cluster sobre unas manchas de bosque señaladas por los mismos mercenarios, afrontaba un castigo hasta de treinta años de cárcel dentro de un proceso muy político, muy militar y muy colombiano.

La crónica de Karl Penhaul, titulada «El ataque aéreo», surgió en San Francisco luego de que los tripulantes colombianos presionados para que guardaran, ese sí, el silencio de los inocentes, y ante los compases de opereta del proceso, resolvieron abrir la boca y solicitarle a la juez militar:

—Mi capitana, que llamen a los gringos a responder por esto.

La noticia se filtró y un diario colombiano reprodujo la crónica y, ¡oh, Dios!, la explosión del superior de tantos superiores del Ejército.

Desde luego, dos años y medio antes, cuando la Fiscalía General de la Nación participaba en el proceso, sus investigadores solicitaron a la embajada de los Estados Unidos información sobre los «contratistas» estadounidenses comprometidos en el ataque, pero la embajada respondió con una comunicación breve en la cual decía que Orta, Denny y McClintock no eran empleados contratados por el gobierno *americano*.

Justamente ese es un gran ejemplo de los motivos por los cuales los estadounidenses subcontratan con mercenarios las guerras que hacen fuera de sus fronteras.

Otro ejemplo de los resultados de estos conflictos en manos de *contratistas* estadounidenses había ocurrido en Perú un poco antes:

Cuatro meses después de haber sido derribada sobre la selva amazónica una aeronave estadounidense con misioneros estadounidenses a bordo, el Congreso en Washington no había sido informado oficialmente sobre qué compañía contratista operaba el avión de reconocimiento que el 20 de abril del año 2001 le ordenó a la Fuerza Aérea Peruana ametrallar la avioneta en la cual murieron una señora y su pequeña hija.

Apenas en agosto los investigadores del Congreso hallaron la pista de una firma llamada Corporación de Desarrollo de Aviación, ADC, que opera desde Alabama.

El *New York Times* dijo luego: «Nadie en ADC se ha mostrado dispuesto a hablar. Tampoco lo han hecho la CIA, el Departamento de Estado o la Casa Blanca».

Haciendo eco a lo ocurrido en Santo Domingo y como una típica efervescencia en Colombia, la revista *Cambio* preguntó el 18 de junio del año 2001: «¿Quién autorizó la intervención de extranjeros en una misión militar colombiana, en naves colombianas y en suelo colombiano? ¿Por qué razón se les entregó autonomía a esos extranjeros para comandar la operación?».

Y el superior de todos los superiores del aire le respondió: «Me hallo realmente muy molesto y muy indignado y muy enojado porque las indagatorias de mis subalternos se hayan filtrado a la prensa».

El Tiempo: «Polémica porque un avión estadounidense con pilotos estadounidenses al servicio de una petrolera estadounidense haya servido de soporte a la Fuerza Aérea Colombiana».

Según el *San Francisco Chronycle*, todo comenzó cuando el piloto del *Centella* le repitió a la juez militar:

«—Señorita juez, mi capitana: las coordinaciones fueron hechas directamente con helicópteros ametrallados que nos estaban ayudando y con el avión Sky Master Cessna 337 volado por pilotos gringos.

«Luego», continúa el diario de San Francisco, «el segundo al mando en el helicóptero colombiano le dijo a la misma juez:

»—Señorita juez, mi capitana: el piloto del Sky Master escogió los sitios para que las tropas desembarcaran señalando las áreas vulnerables y señalando la presencia de la guerrilla. Los pilotos del Halcón Negro y del Sky Master gringo fueron los que llevaron al piloto de nuestro helicóptero a identificar el objetivo con ayuda visual desde tierra.

"No acepto convertirme en un chivo expiatorio", declaró a última hora el capitán colombiano en el juzgado».

El *San Francisco Chronicle*:

«Un funcionario de la Empresa Colombiana de Petróleos en Caño Limón dijo que la Occidental siempre ha tenido fondos para el avión Sky Master: "He confirmado que el avión es pagado a Air Scan por Occidental a través de un contrato que ha tenido varios pasos, ya sea, o por la sociedad Occidental-Ecopetrol o por el Ministerio de Defensa de Colombia", dijo el funcionario.

»El director de Air Scan, John Manser, hablando desde la casa matriz de la compañía, declaró que el avión Sky Master y la tripulación fueron originalmente contratados por Occidental y Ecopetrol en 1997. La compañía entrenó entonces a las tripulaciones militares colombianas».

Sin embargo, a raíz de los combates en Santo Domingo, alguien en el interior de la Fuerza Aérea Colombiana resolvió hablar de dignidad, un sentimiento muy ajeno a Colombia:

—No más particulares trabajando a nuestro lado —dijo, y luego propuso que compraran el Sky Master.

Lo compraron.

A mediados del 2001, un general que, desde luego, habló con la condición de no ser identificado, sacó a flote algo que está latente en un sector de la FAC:

«La Fuerza Aérea Colombiana no acepta trabajar con mercenarios por el respeto que merecemos como país. En cambio, no sé qué les sucede al Ejército y a la Armada. De los de la Policía no hablemos. En Colombia los mercenarios vuelan aviones a los que les estampan la matrícula "Ejército", sin ser del Ejército y eso me parece muy grave y muy indigno;

y los pintan y les ponen la matrícula "Policía de Colombia", sin ser de la Policía de Colombia, pero al lado puede leerse "N" que corresponde a su matrícula original —uno le dice *November*— y significa, aeronave civil de los Estados Unidos.

»Pero, además, a los mercenarios nadie los controla en Colombia. Y cuando digo *nadie* es na-die. Mire lo que ocurre en este país:

»Cuando un piloto civil, normal, llega a trabajar en Colombia a bordo de aviones con nuestra matrícula "Hotel Kilo", es decir HK —avión civil regulado por autoridad civil—, tiene que aportar una cantidad enorme de documentos: visa de trabajo, exámenes médicos, homologación de licencias... No sé qué más requisitos, para que esa autoridad tenga la certeza de que ese piloto va a volar correctamente, si es que lo autorizan a hacerlo, porque Colombia protege mucho el trabajo de sus pilotos civiles. Es decir: para que lo autoricen tiene que haber una necesidad imperiosa de que no existe en Colombia ningún piloto que pueda volar determinada aeronave.

»Pero ¿qué sucede con los mercenarios? Son pilotos civiles que llegan y vuelan un aparato al que le pusieron matrícula "Ejército", sin ser del Ejército; o "Policía", sin ser de la Policía —son naves "N", civiles estadounidenses— y esos mercenarios quedan fuera del control civil porque automáticamente se convierten en Aviación de Estado. Pero ahí no termina la cosa porque también quedan fuera del control militar: hoy la Fuerza Aérea vuela por su lado, el Ejército por el suyo, la Armada por el suyo, los policías por el suyo. Cada uno es una rueda suelta. Bueno, la Fuerza Aérea lleva en Colombia ochenta años y está absolutamente identificada con su doctrina y con su dignidad, pero esta gente del Ejército y esos policías vuelan por donde quieren. Mire que solamente a nivel de militares colombianos hay diferencias. Hablo de Fuerza Aérea, Ejército y Armada. Por otro lado van los policías. Vaya usted a ver lo permisivos que se volvieron el Ejército y los policías al aceptar que estos gringos vengan a hacer aquí lo que les viene en gana: ellos llegan, dicen que son los mejores del mundo, que no tienen nada qué ver con los militares colombianos, y los soldados y los policías les agachan la cabeza.

»Por otro lado, llegan con unos sueldos altos —los del *Plan Colombia*—, frente a los salarios que ganan nuestros pilotos, y… si usted escribe esto, le van a responder: *Mentiroso. No es así. Usted es un terrorista. En estas empresas también hay pilotos colombianos.* Bueno, sí. Muy pocos para tener las bocas de los colombianos calladas respecto a lo que sucede realmente, pero convénzase de una cosa: esto es un abuso abierto, sin límites... Yo me aguantaría hasta lo de los sueldos, pero como colombiano, como Fuerza Aérea, lo que no puedo aceptar es que venga una ola de extranjeros, de los cuales no conocemos sus capacidades, sus vicios que son muy grandes, sus mañas que son muy grandes, su estado físico, vengan, digo, a hacer lo que les da la gana. Eso me afana y me angustia. Y no hay en Colombia una autoridad que los controle. Vaya usted a Estados Unidos: la semana pasada nos detuvieron en Houston un avión Hércules porque dijeron que no llevaba algún permiso. Y tuvieron a noventa personas, desde la una hasta las seis de la mañana, retenidas dentro del avión. Y al final, ¿qué? *Lo sentimos: no faltaba ningún permiso. Salgan.*

»Mientras tanto, aquí todos sus pilotos civiles que van llegando dependen de alguien en la embajada de los Estados Unidos y por tanto, ni el Ejército de Colombia ni los de la Policía saben qué hacen ni en qué andan».

En un verdadero tiempo recuperado, meses después regresaron las imágenes del bombardeo en Santo Domingo en los Llanos Orientales de Colombia, gracias al *San Francisco Cronicle* y a *El Tiempo* que lo reprodujo, esta vez diciendo que «la juez Penal Militar había acusado a la tripulación colombiana de homicidio culposo y lesiones personales culposas. A su vez, el capitán colombiano del helicóptero militar le solicitó que le exigiera a la tripulación del avión estadounidense los videos que fueron grabados segundo a segundo en la operación del helicóptero que él comandaba.

»Los videos eran prueba fundamental para demostrar que el helicóptero siguió las instrucciones, las coordenadas y las órdenes entregadas por los mercenarios estadounidenses, y que los militares no bombardearon por su cuenta».

—¿Dónde están esas grabaciones? —preguntó la capitana.

—El video hecho en el avión estadounidense fue guardado en instalaciones de la Occidental Petroleum Company, en su complejo de Caño Limón —respondió el piloto militar colombiano.

Revista *Cambio*: «¿Por qué se confió a una multinacional petrolera la custodia de un material que ahora podría tener un impacto decisivo en la investigación? ¿Qué otras misiones cumplió la tripulación estadounidense?».

En la recurrente conferencia de prensa, un corresponsal extranjero preguntó por qué mercenarios estadounidenses le daban órdenes a la Fuerza Aérea Colombiana, y el superior de todos los superiores allí, muy molesto y muy indignado y muy enojado, respondió que si algo hubiera tenido qué responder, se lo hubiese dicho a la juez que investigaba el *incidente*.

(La juez-capitana es subalterna suya).

El recuerdo ha hecho que el tiempo retroceda. Volvemos al domingo trece. Antes de entrar en combate los pilotos militares se hallan lejos de su base. A las seis y quince minutos de la mañana el escenario no es ninguna instalación militar colombiana, ni ninguna dependencia del gobierno colombiano, ni algún despacho oficial del Estado. No. Es *El Virrey*, como le dicen en clave al campamento de la Occidental Petroleum Company.

Cuando irrumpieron los mercenarios del avión Sky Master, en el Aula «G» de la Occidental, se advirtió una genuflexión. La arrogancia de los combatientes nacionales parecía haberse diluido en el halo de obediencia que los arropa siempre que tratan con aquellas personas.

Por lo que contó inicialmente el que parecía mandar en los otros dos —alguien le había dicho míster Orta y, al otro, míster Denny, y al tercero míster McClintock—, los militares supieron que él era quien le había comunicado la víspera a su superior que, de acuerdo con información de inteligencia electrónica suministrada por el avión, se detectaba una concentración alta de *terroristas* cerca de Santo Domingo, y que un pequeño avión Cessna había aterrizado en la carretera: buscaba llevarse de allí a un cabecilla guerrillero, armas y cocaína.

Justamente ese había sido el punto de partida de la operación para interceptar la avioneta y capturar al amante de Narda Cabezas, a quien el coronel «Dos» no llamaba Grannobles sino Mandrake: Mandrake y Narda, decía el oficial.

En lenguaje castrense y con estilo castrense y apoyado por un mapa y una proyección de videos realizados por el Sky Master, personalmente fue el mercenario quien escogió los sitios en los cuales debería ser desembarcada la tropa y señaló las áreas vulnerables y los puntos que según él ofrecían presencia de *terroristas*.

—Nuestra Sagrada Biblia es la información visual que nos proporciona el sistema FLIR, *Forword Looking Infrared Radar* de nuestro avión, y ante ella tenemos que orar esta mañana —agregó el mercenario e inclinó la frente—, y cuando unos segundos después volvió a despegar los labios, les aseguró que en una mancha de bosque señalada por él como «Cinco», había una jauría de terroristas.

—En ese punto debe ser «entregado» el primer dispositivo (bomba) Cluster —les explicó.

Antes de terminar, les repitió que una vez en el teatro de operaciones, él y sus compañeros continuarían ayudándoles a identificar los blancos que acababa de señalar en el mapa, y remató como lo hacía Patton frente a sus divisiones de tanques:

—Nuestra memoria está en este mapa, en los videos y en los designios del Señor. Tenemos grabado lo de ayer y tendremos registros detallados de toda la operación, de absolutamente toda, así permanezcamos aquí varios meses. Con nuestros equipos no puede existir un espacio de tiempo durante el cual nosotros no hayamos grabado desembarco, apoyo de fuego, abastecimientos y movimientos de sus aeronaves en combate. *Okey?*

—*Okey!*

Luego se elevaron y buscaron con sus ojos el blanco, y el blanco fue enmarcado por las circunferencias bajo los pedales y, *go, go, go…!*

Y, tres, dos, uno… ¡Ya!

Cuando el piloto del *Centella* escuchó la orden del mercenario, le ordenó al técnico que halara el cable de acero.

¡Bum! Un kilómetro al norte de las casuchas.

Al mediodía, míster Joe dijo con su voz de mando que al parecer en la posición «Cinco» se producía ahora menos acción. Veinte minutos más tarde lo confirmó:

—Revisados videos del Sky Master… ¡Positivo! El fuego nutrido se ha reducido luego de la Cluster. Cito a una reunión con tripulaciones a las trece horas treinta minutos en *El Virrey*. Cambio y fuera —ordenó el mercenario.

A las trece horas, míster Orta indicó que *Centella* debía «entregar» un segundo racimo Cluster en otra mancha de bosque escogida y señalada por él.

Durante los combates en el día y buena parte de la noche los militares colombianos estuvieron enlazados con el Sky Master a través del sistema VHF. Como *Centella* no posee piloto automático, ni sistemas, mucho menos radio de seguridad de voz, se comunicaba con míster Joe a través de los demás helicópteros. Por esa vía, el capitán habló con los mercenarios antes de incorporarse en el tramo final de ambos lanzamientos.

Igual que por la mañana, a las dos de la tarde le informó a míster Joe su posición a cuatro kilómetros al occidente de las casuchas, la altura a que flotaba para la «entrega» del racimo y el procedimiento que iba a efectuar, y míster Joe lo aprobó:

—Okey... Go, go, go…!

Según el *San Francisco Cronicle*, «el capitán del helicóptero dijo que los lanzamientos de los dos racimos Cluster fueron grabados por el avión Sky Master tal como lo había recomendado y luego supervisado la tripulación *americana*, y eso le había dado la absoluta seguridad de no haber puesto en riesgo a la población civil».

Todo esto significa, aun para un ignorante en materia jurídica, que las cintas grabadas por el avión de los mercenarios constituyen, o deberían haber constituido, lo que los penalistas civiles conocen como plena prueba, porque en ellos está registrado todo lo que ocurrió el domingo trece.

Pero en el proceso de la capitana no reinaba la plena prueba. Allí nadie vio los videos, ni escuchó a los mercenarios, ni oyó las voces antes y después del lanzamiento del primer racimo Cluster.

Justamente el asunto comenzó por filtrarse a la prensa estadounidense cuando se comprobó que habían desaparecido los videos, y esos videos eran la prueba en favor de unos militares colombianos de baja graduación y, a la vez, la confirmación de la responsabilidad de los mercenarios estadounidenses en la matanza.

Un reportero que quería ser independiente —«no escriba mi nombre; temo que me calumnien»— se atrevió a señalar parte de estas cosas en una de las incontables conferencias de prensa, pero el superior del superior le respondió:

—¡Eso es mentira! ¿Usted con quién está? ¿Conmigo o contra mí?

Tenía razón el general, pues una copia de los videos apareció en algún juzgado, fuera del juicio, fuera de tiempo y dentro del mecanismo de control y silencio con que se había manejado el proceso, dos años y medio después del *incidente*, pero estaba alterada: habían borrado y silenciado todo lo sucedido el domingo trece alrededor de las diez de la mañana. En ella no aparecían ni las imágenes, ni lo que se dijo en torno al lanzamiento del primer racimo Cluster sobre la mancha de bosque «Cinco», mil metros al norte de las casuchas de madera.

San Francisco Chronicle: «Frase del piloto del helicóptero que lanzó el explosivo Cluster:

Este no es el resultado de una guerra militar o de ideas, sino el resultado de una guerra de intereses económicos que desafortunadamente está viviendo nuestro país».

El Tiempo, 26 de abril del año 2003 - La Occidental Petroleum Company ha negado cualquier participación en el bombardeo de Santo Domingo.

Los Ángeles - Organizaciones defensoras de los derechos humanos presentaron una demanda federal contra la Occidental Petroleum Company y una de sus firmas contratistas de seguridad, por la muerte de 18 civiles durante un bombardeo militar en el caserío colombiano Santo Domingo.

La denuncia fue presentada ante la Corte del Distrito Central de California.

Los demandados son la Occidental and Rockledge y Air Scan Incorporated, una firma de seguridad aérea, acusada de acompañar y colaborar en la operación de las Fuerzas Militares colombianas.

La Occidental ha negado cualquier participación en el bombardeo y ha dicho que está dispuesta a contestar cualquier señalamiento que se haga en su contra durante el proceso.

Según Christian Miller en *Los Ángeles Times*, la Occidental apoyó la operación de manera decisiva en la medida en que «facilitó el transporte de tropas, la cooperación en la planificación y el combustible para la aviación militar colombiana, e inclusive para el helicóptero inculpado en el bombardeo. Los aviones de Air Scan y los helicópteros de combate despegan y aterrizan en el campo petrolero de Caño Limón.

»El apoyo de la Occidental al Ejército colombiano es generoso. Esta empresa y sus filiales pusieron a disposición de la Décima Octava Brigada militar helicópteros para el transporte de tropas, combustible, uniformes, autos y motocicletas. Esa brigada es tristemente célebre por ajusticiamientos extralegales, graves violaciones de los derechos de los seres humanos e indolencia con respecto a los paramilitares.

»La Occidental financia incluso el mejor abastecimiento de la unidad para reforzar la moral de la tropa y le proporciona dinero en efectivo cuya cifra llega a los 750.000 dólares anuales.

»En la Brigada hay acantonadas tropas de los Estados Unidos y mercenarios contratados a una empresa militar privada de ese país».

El Tiempo, 26 de junio de 2003 - Ante una solicitud de la Procuraduría General de la Nación para que autoridades de los Estados Unidos hagan comparecer ante un juez colombiano a los ciudadanos Joe Orta, Charlye Denny y Dan McClintock, la embajada en ese país en Bogotá respondió que los citados no pisarán Colombia.

La embajada argumenta que, según las leyes estadounidenses, ninguna autoridad puede violar la privacidad de los citados ciudadanos.

Los tres estadounidenses han sido señalados como responsables, dentro del proceso por la muerte de varios civiles colombianos, en un combate ocurrido en Santo Domingo, Arauca, hace tres años.

Pese a que el bombardeo fue ordenado por mercenarios estadounidenses al servicio de una multinacional estadounidense, en diciembre del año 2004 el Departamento de Estado de los Estados Unidos sancionó a la Fuerza Aérea Colombiana suspendiéndole la ayuda a la base insignia de esa fuerza en Palanquero.

De acuerdo con un cable internacional publicado por la prensa, según Phill Chicola, jefe de Asuntos Andinos de ese Departamento, la medida obedece «a la falta de transparencia y rapidez» en el proceso que adelanta la Justicia Penal Militar.

La decisión se toma pese a que se ha establecido que quienes coordinaron y ordenaron los bombardeos y escogieron los blancos durante un combate, a raíz del cual murieron 18 personas, fueron mercenarios estadounidenses a bordo de un avión Sky Master al servicio de la compañía estadounidense Occidental Petroleum Company.

***

Otra empresa multinacional, la British Petroleum Company, es un viejo actor en nuestra historia de violencia. La BP explota los campos llamados Cusiana, también en el oriente de Colombia, y tiene participación determinante en el consorcio Ocensa que maneja un oleoducto que termina en el Caribe.

En el estudio publicado por Darío Azzellini en *El negocio de la guerra,* acaso el tema central tiene que ver con las multinacionales como actores estelares en la violencia del país: Texas Petroleum Company, Occidental, British, Nestlé, Coca-Cola...

«La British y Ocensa contrataron a comienzos de los años noventa con la Defense System Colombia, empresa de fachada de la británica Defense System Ltd., la seguridad de los campos de extracción de petróleo y del oleoducto. "La BP se ocupaba tanto por los atentados del grupo guerrillero Ejército de Liberación Nacional, ELN, como por la agitación de la central obrera, Unión Sindical Obrera, USO"».

Trabajando para la compañía británica, un mercenario inglés, el exoficial del servicio secreto Roger Brown, estableció las pautas de seguridad y en 1977 adquirió armas para el ejército colombiano —financiadas por Ocensa— a través de otra empresa de violencia privada, la israelí Sombra de Plata (*Silver Shadow*) que también participó en los planes:

«Se trató de equipo sofisticado para la guerra antiguerrilla, tecnología de vigilancia y vehículos aéreos no tripulados para inspección. Aparte de lo anterior, mercenarios entrenaron a unidades policíacas y del Ejército en tácticas de la lucha contrainsurgente y guerra sicológica».

Amnistía Internacional señaló más tarde: «Lo que es especialmente alarmante es que Defense System Colombia y Ocensa hayan comprado material militar para la Décima Cuarta Brigada del Ejército colombiano, que tiene un historial atroz de violaciones de los derechos humanos».

En ese momento había una investigación a la Brigada por complicidad con los bandidos paramilitares en una matanza de quince personas.

Amnistía Internacional también calificó como preocupante la relación con empresas de seguridad israelíes, «dado que en el pasado esas empresas han proporcionado mercenarios de nacionalidad israelí, británica y alemana para adiestrar a bandidos organizados como paramilitares, que actúan bajo el control de esa brigada».

Los mismos paramilitares eran responsables, ya durante la construcción del oleoducto, de la muerte de 140 personas sólo en la región de Segovia. Este hecho afectó especialmente a activistas de organizaciones sociales, políticas y sindicales, así como al comité local de derechos humanos en su conjunto.

Según Azzellini, Amnistía Internacional tiene una explicación, pues la estrategia del Defense System para la seguridad se apoya «en informantes muy bien pagos cuya misión es reunir en forma clandestina *información secreta* sobre las actividades de la población local y de las comunidades por las que pasa el oleoducto e identificar a quienes ellos señalan como posibles subversivos dentro de esas comunidades.

»Aún más preocupante es que esta información secreta es transmitida después por Ocensa a los militares colombianos que, junto con sus beneficiados, los paramilitares, han elegido frecuentemente a quienes señalan de subversivos como víctimas de ejecución extrajudicial y *desaparición*.

»Cuando salió a la luz pública un gran negocio de armas en 1997, la Ocensa no extendió el contrato con Defense System y el mercenario Brown renunció. Tras el montaje, la BP renovó el contrato con la Defense System y a Brown lo reemplazó un general colombiano inactivo de apellido Guzmán, que supuestamente había sido responsable de un grupo paramilitar que perpetró 149 asesinatos entre 1987 y 1990».

En octubre de 1998 el Parlamento Europeo aprobó una resolución en la que se condenaba el financiamiento de escuadrones de la muerte por parte de la British Petroleum en Colombia.

En la Fiscalía General de la Nación, en Bogotá, existen documentos en torno a una investigación archivada contra la British Petroleum por la contratación de mercenarios ingleses de la Defense System para entrenar paramilitares en sus propias instalaciones.

(Ya se explicó: allí cualquier acusación contra empresas multinacionales o ciudadanos extranjeros es archivada y guardada en una caja fuerte para evitar que alguien tenga acceso a ellas).

Una frustrada investigación de la Fiscalía colombiana surgió a raíz del impacto que causó una serie de informes de la prensa inglesa según los cuales la British Petroleum estaba desempeñando «un nefasto papel de caduco imperialismo en las zonas de explotación del departamento de Casanare, en Colombia. Además de crónicas y reportajes, existían referencias a casos concretos que la administración de justicia de Colombia estaba en condiciones de verificar».

No obstante, logró mayor credibilidad ante los fiscales la posición del defensor de la Defense System cuando calificó aquellas denuncias como «gaseosos reportajes de la prensa inglesa, acerca de prácticas militares con violación de derechos humanos en el departamento de Casanare».

Los documentos demostraban, además, el ingreso a Colombia de mercenarios ingleses en forma ilegal. Esos mercenarios —dice uno de los documentos— suministraban entrenamiento «a la policía». Pero además «ejercían *disuasión* cuando los obreros hicieran manifestaciones protestando contra la compañía petrolera e intervenían en la organización de movimientos operacionales y patrullajes del Ejército Nacional».

En su actuación ante la Fiscalía General a través de un abogado, la Defense System negó que hubiese dado a los paramilitares un «entrenamiento letal» como aparece en documentos y sostiene que, por el contrario, esa corporación «posee un compromiso indeclinable con el respeto a los Derechos Humanos» y que, además, no ha tenido nunca contactos con grupos de justicia privada.

Coca-Cola es otro de los actores agazapados en esta historia de violencia publicada por Azzellini en Berlín. (*Kolumbien: 150 Dollar Monatslohn Start 600*):

En un trabajo documentado, el autor se refiere a la utilización de grupos paramilitares a sueldo de esta empresa y a una larga campaña de exterminio de miembros de sus sindicatos.

«Los métodos van desde intimidaciones, secuestros y torturas, hasta la muerte. En una celebración donde había mucho alcohol, Mario Mosquera, gerente de la empresa Panamco (embotelladora colombiana de la Coca-Cola) en la localidad de Carepa, anunció a voz en cuello que acabaría con el sindicato con ayuda de los paramilitares.

»Desde entonces han sido asesinados allí varios activistas sindicales. Los paramilitares se movilizaban por las áreas de la empresa sin ser molestados, según testigos.

»Asimismo los paramilitares de las llamadas Autodefensas Unidas de Colombia entraban y salían de la empresa embotelladora Panamco en Barrancabermeja —una región distante de Carepa— y dejaban cartas amenazadoras a sindicalistas activos, bajo el encubrimiento de la gerencia.

»Según un sindicalista, "durante dos huelgas en 1995 y 1996 fueron asesinados siete de nuestros líderes. Más de 50 debieron abandonar sus regiones y más de 6.000 de los 10.000 empleados han sido intercambiados en el transcurso de la década del 2000. El número de nuestros miembros en Coca-Cola ha disminuido de 2.500 a 500".

»El 31 de agosto del 2002 fue asesinado el sindicalista Adolfo de Jesús Múnera López, vicepresidente de la Central Unitaria de Trabajadores (CUT) en Atlántico.

»Durante años él fue vejado y amenazado. Luego el Ejército derribó la puerta de su casa, él tuvo que huir y fue despedido por no presentarse a su lugar de trabajo. Tras un procedimiento judicial con varias instancias, el Tribunal Superior del Atlántico se pronunció ordenando su readmisión a la empresa. Diez días después fue asesinado a balazos por los paramilitares.

»El 30 de marzo del 2003 fue admitida una demanda contra la empresa embotelladora latinoamericana Panamericana Beverages Inc. y la colombiana Panamco y Bebidas y Alimentos ante una corte federal estadounidense en Miami. Un poco después se buscaba extender la demanda contra la empresa madre Coca-Cola. Según la denuncia, ésta y sus empresas embotelladoras utilizan a grupos paramilitares para obstaculizar el trabajo sindical».

En octubre del año 2006, tres años más tarde, un juez de la Florida absolvió a Coca-Cola en el caso de violación de los derechos humanos. Según el funcionario, los hechos demandados por el sindicato en Colombia no ocurrieron en Estados Unidos y cualquier investigación debe hacerse en Colombia. El fallo era apelable.

Además, el juez calificó las denuncias como «sin fundamento» y «en aras de intereses políticos».

Uno de los casos que motivaron las demandas fue el asesinato de otro dirigente sindical de nombre Isidro Segundo Gil. En este caso también hay demandas por secuestro y por intimidación.

Édgar Páez, representante del sindicato, dijo en Colombia que la misma semana fue apelada la decisión del juez, porque «en Estados Unidos hay una ley que juzga a ciudadanos estadounidenses por los delitos que cometan en otros países y seguiremos amparados en ella».

De acuerdo con el mismo estudio, también sectores de la industria colombiana se apoyan en mercenarios extranjeros y bandas de paramilitares locales para poner su cuota de violencia en el conflicto, y cita como un ejemplo el de la Unión de Bananeros, Uniban, en el Caribe:

«Según la Fiscalía colombiana» —dice— «Unibán contactó con el mercenario israelí Ytzhak Maerot Shoshani, que vendía armas al Ministerio de Defensa colombiano, como representante de una empresa israelí de armamento.

»Shoshani se puso en contacto con Yair Klein, que entró a Colombia con ayuda estatal y su ingreso no fue registrado en el aeropuerto de Bogotá.

»Entre otros, Klein formó a los paramilitares que cometieron varias masacres en la Zona Bananera de Urabá. Un testigo declaró ante la Fiscalía que sólo por una serie de matanzas en marzo de 1988, los paramilitares alrededor de Klein habían recibido por parte de Uniban y algunos narcotraficantes 800.000 dólares por su trabajo».

El 15 de marzo del año 2007 la multinacional bananera estadounidense Chiquita Brands International fue multada con 25 millones de dólares por la Corte del distrito de Columbia, tras reconocer que le pagó alrededor de 1.7 millones de dólares a los paramilitares colombianos —ya se dijo, bandidos versión local de los mercenarios—. A su vez, estos grupos son considerados por el Departamento de Estado como Organización Terrorista Extranjera.

Entonces, Carlos Castaño —su cabecilla— era reconocido como uno de los mayores criminales de Colombia.

Para la época de los hechos se sabía públicamente que los paramilitares eran responsables de decenas de matanzas de trabajadores y gente inerme en la zona de operaciones de Chiquita Brands. Sin embargo, la empresa decidió seguir pagando, bajo el argumento de que no estaba violando las leyes de los Estados Unidos.

El 10 de septiembre del año 2001 el secretario de Estado Collin Powell, en vísperas de un viaje a Colombia, anunció la inclusión de los paramilitares en la lista de organizaciones *terroristas*, pero los pagos continuaron por cerca de tres años bajo un formato diferente: en lugar de cheques dirigidos a una institución de fachada, como se hacía hasta el momento, se manejó dinero en efectivo. Fueron unas 50 operaciones para las que se usó una compleja red financiera con el fin de impedir el rastreo del dinero.

El mismo mes, Chiquita se puso en contacto con el Departamento de Justicia. Lo que buscaron sus abogados fue explorar la posibilidad de seguir pagando a través de otra ley de Estados Unidos que permite transacciones con organizaciones terroristas si el Departamento de Estado y Tesoro lo aprueban.

El 13 de mayo del año 2004 y cuando ya la investigación se había iniciado, Chiquita reconoció públicamente que había entregado fondos a un grupo *terrorista*. Un mes después, en junio, vendía Banadex y salía para siempre de Colombia, tras dejar sus propiedades en manos de la nacional Banacol.

Aquella es la primera empresa de los Estados Unidos que paga una multa por su vinculación a la violencia en Colombia. El punto de vista de los bananeros es que la compañía estaba girando dinero a cambio de su seguridad.

No obstante, entre 1997 y el año 2004, época en que Chiquita financió a los paramilitares de Carlos Castaño, este grupo generó en el Urabá antioqueño cerca de 60.000 desterrados. En lo que dijeron, eran enfrentamientos con la guerrilla murieron 3.778 personas, entre las que se encuentran 432 víctimas de 62 matanzas según el Observatorio del programa presidencial de los derechos humanos y el DIH.

En 1997, año en que se consolidó el paramilitarismo, se presentaron 2.482 acciones armadas y desde esta región partieron aviones transportando criminales que cruzaron el país para cometer una gran matanza en Mapiripán, en el Meta, a unos 500 kilómetros de allí.

Entre las matanzas más recordadas de aquella época están la de Urabá en enero de 1988, donde una cuadrilla quemó con ácido a 11 campesinos para hacerlos confesar que eran guerrilleros y luego los remató.

En los primeros meses de 1999 se produjeron varios ataques con resultado de 46 muertos. En una matanza en Mutatá asesinaron a 10 personas, en Pavarandó y en San José de Apartadó a 15 campesinos pertenecientes a la comunidad de paz de Urabá.

Entre los años 2000 y 2001 Apartadó —epicentro de esta guerra— se convirtió en el municipio con mayor número de desterrados del país y aún durante el primer semestre del 2004 la violencia continuó con un aumento considerable de homicidios de campesinos, muchos de ellos trabajadores bananeros a los que supuestamente Chiquita alegaba defender.

Fiscales federales revelaron que altos directivos de Chiquita en Cincinnati estaban enterados de lo que ocurría con la empresa en Colombia y dieron el visto bueno a los pagos que se hicieron a los paramilitares, igual que a las guerrillas FARC y ELN, sus enemigos.

Los mismos fiscales señalaron que los pagos ocurrieron entre 1997 y el año 2004 y según el presidente de Chiquita, el colombiano Fernando Aguirre, el dinero les fue entregado a los criminales «buscando la seguridad de nuestros empleados».

Esos dineros fueron autorizados por altos ejecutivos de la firma en Cincinnati (Ohio) y la contabilidad fue alterada para ocultar las transacciones. Los pagos comenzaron a partir de una reunión en el año 97 cuando en la región bananera de Colombia se agitó el actuar de los sindicatos dentro del marco de un enfrentamiento entre guerrilla y paramilitares.

Según voceros de la Corte, el encargado de negociar con el director de la firma Banadex —que compró las instalaciones a Chiquita— fue Carlos Castaño, todavía cabecilla de los paramilitares. La bananera sabía que sus recursos iban a parar a grupos responsables de grandes matanzas pero siguió haciéndolo porque, según dijeron sus voceros en el juicio, no violaban las leyes de los Estados Unidos.

Pese a lo sucedido en Estados Unidos, en Colombia no ha habido la menor reacción de la justicia. Por este motivo el expresidente Andrés Pastrana le envió una comunicación al fiscal general Mario Iguarán pidiéndole no solamente que se abriera una investigación penal contra los directivos de Chiquita sino que fueran pedidos en extradición para que explicaran sus actuaciones.

«Con esos recursos los *terroristas* han enlutado el suelo patrio. Quienes han participado en estas acciones ejecutándolas o financiándolas, deben responder ante la justicia y la sociedad colombiana», dice Pastrana.

No obstante, el silencio de la justicia colombiana sigue siendo el marco del fenómeno que, a medida que avanzan las semanas, continúan filtrándose en la prensa internacional otros ribetes de la intervención de las compañías multinacionales en nuestro conflicto.

Por ejemplo, a mediados de marzo del año 2007 se volvió a recordar el caso del buque *Oterloo*, otro capítulo de Chiquita Brands en el país.

Según la Corte estadounidense que condenó a la bananera, esta no solamente estimuló la guerra entregándole dinero a organizaciones criminales, sino que traficó con armas para algunas de ellas.

El caso fue descubierto en noviembre del año 2001 cuando a través de una maniobra que involucró a Panamá, Nicaragua y Colombia, Chiquita a través de una de sus filiales ingresó por el puerto bananero de Turbo un arsenal dentro del barco *Oterloo* en ese momento de bandera panameña.

Una investigación realizada en el lugar cinco meses más tarde concluyó con que Banadex, la filial de Chiquita Brands, fue la firma encargada de desembarcar de la motonave los contenedores donde venían 3.400 fusiles ak-47 y cinco millones de proyectiles 7.62 milímetros.

Por este caso el Departamento Administrativo de Seguridad (policía secreta) detuvo en agosto del año 2003 al entonces representante legal de Banadex, Giovanni Hurtado Torres, pero días después fue desvinculado de una investigación, como era normal en aquella institución que fue cancelada más tarde por su corrupción.

Según la revista *Semana*, «Esto sucedió en la zona aduanera especial que por años controló Banadex y que obtuvo gracias al pago de un soborno a funcionarios de la Dirección de Impuestos y Aduanas. Los hechos se han confirmado gracias al proceso que el Departamento de Justicia de Estados Unidos le sigue a la multinacional por investigación de la *Securities and Exchange Comission* y por un informe de la Organización de los Estados Americanos, OEA».

El cargamento de armas entró al país camuflado por un embarque de pelotas de caucho a bordo del *Oterloo* pero según informes oficiales, Banadex y sus servidores utilizaron grúas especiales y montacargas de alta capacidad que no hubiesen sido necesarios si el contenido fueran realmente bolas de caucho.

Aunque el caso de Chiquita es el primero de su tipo, en el exterior organizaciones de derechos humanos adelantan campañas contra Coca-Cola y la multinacional carbonera Drummond por su vinculación en Colombia con paramilitares y el asesinato de sindicalistas.

En otro frente, Sintramienergética, el sindicato que demandó a Drummond por su participación en el crimen de tres sindicalistas, logró abrir una puerta el 18 de marzo del año 2007, importante para este caso en Estados Unidos.

El juez Karon Bowdre, que dio vía libre al comienzo de un juicio, dijo que estaba dispuesto a considerar el testimonio de Rafael García, un funcionario del Departamento Administrativo de Seguridad, DAS.

El año anterior García había declarado que estuvo presente en una reunión en la cual el presidente de la Drummond en Colombia entregó un maletín con 200.000 dólares que tenían como destinatario al paramilitar *Jorge Cuarenta* para matar a los sindicalistas Valmore Locarno y Víctor Hugo Orcasita, quienes efectivamente fueron asesinados en el año 2001.

En el momento de su muerte Locarno y Orcasita eran presidente y vicepresidente del sindicato de Drummond. Con posterioridad fue asesinado Gustavo Soler, el nuevo presidente.

Otros casos de empresas multinacionales asociadas con grupos de asesinos se conocieron al margen del fenómeno Chiquita Brands. Tal es el de Coca-Cola demandada por Sintrainal en una corte del Distrito de Miami por la muerte de tres sindicalistas. Un juez federal había desechado los cargos contra Coca-Cola Company en un primer juicio.

También se hizo público el caso de la compañía Mannesmann que le entregó dos millones de dólares a la guerrilla del ELN para que esta «no tocara» el oleoducto que estaba construyendo.

En el año 2001 la prensa nacional señaló cómo empresas petroleras pagaron 13 millones de dólares por el rescate de un argentino y varios estadounidenses liberados tras 140 días de secuestro.

En el año 2003, Paul Collier del BM dijo que con el pago de extorsiones y secuestros, las empresas multinacionales financiaban a la guerrilla, que habría recibido unos 1.000 millones de dólares.

El 17 de mayo del año 2007, Salvatore Mancuso —uno de los cabecillas paramilitares— dijo públicamente ante un juez que el empresario bananero Raúl Hasbún conocido como *Pedro Bonito* fue la persona que arregló con Chiquita Brands, Banacol, Unibán, Probán, Boll y Belmonte el pago de un centavo de dólar por caja de banano exportada a los paramilitares.

Pero, a pesar de la multa de 25 millones de dólares impuesta a Chiquita Brands, el 6 de junio del año 2007 se anunció que un grupo de abogados que adelantan juicios en Estados Unidos contra Coca-Cola y Drummond entablarían un nuevo juicio a la bananera, por la muerte de 174 personas en Urabá y el departamento del Magdalena (149 por paramilitares y 25 por las FARC).

En una corte de Washington fueron demandadas la multinacional y diez de sus empleados. Se exigió un pago de 1.000 millones de dólares.

Según *El Tiempo*, los abogados alegan que «Este caso involucra la muerte e intimidación sistemática de personas en la región bananera cercana al golfo de Urabá y en la ciudad de Santa Marta, distante de allí, pero ambas en el litoral Caribe.

»Los acusados (Chiquita y sus directivos) contrataron, armaron y/o dirigieron a grupos *terroristas* que utilizaron la extrema violencia y muerte, tortura, detención o el silenciamiento de personas que se creía interferían con las operaciones de la empresa en Colombia.

»El dinero entregado financió a los paramilitares desde sus primeros días de operación, lo que hace a Chiquita Brands uno de los padres financieros de ese grupo criminal» agrega la denuncia.

El caso está sustentado en el *Alien Claims Tort Act*, una ley centenaria que permite elevar demandas civiles en cortes de Estados Unidos por crímenes cometidos en otro país y que se ha convertido en un dolor de cabeza para varias empresas multinacionales estadounidenses.

Chiquita Brands, que antes se llamaba United Fruit Company, es una antigua conocida de los colombianos, desde cuando en 1928, con el Ejército de Colombia bajo su mando, intervino en una huelga de sus trabajadores dejando un saldo de algo más de 2.000 personas asesinadas, según los archivos de un juicio penal posterior.

En 1970 United Fruit se fusionó con otra empresa y pasó a llamarse United Brands Company, firma que a su vez cambió el nombre por el de Chiquita en 1990.

Es decir, Chiquita procede de aquella que en 1928 afrontó una huelga de sus trabajadores que alegaban salarios de hambre. En medio de las protestas, el 6 de diciembre de ese año el Ejército, con un general llamado Carlos Cortés a la cabeza, abrió fuego contra unas tres mil personas inermes.

Según *El Tiempo*, «79 años después esta bananera estadounidense parece repetir la historia de convertirse en protagonista de uno de los hechos de violencia más graves del país».

Hablando de los antecedentes de la multinacional, *The Wall Street Journal,* citado por *El Tiempo*, recuerda cómo el gobierno izquierdista de Guatemala expropió en 1954 las tierras de United Fruit Company como parte de una reforma agraria y la respuesta fue un golpe de Estado contra el presidente Jacobo Arbenz, orquestado por la CIA.

«Ese poderío político y comercial en los países latinoamericanos fue el que inspiró el término *Banana Republic*».

Hoy, con más hectáreas en Latinoamérica y unos 14.000 trabajadores, Chiquita sigue siendo un gigante del negocio. Su retiro de Colombia se produjo en el año 2004, un mes después de haber aceptado finalmente que había entregado 1.7 millones de dólares a los paramilitares, además de introducir al país en forma ilegal 3.500 fusiles Kaláshnikov y cinco millones de cartuchos, por lo cual se la hace responsable de la matanza de otros centenares de trabajadores bananeros en Colombia.

***

Como complemento de su intervención militar, los Estados Unidos han diseñado una serie de tratados comerciales que redondean su estrategia de combinar acuerdos de este género con acciones de fuerza para así tomar el control del comercio y a la vez el control de los recursos estratégicos con que cuenta América Latina y, como caso particular, Suramérica.

Tratados que se llaman bilaterales de Libre Comercio, TLC. De Libre Comercio para América del Norte, TLCAN. El Área de Libre Comercio para las Américas, ALCA. La Integración de la Infraestructura Regional Suramericana, IIRSA, y el Plan Puebla Panamá.

En el otro extremo actúan planes militares como la Ofensiva al Sur o Estrategia Andina o *Plan Colombia*, el Plan Patriota y, como continuación de ellos, la Iniciativa Amazónica cuya idea fue anunciada a comienzos del año 2006 por la Embajada de Estados Unidos en Bogotá.

Dentro de este panorama, el agua dulce está comenzando a recorrer un camino paralelo al de los hidrocarburos.

Por ejemplo, con el fin de asegurar el abastecimiento de petróleo y sus derivados a precios convenientes, han recurrido al pretexto de una guerra contra el terrorismo internacional y el narcotráfico. Por esta vía han logrado establecer el control político y militar de importantes yacimientos, sobre todo el Asia Menor y América Latina, y no dudaron en llevar la guerra contra Afganistán e Iraq. Con el agua está sucediendo algo similar, pero en forma silenciosa.

En América operaron sobre México utilizando el Tratado de Libre Comercio para América del Norte, TLCAN, como instrumento de sometimiento y dependencia.

Luego vino el proyecto de imponer el Área de Libre Comercio de las Américas, ALCA, que a la vista de buena parte de los gobiernos suramericanos significa una falsa alianza económica que sometería totalmente las débiles economías latinoamericanas ante el poder colosal de sus corporaciones, y sin más alternativas que la enajenación de sus recursos.

En el ámbito local, un ejemplo de la estrategia estadounidense es el Tratado de Libre Comercio, TLC, firmado inicialmente por el presidente de Colombia con Estados Unidos, argumentando que sería la redención económica de este país.

Lusbi Portillo dice en un estudio sobre el tema que ni el Tratado de Libre Comercio para América del Norte, TLCAN, ni el Área de Libre Comercio para las Américas, ALCA, se refieren a simples acuerdos de aduanas, ni de flexibilización para la búsqueda de un ingenuo libre comercio, ni el Plan Puebla Panamá, ni el IIRSA son sólo ejes de integración propuestos para México, América Central y América del Sur, ni mucho menos el *Plan Colombia* se queda en asesorías técnico-militares y lucha antinarcóticos, o acciones contra la guerrilla colombiana. No. Se trata de piezas engranadas de una misma realidad impuesta para el control económico de los países de América.

En otras palabras, se trata de «una nueva organización del patio trasero en tiempos de la globalización». Por esta razón, los Estados Unidos proponen que los ordenamientos jurídicos de cada uno de los 34 países comiencen desde ya a adaptarse «a las obligaciones del acuerdo del ALCA, Área de Libre Comercio para las Américas».

El secreto de todo esto está en que las corporaciones o empresas multinacionales y los Estados Unidos se proponen a través del acuerdo continental (ALCA) el control de los bienes latinoamericanos. Esto equivale a la pérdida de la soberanía nacional sobre nuestros recursos naturales energéticos, mineros, agua, bosques, suelos, ríos, entre otros. Recursos que son nuestras únicas riquezas con valor estratégico en el nuevo contexto mundial, pero que desde hace muchos años están en la mira de las empresas multinacionales.

Un balance de los resultados de los diferentes tratados revela cómo, por ejemplo, en el norte del continente el cálculo es desastroso para los países latinoamericanos.

Según Peter Rosset, codirector del Food First —Instituto de Políticas de Alimentación y Desarrollo de los Estados Unidos—, desde cuando entró en vigor el Tratado de Libre Comercio para América del Norte, TLCAN, en 1994, «el porcentaje de la población mexicana que vive en la miseria aumentó en forma exorbitante y se ha producido una quiebra general de las pequeñas y medianas empresas y, como resultado, la pérdida masiva de empleos.

«Por si fuera poco, el campo ha sido inundado con maíz importado de Estados Unidos a precios subsidiados por el gobierno estadounidense, de tal manera que centenares de miles de campesinos ya no pueden competir en el mercado del maíz —alimento básico del pueblo mexicano— y han sido llevados a abandonar sus tierras».

Con el TLCAN, —igual sucede en Colombia tras la parte económica del *Plan Colombia* y en los albores del TLC— México ha entrado en un proceso de subasta:

«Ha producido la compraventa de ferrocarriles y carreteras, lo que se ha venido extendiendo rápidamente mediante iniciativas y proyectos de privatización formal o de facto hacia el sistema bancario y de pensiones, puertos, aeropuertos, telecomunicaciones, espacio satelital, sistemas de almacenamiento, distribución y tratamiento de agua y granos, gas, electricidad y petróleo, etcétera.

»Además de los hidrocarburos han sido subastados otros recursos naturales que, desde la firma del tratado, han sido *transferidos* a precios de *socio comercial*. Éstos pueden ser maderas y celulosa para la producción de papel, fibras, chicle, látex y demás biodiversidad de interés comercial, incluyendo su capacidad como banco de genes al servicio de las multinacionales biotecnológicas y afines».

Pero por otra parte, según la Oxfam Internacional, el ALCA no le da respuesta a la situación de pobreza que presenta América Latina. Al contrario, podría profundizar aún más el cuadro de desigualdad y exclusión en la región.

A través del ALCA y el PPP los Estados Unidos y sus multinacionales ya controlan la región mesoamericana comprendida entre Puebla y Panamá, es decir, los Estados del sur y sureste de México, Costa Rica, Nicaragua, Honduras, El Salvador, Guatemala, Belice y Panamá.

Con el ALCA-IIRSA controlarán totalmente doce países más para completar veinte: Argentina, Bolivia, Brasil, Chile, Colombia, Ecuador, Guayana, Paraguay, Perú, Surinam, Uruguay y Venezuela.

Con estos acuerdos jurídico-administrativos, con la masa humana y de recursos naturales cautivos, Estados Unidos se propone asegurarse para sí este mercado, cerrarle el paso a un verdadero libre comercio de dichos países con Europa y China y, sobre todo, neutralizar su propia crisis financiera.

Por esta razón «el Acuerdo de Libre Comercio de las Américas, ALCA, es parte integral de esta estrategia: al monopolizar los mercados latinoamericanos, los Estados Unidos pueden bajar los déficit comerciales y capturar sectores financieros y comerciales lucrativos».

De todo lo anterior se desprende cómo, bajo los designios de la globalización, Estados Unidos, las multinacionales y los organismos financieros no perciben a América del Sur como constituida por naciones y gobiernos soberanos e independientes, con vida propia, con permanentes relaciones culturales, políticas, económicas y sociales. «Para estos factores de poder esta región es una especie de torta dividida por donde se desplazan hacia Estados Unidos todos los recursos naturales siguiendo las rutas del Pacífico y del Atlántico».

En la Comunidad Andina —y en ella Colombia—, el cincuenta y dos por ciento del total de las exportaciones consiste en productos generadores de energía: petróleo, carbón y gas. Representa el veinticinco por ciento de la biodiversidad del mundo. Es dueña del veinte por ciento del agua dulce del planeta (incluyendo a Brasil). Pero también es cuatro veces las reservas de petróleo de los Estados Unidos, ocho veces las reservas de petróleo del Mercosur, setenta y cuatro por ciento de las reservas de gas natural de América Latina y setenta y cinco por ciento de la producción de carbón de América Latina. Eso es parte de lo que está en juego en medio de la tenaza, acuerdos comerciales-planes de guerra.

***

Un brazo de la tenaza con que está atrapado el país es la estrategia de guerra trazada por los Estados Unidos en el propio territorio colombiano. El otro es lo que Washington ha llamado «acuerdos comerciales».

Colombia firmó un tratado de este tipo el 22 de noviembre del año 2006, que llamaron Primer Acuerdo de Promoción Comercial, o Tratado de Libre Comercio con Estados Unidos (TLC).

Pero, algo que se conoce poco es cómo, luego de ser aprobado, al documento se le incluyó una larga porción de 20 páginas en *letra menuda* a través de las cuales terminó condicionándosele al país la libertad de manejar su propia economía.

En el año 2000 el planteamiento de Washington era que si no había TLC futuro, no habría *Plan Colombia.* Pero hubo *Plan Colombia,* y desde luego, también hubo TLC, que según analistas independientes es el tratado más absurdo que ha firmado el país en toda su historia.

Además de la guerra, el Acuerdo de Promoción Comercial o TLC es un conjunto de compromisos del gobierno colombiano con el de Estados Unidos con respecto a todo el manejo del país. Por este motivo habla de cosas como el agua dulce, el medio ambiente, la justicia, las exportaciones, los tratados de libre comercio futuros, la inversión extranjera, las patentes de animales y plantas, el proceso de globalización, las privatizaciones, el desarrollo alternativo, los impuestos, los cielos abiertos, habla de reformas a las Fuerzas Armadas, a la educación, a la salud, etcétera.

Refiriéndose a la manera como este Acuerdo de Promoción Comercial terminó limitando a Colombia, el senador Jorge Enrique Robledo citó en forma de ejemplo cómo se le ordenó allí al país especializarse en cultivos tropicales, lo cual se convirtió más tarde en la estrategia central agrícola del Acuerdo de Promoción Comercial o Tratado de Libre Comercio, TLC, obligándonos a renunciar a otro tipo de cultivos y a importar lo que hasta ahora se había producido en el campo colombiano.

Con el *Plan Colombia* y el Acuerdo de Promoción Comercial o TLC —sostuvo Robledo ante el Congreso— Estados Unidos «renuncia» a cultivar los productos tropicales que el clima le impide producir, mientras se condena a Colombia a no producir los bienes que la gran calidad de sus tierras y la variedad de sus climas y microclimas sí le han permitido desarrollar a través de su historia.

Luego agrega: «En estos negocios los colombianos serán perdedores de otra manera —incluso en el supuesto caso de que pudieran aumentarse las ventas de bienes propios del trópico—, pues con la parte fundamental de las ganancias de éstos se quedan las empresas transnacionales del comercio internacional de alimentos y los monopolios que en las metrópolis venden al final de la cadena.

»Esto equivale nada menos que a quitarle al país la seguridad alimentaria (que es un fundamento de la soberanía), la cual consiste en producir en nuestro territorio nuestra propia comida. Porque los productos tropicales, claro, son alimentos, pero no son dieta básica: una persona no puede vivir de café, de banano, de palma africana. Eso lo determinó el *Plan Colombia* y lo que hace el Acuerdo de Promoción Comercial o TLC es darle forma de un acuerdo internacional que no puede modificarse sin permiso de los Estados Unidos».

»Lo que sucede es que sin estos compromisos los Estados Unidos no soltaban un centavo para el *Plan Colombia*, porque, digámoslo, fue como pagamos el préstamo de unos helicópteros y el *Glifosato* y las sumas invertidas en militares y mercenarios. No hay ningún país poderoso que regale algo».

Finalmente el documento establece diez estrategias, todas girando en el campo comercial en total desventaja para Colombia, dentro de las cuales apenas la séptima plantea conservar las áreas selváticas y poner fin a la expansión peligrosa de los cultivos ilícitos sobre la cuenca amazónica y sobre los vastos parques naturales que son a la vez áreas de una biodiversidad inmensa y de una importancia ambiental vital para la comunidad internacional.

Botero agrega: «Pero, atención: que no es vital para Colombia sino “para la comunidad internacional”, una manera de decir Estados Unidos. Además, implica que los colombianos no podemos actuar allí en forma soberana».

Otras estrategias:

Las reformas a la seguridad social también fueron determinadas allí. Son todas las conocidas, y algo muy explícito:

Las empresas y la banca estatal serán privatizadas con el fin de aumentar su productividad y aportar a la financiación del ajuste fiscal. ISA e Isagen, dos electrificadoras del orden nacional y catorce distribuidores de energía regionales de menor tamaño ya están para la venta al igual que Carbocol [...]

Esta es la misma estrategia de privatizaciones que seguía viviendo el país a comienzos del año 2007.

Hoy Colombia está exportando energía hidroeléctrica, pero en este caso lo que realmente enviamos al exterior es agua y la que hace todo este negocio es la empresa privada ISA, el gran exportador de energía en Colombia.

Colombia debe trabajar en conjunto con la comunidad internacional para negociar acuerdos bilaterales de comercio como mecanismo para proteger las inversiones extranjeras...

Ese es un punto clave: ya se aprobó una ley al respecto y en este Acuerdo de Promoción Comercial (TLC), se crea la figura de la expropiación indirecta que es una monstruosidad porque el Estado deberá indemnizar a las compañías transnacionales estadounidenses si una nueva norma les reduce las ganancias.

Hay otro aspecto: endéudense más:

Colombia estudiará la posibilidad de utilizar más recursos del Banco Mundial y del Banco Interamericano de Desarrollo y buscará una utilización más efectiva de programas estadounidenses existentes, tales como IFC y MIGA [...] Y EXIM, y TDA, con el fin de promover actividades de inversión.

Pero el documento no pretende acabar con los llamados cultivos ilícitos. Su objetivo estratégico es:

Reducir en un cincuenta por ciento (tanto) el cultivo como (el) procesamiento y distribución de la droga.

Luego, en la aplicación del *Plan Colombia* hay otro aspecto desconocido. El dinero estadounidense han sido 4.681 millones de dólares, casi todo para gasto militar y algo para atender algunos de los efectos de ese gasto. Y Colombia puso, para invertir bajo el rótulo del *Plan*, 7.500 millones de dólares para infraestructura, salud, empleo, etcétera, dinero que tuvo el descabellado propósito de embellecer y exagerar el aporte de los Estados Unidos.

Finalmente el documento también contiene la estrategia antinarcóticos que es dirigida por Estados Unidos.

En pocas palabras, en el Acuerdo de Promoción Comercial (TLC) y el *Plan Colombia*, en el 2006 ensamblaron el manejo de la economía con lo militar. Y el *Plan Colombia* estaba atado a la Ley de Promoción Comercial Andina y Erradicación de Drogas, APDEA, y el TLC estaba atado al *Plan Colombia*. Era toda una estrategia militar al servicio de una estrategia económica, política y social en la cual este país terminó imposibilitado para tomar sus propias decisiones.

En forma concreta, los convenios en el campo militar, unidos a los pactos económicos y compromisos de Colombia con Estados Unidos, le plantean al Estado una disminución ostensible de su verdadera libertad para tomar decisiones propias.

Vale la pena recordar cómo en los documentos de la tenaza, uno de los puntos importantes habla de la libertad de los Estados Unidos para patentar nuestras especies vegetales y animales. Pero cerca de la mitad de Colombia está ocupada por selvas que poseen por lo menos la mitad de los genes para el futuro de la humanidad. Concreción de una vieja idea del hemisferio norte que ha agotado sus recursos y mira hacia Suramérica de la que depende parte del futuro del mundo.

Tácticas como la Ofensiva al Sur o Estrategia Andina o *Plan Colombia*, el Plan Patriota, como complemento la *Iniciativa Amazónica,* y, por otro lado, los acuerdos de «libre» comercio, benefician y le sirven a los intereses estratégicos de Washington, tal como lo expresó el secretario de Estado Colin Powell ante su congreso:

Garantizar a nuestras empresas el control de un territorio que se extienda desde el Polo Norte hasta la Antártida y asegurar un acceso libre, sin ningún obstáculo o dificultad para nuestros productos, servicios, tecnología y capital en todo el hemisferio.

La versión militar de este mercado único, desde Alaska hasta la Antártida, comprende la creación de una *fuerza armada única* de las Américas, comandada desde el Pentágono para enfrentar los nuevos desafíos.

Según un estudio de Marta Alicia Duque para Indepaz, resulta crucial revisar algunas de las razones en torno a los intereses estratégicos de Estados Unidos en América Latina:

En América del Norte la situación del agua dulce va de grave a crítica.

En el acuífero Ogallala, que abarca ocho estados y es un centro cerealero, se han mermado las aguas por sobreexplotación y hay grave contaminación por los desechos químicos y sumideros. Los cambios en los recursos hídricos están afectando las relaciones en la frontera con Canadá y en el sur con México donde las cuencas compartidas están generando disputas a pesar de los Acuerdos Binacionales sobre Aguas Compartidas.

En contraste, América Latina, con el doce por ciento de la población mundial, dispone del cuarenta y siete por ciento de las reservas de agua potable de superficie y subterránea del mundo, que están en la mira de Estados Unidos.

La dinámica de la mercantilización del agua se está imponiendo en el contexto internacional.

Ciento sesenta gobiernos reunidos en La Haya (Holanda) en el año 2000 acordaron definir el agua como una necesidad humana y no como un derecho del hombre. «Un derecho no se compra», concluyeron.

A pesar de aquello, la comercialización del agua tuvo origen un año después cuando los recursos naturales, así como la salud y la educación, empezaron a ser objeto de negociaciones en la Organización Mundial de Comercio, OMC. Entonces la meta final era la ya cumplida liberalización de los servicios públicos.

Estados Unidos en la perspectiva del ALCA-TLC está trabajando en la conformación del mercado continental del agua.

A partir de la gigantesca nueva generación tecnológica se ha desarrollado la poderosa unión de unas pocas empresas multinacionales biotecnológicas y de la ingeniería genética en los campos de la producción e industrialización de alimentos transgénicos (Organismos Genéticamente Modificados), y de semillas e insumos agrícolas, industria farmacéutica, cosmética *light,* de la salud y manipulación del genoma humano, ahora agregado al mercado más nuevo y lucrativo de la industria, los medicamentos para el mejoramiento del desempeño y comportamiento humanos, de consecuencias insospechadas.

Las empresas transnacionales, ante las reducciones dramáticas de exportaciones de alimentos transgénicos en Europa e incluso en Estados Unidos, pretenden, de una parte, con el TLC penetrar masivamente el mercado de América Latina como ya han hecho en México con el Tratado de Libre Comercio de América del Norte, NAFTA, y de otra parte, apropiarse directamente de la biodiversidad como soporte de la industria transgénica y farmacéutica.

Ante sus necesidades y problemas internos, y frente a la crisis mundial del agua y de la energía prevista para el 2030, Estados Unidos ha definido como un Asunto de Seguridad Nacional los recursos energéticos, el medio ambiente y la seguridad alimentaria.

Este es el marco en el cual se amparan los estadounidenses para sus intervenciones unilaterales, militares o de guerra. Es ilustrativa la declaración de la secretaria de Estado Madeleine Albright ante el Consejo de Seguridad de la ONU en torno a Iraq:

Actuaremos de manera multilateral cuando podamos, y unilateralmente cuando lo juzguemos necesario, porque consideramos que la región del Cercano Oriente es de vital importancia para los intereses nacionales de los Estados Unidos.

¿Cuál puede ser la solución? No se trata de ningún secreto ni de ningún descubrimiento pero es necesario tenerlo en cuenta en esta coyuntura geopolítica en la que la región andina y particularmente Colombia revisten una importancia crucial en cuanto a recursos estratégicos y de biodiversidad en el contexto mundial. Eso, definitivamente, trazará para su bien, o para su ruina, el futuro inmediato.

Sólo en cuanto a agua dulce y carbón, la región andina es depositaria de las mayores reservas del mundo.

La riqueza de la Amazonia está amenazada por las pretensiones de las empresas transnacionales de Estados Unidos, para comercializarla y construir megaproyectos de infraestructura e industria extractiva en la perspectiva del TLC y la Iniciativa para la Integración de la Infraestructura Suramericana, IIRSA.

En diversas declaraciones los representantes del gobierno de Estados Unidos han destacado la importancia de La Ofensiva al Sur, Estrategia Andina o *Plan Colombia*, asociado a la defensa de sus intereses económicos actuales y futuros.

Al respecto, la embajadora estadounidense en Colombia, Anne Patterson, declaró en su momento:

Protegeremos nuestros intereses económicos en territorio colombiano [...] Donde hay más de 300 puntos de infraestructura estratégica para los Estados Unidos.

Simultáneamente anunció el envío de 98 millones de dólares para la vigilancia de una red de transporte de hidrocarburos, dado que «es importante para el futuro del país, como para nuestras fuentes de petróleo y para la confianza de nuestros inversionistas».

Colombia, además de sus recursos naturales y culturales, y 47 parques y reservas naturales, desempeña un papel geoestratégico por ser el enlace geográfico entre Suramérica y Centroamérica a través de Panamá como parte de la integración del espacio económico de la Iniciativa para la Integración de la Infraestructura Suramericana, IIRSA, y del Plan Puebla Panamá, más aun si se da comienzo a la construcción de un nuevo canal interoceánico por territorio colombiano, conectando los grandes ríos Atrato y Truandó, cual es la opción del Estado colombiano, o Atrato-Cacarica-San Miguel (también en territorio colombiano) como son los planes estadounidenses.

Ese nuevo canal es el hilo de enlace entre el Plan Puebla Panamá y la Integración de la Infraestructura Regional Suramericana, IIRSA, en cuanto permite el enlace geográfico entre América Central y Suramérica, independientemente del antiguo canal de Panamá.

En febrero del año 2004, cuando comenzaba a recibir publicidad la decisión del presidente de Colombia de aceptar un Tratado Bilateral de Libre Comercio con Estados Unidos, y pese a pertenecer al alto Gobierno, el ministro de Agricultura, Carlos Gustavo Cano, tuvo el valor de alertar sobre el peligro que se avecinaba.

Sin rodeos y según los medios locales, el ministro pidió que en las negociaciones de aquel TLC con Estados Unidos, Colombia debía reconsiderar la legislación vigente sobre derechos de propiedad intelectual para evitar que, aprovechando el tratado, las empresas multinacionales tomaran los recursos de biodiversidad que existen en el país, los patentaran y luego nos cobraran regalías por utilizarlos.

La fórmula del ministro Cano comenzaba entonces por aconsejar que el punto de partida debería ser la solicitud de revisar lo firmado en la Ronda de Uruguay del Acuerdo General Sobre Comercio y Aranceles, GATT, que se refiere a los acuerdos comerciales relacionados con los derechos de propiedad intelectual, especialmente frente a la labor de patentar organismos vivos o a la apropiación de productos naturales cultivados por las comunidades autóctonas.

En ese contexto, subrayó públicamente cómo el uso de plantas y animales de países tropicales por parte de compañías extranjeras se conoce como *biopiratería* y cómo, según un informe de Naciones Unidas, esta práctica tiene un valor de más de 20.000 millones de dólares.

Por su parte, la organización Christian Aid sostiene que la biopiratería le está costando al Tercer Mundo no menos de 4.500 millones de dólares al año.

Para ilustrar al país, el ministro Cano puso el ejemplo de un comerciante estadounidense que a principios de la década de los noventa tomó un saco de fríjoles en México, lo seleccionó y a través de autopolinización lo multiplicó, creando una variedad bajo el nombre Enola. Luego la patentó y empezó a cobrar regalías, pero el Centro Internacional de Agricultura Tropical (CIAT) de Palmira, en Colombia, demandó la patente porque demostró que esa variedad de fríjol fue desarrollada mucho antes por los campesinos de México y de otros países andinos.

Aquel año se escucharon algunas voces en el mismo sentido, pero a medida que avanzó el tiempo éstas fueron siendo acalladas por la misma prensa que, sin excepciones, se alineó con la posición del gobierno, cerrándose a cualquier tipo de controversia.

Una de aquellas voces —acaso las últimas en la prensa nacional— surgió en *El Tiempo*, un diario históricamente alineado con Washington:

«En el TLC, Estados Unidos va tras la biodiversidad».

Y, *«Capítulo sobre propiedad intelectual propuesto por E.U: El texto tiene sorprendido al Gobierno colombiano que no esperaba tanta "agresividad"».*

Después de las líneas de encabezamiento había un texto abierto que por ser publicado en aquel diario hizo pensar que, en adelante, se iba a analizar en forma amplia el proyecto de tratado, cosa que finalmente, desde luego, no ocurrió como es absolutamente normal en Colombia.

El texto:

«Estados Unidos busca romper las barreras legales que en Colombia le impiden patentar animales y plantas, y en general cualquier ser vivo diferente a un microorganismo.

»Así está consignado en el capítulo sobre propiedad intelectual en el Acuerdo de Promoción Comercial o Tratado de Libre Comercio TLC (2006), que entregó la oficina del representante comercial de Estados Unidos, Robert Zoellick, a los tres gobiernos andinos que participan en la negociación del acuerdo.

»En el artículo 8 de dicho capítulo, dice: "Cada parte (cada país que firme) permitirá las patentes para las siguientes invenciones" (¿ahora se llaman invenciones?):

"a) plantas y animales, y procedimientos diagnósticos, terapéuticos y quirúrgicos para el tratamiento de humanos y animales".

»Según expertos, la invención de nuevas especies o variedades puede basarse en la manipulación de información genética que se encuentra libre en los ecosistemas de los países y de la que se apropiarían de esta manera.

»En caso de que Estados Unidos logre que este artículo haga parte del tratado, se podrían patentar genes y partes de la materia viva, tal como se lo permiten sus leyes de protección de propiedad intelectual quc es uno de sus objetivos en el Acuerdo de Promoción Comercial, TLC, cuyas negociaciones con Colombia, Ecuador y Perú habían comenzado el 18 de mayo del año 2004.

»En derechos de propiedad intelectual, Estados Unidos viene por todo», dijo una fuente oficial, quien agregó que «el texto de la propuesta tiene algo sorprendidos a algunos miembros del Gobierno colombiano que no esperaban tanta *agresividad* de su futuro socio».

Si se permite patentar seres vivos, advirtió Margarita Flórez del Instituto Latinoamericano de Servicios Legales Alternativos, ILSA, se abre la posibilidad para que el titular sea el propietario de una especie, de una raza de individuos y hasta de un híbrido.

Una patente se define como la concesión y protección que otorgan un gobierno o un inventor para que explote de manera exclusiva el producto de sus investigaciones, durante cierto tiempo, usualmente veinte años.

Para Margarita Flórez, la descripción de un ser vivo no puede considerarse «una invención» y por lo tanto no tiene derecho a patente.

Colombia es uno de los países más ricos en biodiversidad (variedad de formas de la vida), y las empresas que trabajan con tecnología de punta y biotecnología tratan de aprovechar el recurso para su beneficio, dice la doctora Flórez.

Para ella, sería un retroceso enorme «permitir patentar y dar al traste con los esfuerzos de más de diez años de los países andinos por defender la biodiversidad».

Margarita Flórez no duda en señalar que éste es uno de los puntos más conflictivos del Acuerdo de Promoción Comercial o TLC que se estaba negociando.

Sin embargo, como las normas sobre la materia en Colombia son de carácter andino, el país no puede modificarlas unilateralmente pues violaría en forma flagrante el ordenamiento regional.

Excluir a los animales y a las plantas del *patentamiento* está permitido por la Organización Mundial de Comercio, OMC, pero los Estados Unidos quieren ir más allá de estas normas y por eso buscaron que sus intereses quedaran plasmados en el citado Acuerdo de Promoción Comercial o TLC.

***

En marzo del año 2007 el senador Jorge Enrique Robledo dejó conocer los lineamientos de una denuncia por traición a la patria contra el presidente Uribe Vélez por su decisión de suscribir el Acuerdo de Promoción Comercial o Tratado Bilateral de Libre Comercio con Estados Unidos, que codificaron como TLC.

La base jurídica ante la Comisión de Acusaciones del Congreso es un voluminoso expediente en el cual fueron sentadas las premisas en que se basa la denuncia, bajo un argumento inicial:

«Lo primero es decir que la oposición al TLC no significa rechazo por razones de principios a un tratado económico con Estados Unidos o con cualquier otro país de la tierra, pues se entiende que los negocios internacionales (y los acuerdos que vienen con ellos) *pueden ser positivos* para el progreso de los pueblos en la medida en que se definan a partir del más celoso empleo de las soberanías para proteger los intereses de cada nación y con el propósito de lograr el beneficio recíproco de los países que los suscriban.

»Pero como también pueden no cumplir con los dos requisitos señalados, dichos negocios y acuerdos igualmente *pueden ser negativos* para alguno de los signatarios, caso en el que no deben suscribirse, y más por parte del país que va a ser sacrificado.

»*Es mejor no tener Tratado que tener un mal tratado* dijo el premio nobel de Economía Joseph Stiglitz refiriéndose a estos TLC».

Lo que sucederá en Colombia si el TLC entrara en vigencia —dice el denunciante al culminar el expediente— muestra que la agresión es bastante más grave de lo que algunos piensan. Porque el Tratado, en últimas, convertiría a Colombia en una especie de satélite de Estados Unidos, sólo que no por medio de la ocupación militar sino de una manera más sutil: manteniéndole la ficción de su independencia económica y política, pero en la práctica anexándola a su economía mediante el expediente de condicionarle toda su legislación económica a las conveniencias foráneas.

En el texto, Robledo señala finalmente:

«De poco le servirá al presidente de la República que la mayoría que conforman sus partidarios en la Comisión de Acusaciones del Congreso termine por hacer caso omiso de las fehacientes pruebas en su contra y opte por absolverlo, pues, si así ocurre, otra cosa dirá tarde que temprano la opinión pública informada, y con ella, de manera inevitable y severa, la historia».

La denuncia fue presentada el 8 de marzo (2007).

Cuatro años después, en el 2011, la Comisión de Acusaciones comunicó que uno de sus miembros había sido nombrado investigador.

El 8 de marzo de 2014, día en que se cumplían siete años de la presentación de la denuncia, el investigador no había presentado el informe que le correspondía y continuaba guardando absoluto silencio.

El Tratado de Libre Comercio, TLC, fue diseñado para durar a perpetuidad y sin posibilidades de modificarse sin permiso de los Estados Unidos.

***

El 15 de mayo del año 2012, fecha en que finalmente entró en vigencia el Tratado, con una gran sonrisa el presidente Juan Manuel Santos dijo a través de los canales de la televisión local:

«¡Hoy es un día histórico para Colombia!».

España
Av. Diagonal, 662-664
08034 Barcelona (España)
Tel. (34) 93 492 80 00
Fax (34) 93 492 85 65
Mail: info@planetaint.com
www.planeta.es

Paseo Recoletos, 4, 3.ª planta
28001 Madrid (España)
Tel. (34) 91 423 03 00
Fax (34) 91 423 03 25
Mail: info@planetaint.com
www.planeta.es

Argentina
Av. Independencia, 1668
C1100 Buenos Aires
(Argentina)
Tel. (5411) 4124 91 00
Fax (5411) 4124 91 90
Mail: info@eplaneta.com.ar
www.editorialplaneta.com.ar

Brasil
Av. Francisco Matarazzo,
1500, 3.° andar, Conj. 32
Edificio New York
05001-100 São Paulo (Brasil)
Tel. (5511) 3087 88 88
Fax (5511) 3087 88 90
Mail: ventas@editoraplaneta.com.br
www.editoriaplaneta.com.br

Chile
Av. Andrés Bello, 2115, piso 8
Providencia
Santiago (Chile)
Tel. (562) 2652 29 27
Fax (562) 2652 29 12
Mail: info@planeta.cl
www.editorialplaneta.cl

Colombia
Calle 73, 7-60, pisos 7 al 11
Bogotá, D.C. (Colombia)
Tel. (571) 607 99 97
Fax (571) 607 99 76
Mail: info@planeta.com.co
www.editorialplaneta.com.co

Ecuador
Whymper, N27-166,
y Francisco de Orellana
Quito (Ecuador)
Tel. (5932) 290 89 99
Fax (5932) 250 72 34
Mail: planeta@access.net.ec

México
Masaryk 111, piso 2.°
Colonia Chapultepec Morales
Delegación Miguel Hidalgo 11560
México, D.F. (México)
Tel. (52) 55 3000 62 00
Fax (52) 55 5002 91 54
Mail: info@planeta.com.mx
www.editorialplaneta.com.mx
www.planeta.com.mx

Perú
Av. Santa Cruz, 244
San Isidro, Lima (Perú)
Tel. (511) 440 98 98
Fax (511) 422 46 50
Mail: rrosales@eplaneta.com.pe

Portugal
Rua do Loreto, 16-1.° D
1200-242 Lisboa (Portugal)
Tel. (351) 21 340 85 20
Fax (351) 21 340 85 26
Mail: info@planeta.pt
www.planeta.pt
www.facebook.com/planetaportugal

Uruguay
Cuareim, 1647
11100 Montevideo (Uruguay)
Tel. (5982) 901 40 26
Fax (5982) 902 25 50
Mail: info@planeta.com.uy
www.editorialplaneta.com.uy

Venezuela
Final Av. Libertador,
Torre Exa, piso 3.°, of. 301
El Rosal, Caracas 1060 (Venezuela)
Tel. (58212) 952 35 33
Fax (58212) 953 05 29
Mail: info@planeta.com.ve
www.editorialplaneta.com.ve

Grupo Planeta

Planeta es un sello editorial del Grupo Planeta www.planeta.es